テツオ・ナジタ

相互扶助の経済

無尽講・報徳の民衆思想史

五十嵐暁郎 監訳
福井昌子 訳

みすず書房

ORDINARY ECONOMIES IN JAPAN

A Historical Perspective, 1750-1950

by

Tetsuo Najita

First published by The University of California Press,
Berkeley and Los Angeles, 2009

Japanese translation rights arranged with
The University of California Press through
The English Agency (Japan) Ltd., Tokyo

キエランとシヴァーンに献げる

目次

日本の読者のみなさまへ　iv
まえがき　ix
第一章　徳の諸相　1
第二章　常識としての知識　27
第三章　組織原理としての講　85
第四章　倫理の実践としての労働　146
第五章　報徳と国家の近代化　197
第六章　無尽会社　243

終　章　断片的な言説　290
解説　五十嵐暁郎　329
原　注　xxiv
参考文献　xiii
索　引　i

日本の読者のみなさまへ

本書の英語原書のカバーには、「相互扶助」の文字が見る者の目をひきつけるように印象的にデザインされている。しかし、この言葉は書名にもサブタイトルにもつかわれていない。実際、「相互扶助」にぴったりと当てはまる、おたがいを思いやる情にあふれる倫理観を伝えるような英語は思いあたらない。

また、英語原書の書名、*Ordinary Economies* も日常的につかわれている言葉ではないことを記しておきたい。私がこの言葉をつかったのは、そもそも本書が近代化ではなく、民衆の日常生活に密接に絡み合っている、かれらの経済活動をとり上げたものであること、通常は資本形成のパターンに注目する「経済史」をとり上げたものではないことを明確に示すためである。

Ordinary Economies にそのまま当てはまる日本語がないために、この言葉の訳語ではなく「相互扶助」に、訳書の書名として焦点を当ててもらえたことにとても喜んでいる。本書を日本語訳する過程で、私が書き記してきた歴史は、人間と地域社会の生活を維持すべく助け合う人びとの実践倫理と、より密接なつながりをもつようになった。

私は、「相互扶助」というテーマは現代史に関連するとも考えている。当然のことながら、私は、東日本大震災の混乱と悲劇的なできごとと、その後もその影響がつづくなかで市民が気力をふり絞って闘っていることを考えている。私たちは、基本的な医薬品や生活必需品を分かち合い、仮設住宅で共同生活を送る東北地方および日本全国のコミュニティの取り組みに、市民の日常生活において実践されている相互扶助という現実の生活ドラマを目のあたりにしているのである。

サブタイトルの「思想史」について若干の説明が必要だろう。通常、思想史があつかうのは、中央の古文書館に保管されている重要な思想や著名な思想家の哲学である。私自身、これまではそうした歴史を著述してきた。本書の前におこなった研究では、大阪にあった商人学問所である懐徳堂で論じられた経済政策に関する中心的な教えの展開を明らかにしようとした。しかし、本書の「まえがき」で簡単に触れたように、思想史がとりわけ民衆の経済生活に適用されるならば、懐徳堂の外にはどのような思想史が存在していたのだろうかと疑問を抱くようになった。こうして、私は民衆がかかわっていた可能性のある議論に関心をもつようになったのである。

民衆は引用文献になるような立派な著作や哲学的な「古典」を執筆することこそなかったが、みずから執筆することは確かにあった。そうした著作のほとんどは、民衆が貧困に陥らないように他の民衆のために書き記した小冊子として出版された。これらの小冊子は、人が直面する最大の敵は貧困であり、活力と知性によって貧困をしりぞける努力をすべきだと論じた。質が高い文章というわけではなかったが、そこには、投機的な思惑や願望にもとづいた考えではなく、規律ある労働の価値について民衆が教え合うという思想史が込められていた。これが、私が大いに注目した報徳運動の中心になっているテーマである。本書を読まれるならば、なぜ貧困と悲惨な状態に屈せずにすむのか、そのためにはどうすればよいかという議論が民衆の思想史において重要な内容であったことに同意していただけるものと思う。

本書をとおして、私は「実践」のテーマをつねに中心に置いた。民衆はほぼどのような場合にも、実践すなわち生産的な仕事をすることを考えていたのだから、民衆の思想史は、この実践というテーマに光を当てるべきである。私がとくにとり上げたのは、社会が広く講に参加していたことであった。頼母子講と無尽講が具体的な枠組みとなり、それをつくり上げた一定の規則が経済的な実践に秩序をあたえた。一定期間について、数字によって詳細に定められたように行動すべしとする契約的な合意から、私は民衆の知的生活に関する貴重なヒントを得た。これによって相互の信用と、契約講におけるような「契約」の倫理、より広く、現実生活のさまざまな状況においておたがいに助け合うという合意が存在したことが明らかになったのである。私は地域社会、および「相互扶助」という考えは単なる道徳的で抽象的なものではなく、数字的な確実性をともなう具体的な考えであると確信するようになった。それゆえに、私は正確さと一貫性というテーマが民衆経済の思想史の核心であることを立証しようと努めたのである。

講に関して私が先に述べたコメントが示しているように、本書のテーマが関連する社会的範囲は広く、記述の区切りになるような明確な時間的境界線は存在しない。それゆえ、本書はある意味で恣意的に章立てされており、よく知られている歴史的過程をまとめたものにはなっていない。その意味で、本書の記述は歴史を実際に明らかにするというよりは、解釈にかかわる視点を集めたものである。原書のサブタイトルが「歴史的展望」(a historical perspective) であるのは、この点を反映しており、本書が有名な事件の時系列的な展開ではないことに読者の注意を喚起している。したがって、これは私自身の「解釈的な展望」であることを心に留めておいていただきたいと思う。

私は本書をとおして、民衆の経済が公的秩序の外側で形成されたことを指摘した。このことは徳川時代の幕藩体制と、近代のよりいっそう強力な明治国家の枠組みにおいても当てはまる。西洋の歴史記述では、一般民衆は上からの命令に素直に従うものだ、というステレオタイプが依然として主流だが、本書はそれとは異なる展望を描いている。民衆は知の第一原理としての自然を前提として地域の生活を維持するために行動しているのであって、政治的命令を必要条件として行動してはいないことを強調しておきたい。私は、この歴史が現在の地域に根づいた市民運動に密接に結びつき、自然環境に呼応してこれを守り、道徳的な経済という人間らしい原則を促すものであることを確信している。

個人的な思いを述べて、このまえがきを終えたいと思う。私は「ビッグ・アイランド」(ハワイ島の別称) のヒロの町で育った。ヒロは三日月のようになだらかにカーブした湾岸に位置する風光明媚な土地であるが、津波の影響を受けやすい土地でもある。一九四六年と一九六〇年の二度にわたって津波に襲われ、大きな被害を受けた。その後、「津波」は英語の一部となり、圧倒的な政治的敗北などの比喩としてもつかわれるようになった。ヒロの中心街が完全に復興されることはなく、とくにほかの有名な観光地とくらべると、現代の発展に取り残されているように見える。

「津波の町」で育ったという個人的な背景があっても、私は東日本大震災がもたらした破壊の規模を想像することすらできなかった。東北地方の人びとがおたがいに助け合い、失った社会を再建するために努力をつづけるその姿に、ただただ尊敬と称賛の念を抱いている。

謝辞

本書を訳すために、五十嵐暁郎教授と福井昌子さんが不断の努力を払ってくださったことには、感謝の言葉がみつからない。お二人にとってこの作業がどれほど苦労の多いものであったかは、容易に想像がつく。五十嵐教授は、羅針盤などほぼないと言ってよいこの研究に強い興味をもち、貴重なアドバイスをしてくださっただけでなく、結果につながる道筋への確かな方向性を示してくださった。また、本書の完成前であったにもかかわらず、立教大学でのセミナーに私を招聘してくださった。これはとても刺激的な経験となった。みすず書房の編集者、栗山雅子さんはあらゆる場面において、根気強く、懇切丁寧に編集に関する指示をしてくださった。彼女にも深く感謝する次第である。

テツオ・ナジタ

二〇一五年一月

まえがき

歴史学者が好奇心にかられて本来の専門分野から逸れていくのには、それなりの理由がある。私の研究が二〇世紀の政治から一八世紀の徳川時代の思想に転じたのは、政治的理想主義および経済における知的遺産を明らかにするためであった。理想主義を掲げて乱を起こした大塩平八郎や政治経済学者であった太宰春台《だざいしゅんだい》について私が一九七〇年代はじめに書いた論文は、その後の私の研究の将来を予告する指標となった。方法論やメタファーについての学問的議論を基礎にして、海保青陵《かいほせいりょう》の洞察力に富む眼識に導かれ、私は大坂の商人思想家たち、なかでも山片蟠桃《やまがたばんとう》とかれが学んだ学問所である懐徳堂に注目した。研究をはじめた当初から、私は近代につながる道筋を見つけだすつもりでいたので、近代に立ち戻るにふさわしい歴史叙述はなんらかのかたちで見つかると考えていた。またたく間に四〇年が過ぎ、個人的にはやりがいがあったが、その成果は、歴史の叙述という点では成功だったとはとうてい言いがたい。本書は、著名な政治家ではなく、世に知られない人物をとりあげることになり、また、産業革命の暗部を掘り起こすことはほとんどできなかった。

「民衆経済」〔英語版表題の *Ordinary Economies* を指す〕とは、民衆が経済的な選択肢を比較検討し、綿密に立てた計画を遂行するという経済分野だが、実のところその範囲は広い。さらに、封建時代後期および近代初期のいずれにおいても、この経済は公的秩序を大きく超えて広がっていたため、官製の記録や、その歴史を保存する中央公文書館のようなものもない。最初の短い章では、私がこの歴史分野にかかわるようになった経緯をまとめたが、それによって私の研究が、政治的理想主義や経済に焦点を当てていたそれ以前の思想史研究から逸れていったことがわかるだろう。

本書で展開したテーマは数年かけて明確になったものだが、概要は本書以前の執筆論文で紹介してきた。すなわち、「一九世紀日本における民衆の思想と実践における経済政策――予備的解説」(Political Economy in Thought and Practice among Commoners in 19th Century Japan: Some Preliminary Comments)、「近代日本における伝統的協同組合――コスモポリタニズムと自国主義のオルタナティヴ再考」(Traditional Co-operatives in Modern Japan: Rethinking Alternatives to Cosmopolitanism and Nativism)や、邦訳されたものとしては、「現在にある過去――断片的言説と戦後精神史」(アジア太平洋研究会、*The Journal of Pacific Asia*, vol.3)、「徳川時代後期の通俗経済と時間」(『季刊文学』第八巻二号所収、岩波書店、一九九七年)、「商いの語り――日常から生まれたディスクール」(『語り――つむぎだす(越境する知2)』所収、東京大学出版会、二〇〇〇年)がある。そして、思想史に関する私の講演や論文をまとめたものとして、『Doing思想史』(みすず書房)が二〇〇八年に出版されている。

歴史を概観して明らかになった主題とは、「お互いを助ける」という民衆の道徳的責務である。本書〔原書〕のカバーと扉に「相互扶助」の文字をあしらったのはそのことを示している。

執筆当初や、いまだ研究の行先が不透明な段階にあっても、色川大吉、松本三之介、桜井徳太郎、比屋根照夫、田村貞雄、伝田功、脇田修の各教授から励ましと助言をいただくことができたのはありがたいことであった。また、立教大学の五十嵐暁郎教授には、草鞋を脱ぐ場所と、地域の政治経済についての専門知識とを提供していただいただけでなく、東京からはるか遠いさまざまな地域に同行していただいた。

日本と東アジア研究に関する多くのセミナーでは、自説について意見をかわす機会を設けていただいたことにも感謝している。またスザンヌ・バーネット、ジェームズ・バーソロミュー、パメラ・クロスリー、ピーター・ドゥース、アンドルー・ガーストル、キャロル・グラック、リッキ・カーステン、シャロン・ミニチェッロ、マサオ・ミヨシ、ジェニファー・ロバートソン、コンラッド・トットマン、アン・ウォルサル、サミュエル・H・ヤマシタの各氏からいただいたご支援に感謝を申し上げる。

参考文献一覧の作成などに関しては、サンドラ・コリンズ、平野克弥、ゲイル・ホンダ、パティ・カメヤ、タニヤ・マウス各氏のお力を借りた。

フィールドワークに対しては、国際交流基金、トヨタ財団、シカゴ大学東アジア研究センターから惜しみない助成金をいただいた。最終段階の執筆および草稿の編集段階では、名誉教授フェローシップ・プログラムによってメロン財団に支援していただいたことにとりわけ感謝する。

マーガレット・B・ヤマシタ氏は、原稿を仕上げるにあたり、編集上の貴重な助言をくださった。また、未完成の段階の草稿を何度も見なおしてくれた心優しき妻エレノアに感謝したい。

第一章　徳の諸相

大坂の町人学問所であった懐徳堂を研究するうちに、とりわけ気づかされたのは、徳川時代には懐徳堂の外でも民衆が商業活動や議論をかなり活発におこなっていたこと、同時に著述や出版もおこなっていたことであった。懐徳堂の教師たちは学問的に高い志をもち、当時懐徳堂よりも名声が高かった学問所の学者さえも相手どってみずからの考えを論じた。競合する学問所では、懐徳堂の講義は単なる「大坂流町人学問」のそれでしかないと中傷していたが、そんな偏見を打ち破るべく、ほかの地域、とくに江戸の学者も注目せざるをえないほど卓越した論文を執筆、出版することで、懐徳堂はこの中傷に反論した。

そのため、私は自著『懐徳堂――18世紀日本の「徳」の諸相』(岩波書店、二〇〇四年)の視野を広げ、懐徳堂の外で議論されていた経済方策に関する民衆の思想史も包摂することにした。ここではっきり申し上げておきたいが、私の目的は、懐徳堂で議論され民衆経済の歴史を形成したテーマを確認することであって、徳川時代の儒教を定義しなおすことではない。近世の国家は、忠誠、勤勉、階層制度の尊重という道徳を強化するためのイデオロギーとして儒教を利用した。一方、懐徳堂では、学問所の名前にもなっている「徳」を教えた。「徳」を学ぶということは、自然と社会の複雑な現象を認識論的に研究することでもあった。知識へのこうしたアプローチは、イデオロギーの形式や「伝統的」「近代的」という歴史的な線引きによって限定されることのない、広く比較考察された普遍的な方法であったと思われる。

しかし、私の選択は、ひとつの研究では完結しないような途方もなく大きな研究課題になってしまった。したがって本書では、商いに対する民衆の思想、すなわち学者向けというよりは民衆を対象にした民衆による経済に関する書物、緊急事態に備え、農村を再建するための、そしてさまざまな事業を興すためのかれらの手法に的を絞った。かれらはこのすべてを、徳を道徳的に理解することをとおしておこなったのである。商人の学問所という壁から外に出るにつれて、私はいくつかのテーマに関心をもつようになった。それらのテーマは、これから本書で述べていくなかでさまざまなかたちで明らかになってくる。それらがたがいに相関関係があると期待するのは現実的ではないが、これらのテーマがあったからこそ、たとえ恣意的に選んだようにみえるとしても、いくつかの問題に絞りこむことができたのである。

テーマのひとつは、経済と道徳の関係である。これは、三宅石庵（一六六五－一七三〇）が一七二六年の懐徳堂開設講義でもっとも強調していたことである。石庵は、大坂のおもだった商人たちを前に、道徳と経済は不可分だと主張し（これは懐徳堂でのすべての教えの根底にありつづけた前提である）、みずからの主張の根拠を儒教の二大教本であった論語と孟子においた。

石庵は、受講者がよく知っている概念をとりあげて、学者の研究内容とかれら受講者の行動に実際に影響をおよぼすような学習内容との違いについて論じた。学者が研究したのは古典に見いだせる道徳的知識など、自己の内にはない貴重な教えであり、それを日々の生活で几帳面に実践した。石庵の言葉を借りれば、「学ブト云ハ、マネマナブコト、サキカラコノ方ヘ一トホリマナビウクルコト也、習ハ手前ニテトクトナラフコト也、ナレナラフコトナリ、時ハ時ヲリゴトニウチオカヌコトナリ」だった。つまり、商人たちは懐徳堂で研究し、貴重な道徳的知識を得ることができる。しかしそうした知識は、日ごろから自発的に実践に移して活かしていかなければ、ほとんど意味がなかった。実践をとおしてこそ、聖人とおなじように、商人たちは真の道徳性や慈悲を実現することになるからである。石庵いわく「聖人モ人、此方モ人」であった。

石庵は孟子から重要な洞察を得て、自身の講義を裏づけた。すなわち、外部で起きたことを分析、識別し、それについて判断する（わきまえる）知性と、他者の内なる慈悲（物ノアハレ＝仁）を見いだす先天的な良識はすべての人にあるということである。石庵の結論は、人間に共通してそなわっているこうした資質は尊重されるべきであり、経済競争が鳥や獣のように対立する者を滅ぼすということであってはならない。競争は厳正さと公正さにもとづくべきであり、支配を目的としてはならない、ということであった。石庵は、古代の戦闘的な君主に対する孟子の助言を引用した。「儲け」や「利」というものは、あらゆる戦を終らせるための戦をおこなう、そしてそのために軍事体制を打ち立てるという意味であってはならない、というものであり、大坂商人に向けた教訓は明らかである。つまり、経済競争は厳正かつ公正で、他者の人間性の尊重にもとづいたものであるべきで、権力拡大という利己的な野望に駆られたものであってはならない、ということである。石庵は指導的立場にある商人たちへの講義をこう締めくくった。「トカク仁義ノ心ガ利欲ノ念ニカツヤウニスルガヨキナリ、コノ利心ト云フモノハ、イヅクマデモコマカニイリワタリテアルナリ、チヨツト身ノ立フルマヒニモアルコトナリ、同ジヤウナルコトニテモ、義カラ心ガ出ルト、我ガ勝手ノヨキヤウニスルトノカハリアルナリ、ココヲヨク考ヘネバナラヌコトナリ」。この教訓は懐徳堂でつぎのように明確に定式化された。すなわち、利益とは独断や一方的なものではなく、公正でなければならない（「利ハ義ナリ」）。客観的で厳正であるとしても、他者の道徳的価値観や慈悲を認識していなければ、受け入れられない。要するに、どれほど正確であるとしても、経済は道徳と無関係であってはならないのである。[1]

　わたしが想定しているもうひとつのテーマは、自然はあらゆる知の第一原理であらねばならないという認識論上の前提である。これは五井《ごい》蘭洲《らんじゅう》（一六九七－一七六二）が確信していたことである。すなわち、自然界は絶対かつ無限であり、始まりも終りもない。この絶対的な原則が客観的な知の根底にあるべきであり、地理学や文化的なコミュニティはその文脈においてはじめて意味をもつ。しかし、絶対かつ無限であるということは、自然のすべてを理解することはできない、ということでもある。人間の知識にも限界があり、相対的であらざるをえない。知識のある人もいるが、そうでない人もいる。現代人は古代の賢人よりはものを知っており、未来の人びとは現時点では知られていないことを知るだろう。人類の歴史、つまり人類の知を「相対的なもの」として理解することには、人間に潜在的な能力と知的なはたらきがあることを強調する教育的な効果がある。現在学んでいる人びとには、なるべく多くの知識を身につけ、それにしたがって行動することが奨励される。この実践倫理こそが、商人たちの仕事と調和する。実践倫理は、山片蟠桃（一七四八－一八二一）のような商人学者を鼓舞しては、天文学を学び、地理や世界各地の文化、経済政策の現状に関して広範囲にわたる仮説を打ち立てる原動力となった。

大坂市民のあいだで商人升屋小右衛門《ますやこえもん》として知られていた山片蟠桃は、ほかの学者が瑣末すぎて目を向けるまでもないとした細かなことがらに関心を向けた。真偽のほどはわからないが、しばしば語られるエピソードとして、蟠桃が仙台藩伊達家の蔵元を務め（蟠桃は藩の財政管理をになった）、伊達家から礼金について聞かれたさい、刺し米でよいと答えたというものがある。刺し米とは、江戸に米を送る途中で吟味するさいに抜き取った米のことだ。伊達家は、手数料がわずかばかりで済んでこれ幸いと思ったことだろう。だが、蟠桃はこの刺し米を江戸で売りさばき、かなりの利益を得たといわれる。実際かれの関心は、一見わずかなものでも長期取引から生じる利幅は全体として膨大なものになることにあった。大名はこの点を気に留めなかったようだが、海保青陵（一七五五－一八一七）は確かな眼でこれをとらえ（青陵の考えは今後、本書のさまざまな叙述で引用する）、蟠桃について論じた際にこの逸話を書き加えた(2)。

蟠桃は、自然を知識の第一原理とする理論を最大限とり入れた。これは大坂文化のかなりの部分に浸透していた大胆な知的精神の一部でもあった。蟠桃の『夢之代《ゆめのしろ》』ほど洗練され、歴史学者の好奇心に応えるような著書がほかにあるとは思えない。しかし、民衆が知識や行動の原理としての自然をどのように利用していたのかという点に私の好奇心はかきたてられ、それゆえに資料の選択も影響を受けた。

蟠桃は、光とエネルギーの源であり地上の万物に生命を吹きこむ太陽に注目し、人の行動もまた相対的であると理解するようになった。つまり、ある行動はほかの行動よりも良いとされる場合があり、どのようなささやかなものであっても偏りなく注目するに値するということである。太陽は光とエネルギーの源として普遍性をもつがゆえに、その前では地上のあらゆるものが相対化される。それゆえにまた、事の大小にかかわらず、そこには人間にとってとるべき行動を伝える重要性が存在するのであるが、そのことを理解する人間の能力をも相対化するのである。疑問を感じたり、評価するに足らないようなつまらぬものなどない。そのように理解すると、さまざまな問いが生まれる。とりわけ経済的な意味での問いである。たとえば、民衆は知識をどのように活用するのだろうか。行動の方向を定めるにあたって、自然は認識論的にどのような役割を果たすのだろうか。本書で示すように、この関係は非常に重要であり、商人はこれについて日常的な言葉で書き残し、個々人の行動をうながした。これは、農村再建という報徳運動でも重要な役割を果たしている。

ようやく私は、平等主義と互助的な道徳が懐徳堂のイデオロギーとして浸透していたことに気がついた。そしてこれが私の研究にとって最初の確かな足がかりとなったのである。懐徳堂の学主たちは学者や知識人のコミュニティを相手に講義をおこなっていたが、かれらはその時代の文化活動とも交流をもっていた。その結果、懐徳堂は講や講社〔おなじ神仏を信仰する人びとの団体、それを起源とする多様な団体〕の平等主義、互助や奉仕団体の非階層的な原則にしたがって組織されていた。このイデオロギーは、共通の目的を実現しようとする人びとはみずからをどのように組織すべきかについて広く認識されていた仮説とからみ合っていた。くり返しになるが、学主らが強調したのは、道徳的な人びと同士の交流は結局、基本的な意味で平等であるということであった。この考えは一七五〇年代に、懐徳堂の数少ない基本方針のひとつとしてとり入れられた——定書の第一条、「書生の交りは、貴賤貧富を論ぜす、同輩と為すべき事」がそれである。書生を組織化する懐徳堂のそうした原理は講または講社であり、倫理、道徳的知の希求という共通の目的をもつ人はすべて「同士または同輩」であるとする平等原則である。ある書生はほかの書生より学問が進んでいた。しかし、学問が進んだ者とそうではない者との違いや、侍と商人との区別などにくらべ、各人がもつ生来的な慈悲あるいは「徳」は同輩意識を培う基盤として浸透していたと思われる。たとえば、侍は懐徳堂に入る際は刀を置くよう求められ、講堂で着席する際に優先的にあつかわれることもなかった(3)。

共有される目的にかかわる倫理は統一理念であったが、それを知るにつけて私は社会的に広くおこなわれていた相互扶助の現象に興味をひかれた。それは講として知られていたものであり、相互扶助と援助を目的として民衆のあいだに広がっていた組織形態である。この現象の手がかりは、思っていた以上に身近なところにあった。それは、懐徳堂跡を記念する石碑である。私が懐徳堂を研究していたころ、多くの人がその石碑に気づかないまま、歩道を行きかっているのを見ていたし、しかも、頻繁にそこに足を運んでいた私も、その石碑に気がつかない一人だった。その石碑が日本有数の生命保険会社のひとつである日本生命保険相互会社の壁にあることに気づかなかったからである。

『懐徳堂』の記述では、かつて懐徳堂が存在した場所を示す石碑について書きはじめ、東区(大阪の下町の中心だった地域で、現在は中央区の北東部にあたる)にあったその石碑の移設先を「そびえたつ近代的ビル」と記した。私は、「小さくて、変わった形の石板に古風な漢文が記されており、かつてここに大坂商人の学問所があったことを示している」とメモしていた。当時の私にとって、この「そびえたつ近代的ビル」は取るに足らないものだった。それまで、私はこのビルにちらっと目をやるだけで、数多くある現代建造物のひとつにすぎないと考えていた。それが今では私の研究対象になっている。このビルの企業こそが、徳川時代の相互信用や相互扶助という道徳的思考から出発しているからである。実際、社名にもそれが表れている。民衆経済という分野を研究対象にした、長きにわたる遠回りの旅はここからはじまった。

日本生命の起源をたどるためには、京都の東に位置する近江を訪ねる必要があった。徳川時代（一六〇〇－一八六七）、近江は繁栄した商業都市として広く知られていた。大通りには「朝鮮通り」という石柱が今も残っており、徳川幕府を表敬訪問するために東に向かう朝鮮からの使節団とその一行がここに立ち寄ったことを伝えている。滋賀県の琵琶湖に面したこの町は「近江商人」の拠点であり、さまざまな地域から選び抜いた商品を活発に取引していたことで、徳川時代にはその名が広く知られていた。かれら近江商人たちは地域をまたぐ商いの重要な仲介役として、質のよい商品を国のあちらからこちらへと運び、日本中に「名産品」をゆきわたらせた。そうした商品としては、九州の藍染、京都の絹、静岡の茶葉、北海道の昆布などがあった。とくに昆布は、関西から江戸にかけてダシの基本になった。海岸沿いや内陸の街道を行き来した近江商人は、勤勉でやり手という高い評判を得て、藩境を越える商いをうながした。大坂の大きな商家と違い、近江商人は地域を越えた広い範囲で商いをおこない、物理的にも政治的にも制約されることはなかった。それゆえ現代の商社やその他無数の

企業が自社の系譜をたどり、この商人社会に行き着いたとしても不思議ではない。(4)

生命保険会社の概念を最初に提示した近江商人は弘世助三郎《ひろせすけさぶろう》（一八四四―一九一三）である。弘世が青年期、動乱の幕末時代に長距離を移動し、ある地域から別の地域へと質の良い商品を買い入れては売りさばいたという話は有名である。弘世やかれとおなじ商家の出身者は、皆川淇園《みながわきえん》（一七三四―一八〇七）が創設した学校で学んだ。皆川は京都のすぐれた儒学者で、古典を実証的に研究し、「済民」理念について教えていた人物である。「済民」は懐徳堂や、大坂で蘭学を教えていた適塾でも重視されていた。この理念にしたがえば、知識を得る第一の意義は、人びとの苦境を軽減することであった。この道徳的理念に加え、弘世は他者のためになにか良いことをおこなうのは「相互」あるいは協働的な過程であり、それゆえに「相互扶助」や「支援」という行動倫理が重要だという考えもとり入れた。他者を助けるというこの道徳理念は危機や緊急時への対応という考えに端を発したものであることから、一人が単独で行動するというよりは、多数の個人が組織立っておこなうものとされた。

明治維新の変革につながる一八六〇年代という混乱に満ちた時代に、まだ二〇代半ばだった弘世は、近隣にあった多賀大社がおこなった相互保険の実践に関心をもった。(5)徳川時代の主要な参拝先であった多賀大社は、「相互保険」契約協同組合（多賀教会講社規約）、あるいは単に「多賀講」を設立した。この講の目的は、縁のある神社を訪れる参拝客が救急手当てを必要とする場合に対応することであり、講員は数万人にもなった。遠路はるばる多賀までやってきた参拝客は、緊急時に支援と保険金を受けとることができた。この保険の基金は全国から集められたお布施から支出されるもので、多賀講員にとっては重要な保険となった。特別の基金も別に設けられ、多賀講の構成員は緊急時に備えて、「貯

え、お互いに助け合う（互いに貧困を相助くべし）」ことができたのである。(6)
弘世助三郎の孫である現《げん》はこう回顧している。

日本生命の社史によりますと、古来延命長寿の神として霊験あらたかな多賀神社〔ママ〕には、昔から「多賀教会」と称して数万の会員を有する讃仰会があったようです、明治のはじめ、当社の創業者弘世助三郎はこの相互組織に着眼し、多賀教会を主体とした、「多賀寿生命」の創立を計画したのがそもそものきっかけであります。

その後何らかの事情で、「多賀寿生命」そのものは実現しなかったようでありますが、程無くこの思想をもとに日本国民全体を対象とする生命保険会社の設立にこぎ着けました。これが今日の日本生命でございます。

このように会社の誕生の当初から、お多賀さんとわが社とは深いご縁で結ばれており、多賀神社に対する信仰は、代々大切に守り伝えられております。(7)

一八七〇年代はじめ、弘世は多賀相互保険を利用して多賀生命保険会社（多賀生命）を創設することを提案した。氏子総代らは当初この提案に共感したが、多賀の資金は神社内部で使用するために貯えておくべきだと考えるようになり、最終的には受け入れなかった。しかし弘世が考えていたのは、それよりももっと広い範囲を網羅する保険制度だった。これは全体としての「民を救う」理念を掲げたもので、この目標は神社の基金規約に定められた目的を大きく超えていた。

近江の行商人として成功をおさめていた仕事をやめ、弘世は多賀「相互保険」に触発されて、信用基金を有する数十の協同組合を地域に設立し、大阪に生命保険会社を創設した。大阪は、かれのような商人にとっては依然として商人の都であり、くだいていえば、日本の「台所」であった。この生命保険会社は、すでに述べたとおり徳川時代の相互扶助という倫理観を維持したまま、一八九六年に正式に日本生命と命名された(8)。

弘世助三郎の成功物語は、革命的に変化する条件をもたらした明治維新という転換期にあっては完璧なものだった。暴力的な争いや維新の内戦に直接関わることはなかったものの、弘世のような人びとは国を救うために地域の資源を組織することで応えたからである。国全体のために生命保険会社を創設し、さらには鉄道の敷設や女学校の建設計画など、弘世の提案は近代的な発想であり近代史の一部である。しかし、地域における講の実践を基盤にした「民を救う」という強い思いは、弘世のような町人が教育やしつけの一環として内面化していた徳川社会の倫理の延長線上にあった。この倫理観にもとづく組織的な意識が、相互扶助組織（講）というかたちをとって明確に現れている事実を記録しておく価値は十分にある。すなわち、この現象が実にさまざまなかたちで広がりをみせるとともに、本書の一貫したテーマであるからだ。

近江や多賀から大阪の日本生命へ戻ってみると、検討すべきことがたくさんあった。中心街である御堂筋を通ってしばしば出向いていた「そびえたつ近代的ビル」は今や、まったく違うものを表していた。本書で叙述している歴史のほかの特徴が浮かび上がってきたからである。鴻池《こうのいけ》（徳川時代と近代における大坂最大の豪商で、先頭に立って懐徳堂を支援していた）の仲介により、弘世は同僚と共同で懐徳堂の跡地を購入し、日本生命を興した。懐徳堂と日本生命、近代的な日本生命ビルの壁に彫りこまれた石碑を並べると、これまで何度も訪れていたときには経験しなかったのだが、その現象としての重要性に納得がいった。徳川時代の町人倫理と日本生命との一体化や、多賀大社の相互扶助概念との関連性から、物理的、物質的な物体に知的な歴史が埋めこまれていることに気づいたからである。それゆえに、視野を少し広げることによって、付近に存在するそのほかの史跡もこうした知的な実在の一部になった。

懐徳堂すなわち日本生命の位置から、現代的な意味での都市の一区画先には、「日の光を敬愛する」小学校（愛日《あいじつ》小学校）がある。この学校は山片蟠桃が働いていた升屋によって創設された。蟠桃の印象的な蔵書がこの学校に保管されており、かれの作品『夢之代』の特徴である広範な知識を思い起こさせる。蟠桃は、太陽が普遍的な自然の源としてあることを強調し、迷信や神の救いなどに頼る心を捨て、夜の夢をあとにして精神と自然の道理が一致する日々を受け入れることを求めた。この学校は、蟠桃が自然の光や道理を賛美していたことをあらためて物語っており、また、明治初期に福澤諭吉（一八三四－一九〇一）が指導的役割を果たした、封建という長い暗黒の時代の終焉を求めた啓蒙活動の影響も受けている。

懐徳堂の跡地近くには適塾もある。ここは、一八四〇年代から五〇年代にかけて、福澤諭吉など約六〇〇名が、医者となって「他者を救う」ために緒方洪庵（一八一〇－一八六三）のもとで蘭学を学んだところである。適塾を再訪した私は、洪庵の教えがもつ意義を強く感じた。その教えとは、「正確性」すなわち医療行為の科学としての「術」には、つねに道徳的な目的すなわち他者を救おうという慈悲としての「仁」がともなわなければならないということである。西洋医療に関する書物を読み翻訳することは、医者になるための勉強の一環であった。洪庵は、この方法論的な正確性という枠のなかで蘭学を教えた。つねにめざしていたのは、病床にある者に思いやりの手を差し伸べるということであった。洪庵は天然痘ワクチンの投与に懸命に取り組み、コレラの蔓延と必死にたたかった。理性と正確性の実践は道徳的な目的をともなわなければならないというかれの教えは、経済的な正確さ、あるいは「手法」に道徳的充足が欠けてはならないとする懐徳堂の姿勢にきわめて似ている。書生に示した道徳基準について洪庵は、真正な「利」は医者に医術の上達を求める道徳的目的から得られると書いている。「病者に対しては唯病者を診るべし。貴賤貧富を顧みることなかれ。長者一握の黄金を以て貧士双眼の感涙に比するに其の心に得るところ如何ぞや、深く之を思ふべし。病者の費用少なからんことを思ふべし。命を与ふとも、其の命を繋ぐの資を奪はば、亦何の益かあらん。貧民に於ては茲に斟酌なくんばあらず」。

つまり洪庵にとって、医者は、手法および道徳的目的（仁術）を不可分のものとしてとらえるべきであった。二人の同僚とともに新型天然痘ワクチンを広めることに成功した際に、かれはこのように書き残している。「最初より葛民、洪庵、喜兵衛三人誓を立て、是唯仁術を旨とする乃ミ、世上の為メニ新法を弘むることなれハ、向来幾何の謝金を得ることありとも、銘々己れか利とせす、更ニ仁術を行ふの料とせん事を第一の規定とす」。「医は仁術なり」は、徳川時代のすべての医者の基本的価値観だった。医者の専門が東洋医学であるか、西洋医学であるかは関係なかった。(9)

正確な手法と道徳的な目的との本来的な関係性は、懐徳堂における三宅石庵、およびその後継者である中井竹山（一七三〇－一八〇四）と中井履軒（一七三二－一八一七）の教えに見いだすことができるのだが、緒方洪庵とかれが適塾で書生に示していた道徳的教えに、それが一致していることは明らかである。この関係性はまた、多賀講を組織した手法が不測の緊急時に人びとを救う相互保険制度の基盤になるという弘世助三郎の考えにも見いだせる。こうした考えはすべて、学者にありがちな過剰な傲慢さに歯止めをかける、道徳的な拠りどころを欠いた客観的な知識は信用しないという、徳川時代に共通する知的文化に属するものであった。この懐疑主義は、近代的な合理性や進歩を信奉する人びとからは「前近代的」と批判され、信用されなかった。前近代とは、失敗した時代であり、捨て去るべきだとされていたからである。そのために、懐徳堂も適塾も一八六八年の明治維新以後は存続できなかった。いずれも、すでに失われた世界のものとして、博物館において記憶にとどめられているのみである。一方、弘世の大胆な事業は近代的な生命保険相互会社に発展したが、これまで見てきたような知的文化との関連性をうかがい知ることはほとんどできない。歴史的記憶をそなえた観察をおこなえば、懐徳堂の跡地であることを示す石碑、緒方洪庵の適塾、愛日小学校にある山片蟠桃の蔵書とをつなぐ知的な関連性は、「日本生命」を掲げる保険会社の近代的ビルのイメージによって統合されるであろう。

前近代と対照的に示されることの多い近代のイメージは、近代的な生命保険会社と徳川時代の講のように、劇的に対照されるとしても、個々人や組織が共有するある種の歴史を隠蔽し、消してしまうために誤解を生んでいる。近代的ビルの基礎に存在する物的な証拠は、一見つながりのない断片が実際には関連していることを重層的に見せつける。福澤諭吉についても、かれが個人主義的な近代性を支持して伝統という重荷を嫌い、近代的な商業活動を好んだものの、同時にかれが弘世の同時代人であり、緒方洪庵の門下生として大坂のおなじ場所を闊歩していたことを歴史学者は忘れがちである。福澤は東京に移動して啓蒙活動を指導し、個人主義の道徳と商業とをみずからの学問所である慶應義塾にとり入れた。弘世は近江から大阪に移って協同組合的な取り組みの徳を伝え、近代的な保険会社を創立した。思い起こせば、福澤も弘世も明治維新によって産み落とされ、この変革にかかわった人物であった。両人ともきびしい状況におかれながらも、その取り組みは大胆であった。弘世は徳川時代の価値観に立脚しつつ、新国家の基礎となる保険会社の起業に向かい、福澤は伝統的な協同組合から近代における個というイデオロギーに向かったのである。

若き福澤が協同組合的な相互扶助に出会ったことを理解しうるのは、以上のような認識においてである。福澤は自伝のなかで、父親が若くしてこの世を去ったために家族が経済的困窮に陥ったことを振り返っている。緊急時につねに備えておくため、かれの母は、近隣の助けも得て、福澤の「頼母《たのも》子《し》」として知られる相互扶助組織である講をつくった。福澤はこう記している。

亡父の不幸で母に従って故郷の中津に帰りましたとき、家の普請をするとか何とかいうに、勝手向きは勿論不如意ですから、人の世話で頼母子講を拵えて、一口金二朱ずつで何両とやら纒まった金が出来て、一時の用を弁じて、その後毎年幾度か講中が二朱ずつの金を持ち寄り、くじ引きにて

満座に至りて皆済になる仕組みである……[10]

一三年後、福澤の母は息子に、講に参加した一人に借りを返すようにと言いつけた。大坂商人だった大坂屋五郎兵衛である。五郎兵衛は福澤の頼母子講に参加していたが、あまりに少額だったため、自分の番がまわってきたときに分配を求めなかったのだ。これは積立金を放棄する慣習で、「掛け捨て」という。こうして生じた二朱を受けとった福澤の母は、その分を五郎兵衛に返さなくては、と思っていたのだった。諭吉は大坂に戻る途中で律儀にその言いつけを果たしている。

母の借りを返すという福澤のきまじめさは、助け合いの取り決めを維持するという約束の倫理を裏づけるものである。そうした伝統的な助け合いのしきたりに触れつつ、福澤はそれが近代的なものに対する自身の考えと相容れないものかどうかについては述べていない。そうしたしきたりは、その時代のできごとにほとんど影響をあたえない日常の一部にすぎないと受けとめていたからである。

過去から近代までのできごとには長い時間が経過しているために、それらのできごとの現時点での存在形態を把握するのは困難である。近代の歴史学者である私たちが解釈する視線は、こうした関連性を理解することに慣れていない。多賀講や福澤講のように伝統的な協同組織は、近代化に取り残されたものと見なされている。さまざまに形を変えながらも、昔も今も大衆が生き抜くために重要なものでありつづけているというのではなく、旧態依然たる封建文化の一部と見なされているのである。たとえば日本生命は、かつて懐徳堂があった場所に社屋があることを宣伝せず、多賀講からヒントを得たとも公言していない。

近代化とは、歴史的内実を枠にはめて決めつけるような、定型化された概念上の構想である。主として外部からの視線でつくり上げるか、そうした外部からの視線を内から期待してつくり上げるかのどちらかである。ヴラッド・ゴジッヒによれば、外から見る場合、個々の企業や国家、社会は、外見上は近代的にみえても実際にはそうではなく、部分的には「その他」の要素もあると見なされる。「縮小するはずの脅威として、あるいは実際には同一物ではないが、潜在的には同一物であるとして……テーマ化される」(11)のである。そうしたコスモポリタン的な知識／文化は社会過程を一般化し、その歴史性を排除し、本来の位置を認めない。こうして、理論上の範疇は認識論的な限界によって狭められ、クリフォード・ギアーツが指摘したように、私たちは、非欧米社会に存在する知識や義務、契約、実践をほとんど理解できないような簡略化した公式に当てはめて歴史上のできごとを理解しているのである。(12)

コスモポリタニズムに対抗する見解は生得説である。この説は、社会を（「近代化」概念のように）「未だ同一でない」とするのではなく、一定で不変の固有な実体としてとらえるべきだとする見解である。生得説は変化を否定するだけではなく、国の歴史も否定し、社会の発展に関するわれわれの理解を妨げる見解である。固有のアイデンティティを主張するなかで、生得説はその社会にとって本質的な核としての自立した「母国語」に言及し、文化のアイデンティティを詩、口承、神話の伝説と結びつける。あるいは、文化的な本質を薄めて、絶対的な政治的アイデンティティにしてしまうこともある。さらには、伝統的な協同組合に関しては、生得説はそれが不変の（実際には不変ではないのだが）、日本文化に固有のものであり、変化しつづける近代史から切り離すべきだと主張することもある。社会は未熟、未完成、不平等という相対的な状況であるとするコスモポリタンの階層的な視線でとらえることも、生得論者が（微妙な差はあるが）独自性と変化に対して挑戦的な無関心さにしがみつくことも、魅力的でそれなりにつじつまの合う見方としてはありうる。おそらくどちらの見解も避けることはできないだろう。しかし、思想と実践の社会史を概観するには、限界のあるこうした二つの選択肢を認識した上で、しりぞけておく必要がある。

本書でとりあげる民衆経済の歴史は多くの場合、公的秩序の対極にあったために旧体制の管理がおよばず、近代においても表面的に管理されるにとどまった。この歴史は、近代の権威主義国家の形成や、物欲的な理性が蓄積されていく過程に不可欠なわけではない。また、根底に存在し、変わることのない生得の精神と混同されてもならない。この歴史は長い時間をかけて適応し、変化を遂げてきたものである。広範な社会的経験としての民衆経済の歴史は比較的最近のものであるが、起源となるいくつかの点については、はるか昔までさかのぼることができる。これは徳川時代中期（一八世紀ごろ）に特徴的だった広くゆきわたった貨幣経済において、貧困や飢饉の脅威にたえず直面してきた民衆の社会的実践の歴史なのである。

すなわち、これは苦難に満ちた民衆の歴史である。庶民は商業に精通し、およそ一七五〇年から一九五〇年くらいまでの約二〇〇年にわたって、そうした知識を実践に移すことに習熟していた。しかし、この期間の設定は便宜上のものにすぎない。徳川時代中期から後期（あるいは近世から近代）までの時間枠を示すものでしかなく、民衆経済においては限定的に用いられる公式の表示でしかない。

民衆経済のテーマは広範囲におよぶため、その痕跡をたどる記述は直線的ではない。伝えるべき「歴史」はないと言いたくなるくらいである。しかしこれから述べるのは、それとは別の見方である。つまり、実際には歴史に根づいた言説が存在し、したがって、語る価値があるということである。

わたしは、歴史にふたたび足を踏み入れる原点となった日本生命の例のように、現在あるいは近い過去に隠された目印に注目して、後につづく章のための序文を記すことからはじめた。空間的には離れた場所に存在し、個別に検証すればどちらかといえば取るに足らないものにみえるとしても、近い過去のこうした目印は商業活動の思想や実践にたずさわった民衆についての研究においては、当然のように関連性を帯びてくる。また、現在から過去を振り返るというアプローチをとれば、歴史に入りこむにふさわしい切り口となるような目に見える特定の「事件」や、現代にいたる始点となる、全体を象徴するような人物の「伝記」がないという窮状を回避することもできる。

歴史の断片が散在しているということは、そうした断片が因果関係として関連づけられない反面、広域にわたって関係をもっているともいえる。九州や北海道、沖縄、知多半島、大阪や近江といった場所に出向けば、歴史家は広い視野のもとに個々のばらばらな断片にとどまらない歴史の大筋を組み立てることができる。これは近代化の社会史であり、進歩や経済主義によって近代化を語る西洋の一般的な語り口ではなく、独自の歴史的用語を用いるほうがよりよく理解されるであろう。

これはまた、生活や生存についての創意工夫と組織の歴史でもある。整然とした年表を示したとしても誤解を生むことになるかもしれない。広範囲にわたるものであるにもかかわらず、この歴史には「これといった事件がない」からである。あるいは、民衆が全体として「事件」なのかもしれない。

かれらは商業について考え、執筆し、政治的な指図を受けず、近代性におけるその重要性に気づかないまま、仕事を実践した民衆である。「公的秩序を超えて」という言い方は、相互扶助の社会史を言い得ているように思われる。上によってつくられたものでも、上から指示された歴史でも、司法制度によって規制された歴史でもないからである。近代の体制が伝統的な相互扶助を公的議論の対象としたのは、「社会問題」の対策が講じられなければならない場合だけであった。

当然のことながら、私はこの広範囲におよぶ分野に踏みこむ最初の研究者ではない。私の研究は、先輩諸氏の研究につづくものであり、それになにかをつけ加えたいと願いこそすれ、これまでの解釈から逸脱するつもりはない。ここではとくに、ロバート・N・ベラー、アーウィン・シャイナー、トーマス・C・スミス、アン・ウォルサルの研究に言及しておきたい。[13] 私が意図しているのは、「近代」や「西洋」に対立するものとして「伝統的なもの」を決めつけるようなことがないように、また「日本」に独特なものである、あるいは「資本主義」あるいは「ファシズム」の先駆者である、などとしてとらえるようなことがないようにして、民衆を歴史のなかに導くことである。近代的な期待や定義をマクロ的に押しつけることなく、民衆の社会思想を歴史として描き、日本内外の「国際的」「西洋的」な研究者たちがたびたび否定してきた民衆の思想と実践に生命をあたえることができるだろうか。私たちはこの歴史を、経済の近代化の前進に同調する「本物の」歴史から振り落とされた封建主義の残滓としてではなく、独自の近代性を有する歴史として評価することができるだろうか。

私の研究に関連する歴史叙述の注釈をもうひとつ書き加えておきたい。講の設立「過程」に関する桜井徳太郎の研究は、徳川時代の相互扶助組織を人類学的に研究した古典である。かれは宗教的な慣習、なかでも巡礼に注目したが、経済的営みについてもとくに論じている。相互扶助組織の問題は政治的運動および実践として色川大吉の著作に織りこまれ、現代日本の歴史学者のあいだではよく知られ、評価されている。(14)

そのほかに、森嘉兵衛と森静朗(ふたりのあいだに縁戚関係はない)による二つの研究が私にとって非常に重要なものとなった。森嘉兵衛はすぐれた地域史研究者で、一九六〇年に岩手県の興産相互銀行二〇年史の執筆を引き受けた。森は、この研究のために徳川時代にさかのぼり、契約講にたどりついた。契約講は近代(一八世紀および一九世紀)に相互扶助的な信用貸付金融会社に再編成され、その後、相互銀行となった。そのために、かれの著述は一銀行の歴史についてのものであったが、民衆の経済活動の観点から明確に歴史化され、「無尽金融史論」という、その内容にふさわしい題名がつけられた。かれはそのエピローグで、この著述は広範囲におよぶ社会史であって、かれ自身が焦点を絞った一「地域」の歴史にとどまらないと書き記している。岩手県の相互銀行は幅広い民衆の社会史の一部をなしていたというのがかれの結論だった。(15)

森静朗は、徳川時代から近代にかけての信用取引に関する思想の流れをたどることによって、相互扶助組織である「講」が決定的に重要な組織であり、それによって民衆は生活をまもり、近代の産業都市における起業や貯蓄保険組合に努力を傾けていたことを強調した。かれの研究が私にとってとくに重要だったのは、かれが近代以前から戦後までの民衆の信用取引を「思想史」としてあつかい、経済史研究者の研究に欠けていたものに目を向けたからである。かれの著作は原典への言及が豊富で、

その記述も一貫しており、この本が基本的に重要なものであることを読者に納得させる。(16)

このふたりは歴史学者が、それぞれの地域に固有の、そして複数の地域にかかわる経済の歴史に十分に注意を向けていないこと、高度に専門化した近代経済、資本主義、資本形成によって過去についての認識が支配されている、とする点で一致している。そのような観点からは、経済史においてとくに近代以前に周期的に起きていた飢饉についても、民衆に恩恵をもたらすことがほとんどなかった急速な産業化の時期に庶民がどのように考え、行動していたかを説明できない。ふたりが感じたのは、封建主義や資本主義という包括的な概念用語に注目が集まりすぎているということと、商業的な大変動が起きていたにもかかわらず、民衆が生活をどうやりくりしていたかについてはほとんど目が向けられてこなかったということである。

研究者たちは、徳川時代には村々は収入の一部あるいは副業による収入を、生きのびるために貯えておいたのであり、またその分は税として大名に納める必要がなかった、とつねに考えてきた。村の余剰分や「貯蔵分」を緊急時に備えた相互扶助のための基金に預けておくことは、講（一種の安全網《セーフティ・ネット》）に保険資金を積み立てておくこととおなじであり、民衆による危機対策であった。

森嘉兵衛と森静朗が示したのは、課税にのみ関心をもって地域のコミュニティの福利に関心をもたない政治に対して、みずからをまもってきた民衆の歴史に潜む実践についての洞察である。ふたりともに、経済的な運命を切り開こうとする民衆の歴史は独自の言葉で語られるべきであり、その歴史が近代以前や近代における農業生産性に相互に影響しあい、関係しているとしても、結びつけて語られるべきではないと論じている。両者の歴史研究はつぎのことも明らかにした。すなわち、散在していたり埋もれたりしていた原資料が地方の相互銀行の書庫など思いがけないところから発見されたということ、契約講の記録によって、おびただしい数の人びとが生活に道筋をつけるために長期の合意に署名や捺印をしたことが明らかになっていることなどである。要するにふたりとも、民衆の根本的な経済活動について書いたのである。この歴史に一貫する主題は、民衆はさまざまな方法で、耐えられないほどの生活に陥ることを拒み、公的な政治の網に覆われることのない自治の防御線となる契約関係を構築したという点である。この防御線は、徳川時代の税制や産業革命によってもたらされた過酷な条件からみずからを守るために民衆が利用したセーフティ・ネットであった。

民衆は、ほかの民衆がどうしたら知識を駆使し貧困を乗り越えられるか考えてほしいという気持ちから、民衆としての、あるいは一般常識的な認識論にもとづいて経営に関する書物を執筆、刊行した。そうした努力は道徳的実践に本質的なものであって、人の徳を汚すものではない。そこでとりあげられているテーマは根本的に、政治的な慈善を期待せずになされた自主的な取り組み、および信用によって生活を救いうる契約関係に関するものである。地域社会のだれもが常識として理解していたのは、なるべく多くの人がこの自助努力の輪に加わるべきだということであった。どのようなことがどのようになされるべきなのか、そしてまた、それはなぜなのかを論じる哲学的原則についてまとめた公的な学術研究はほとんどなかった。その点では、哲学者の三浦梅園（一七二三－一七八九）がこの問題に関連があるのは、かれが自然とは何かという究極の意味を問う論文を書いたからではなく、人がみずからを助け、身のまわりの条件を改善し、封建制に依存すべきではない理由を立証するために、村レベルの倫理を用いたからである。梅園については後の章でとりあげるが、かれのようなごく一部の学者を除いて、これはあくまでも名もなき人びとの歴史である。おもに社会的思想や行動についての歴史であって、徳川時代に多かった学問的論争に関する歴史ではない。私のこの歴史研究も、「講」として知られていた経済と相互保険における組織と実践を論じている。もっとも一般的なのは「無尽講」と、福澤講のような「頼母子講」であり、これらは一八世紀に急増し、一九世紀、二〇世紀の産業革命をとおしてつづいた。講が理論的に重要であるのは、それが真空中におけるように抽象的に伝わるのではなく、社会組織や実践の形式あるいは流儀をつうじて具体的に伝わることを強調しているからである。本書ではそれは相互扶助組織であり、それに固有の倫理的価値である「信」「約束」「契約」によって、ということになる。

労働における徳というテーマのよい例である報徳運動では、相互扶助は村を再建するための努力の一端をになった。農民でありながら賢人であった二宮尊徳によってはじめられたこの運動が、伝統的な相互扶助組織とドイツ式の貯蓄貸付プログラムを設ける近代の取り組みとを結びつける議論において果たした際立った役割は重要であった。本書では報徳運動と右のような議論を検証するが、こうした動きは日本の近代性における興味深いテーマとなった。

二〇世紀のはじめに伝統的な相互扶助組織を規制し、認可組織として法制度に組みこむ法律が成立した。その影響は無視できなかったものの、法律があいまいで複雑であったために、多くの相互扶助組織は法規制の外に置かれたまま存続した。

講は社会的実践として広がりはしたものの、日本の文明化や近代化における重要な要素とは見なされていないことを示しておきたい。それというのも、おそらく講がやっかいな「伝統」であり、近代化を遂げるなかで消滅すべき「封建性」の残滓と受けとめられているからである。西欧社会では、E・H・ノーマン（一九〇九－一九五七）のように近代政治理論における「水平」「平等」な特徴をもつ講を理解している数少ない学者を除き、講は国際的に近代社会として描き出された日本にふさわしいものとして評価されていない。講の歴史や存在は意識的に隠されているわけではないが、広く語られることもない。日本は多くのさまざまなレベルにおいて、近代的で国際的な国としてみずからを打ち出すことに、また庶民の歴史の多くを無視することに躍起になったのだ。

それにもかかわらず、講の歴史は、時間と空間、いわば歴史そのもののなかに根ざした、幅広い人間的、知的経験から流れ出るものであった。その経験はまた、学識者や武士階級の権力者が下す否定的な評価など気にかけることなく、民衆が日々の仕事に対する自尊心についてのイデオロギーを培ってきた具体性に根ざしていたのである。この歴史はしたがって、みずからが所有する空間で活動する民衆の歴史であり、そこでは民衆は「誠」であると確信する知識を基盤にして、だれに気兼ねすることもなく活動していた。しかしこうした空間は、時間を超越したものでも、変化を欠くものでもなかった。その空間は注目されるようになり、また近世や近代史の流れに適応し、変化していったのである。

私がつねに思い起こしたのは、明治維新のような圧倒的なものであれ、あるいは太平洋戦争を終らせた無条件降伏であれ、重要な時代の転換の影響を受けても、過去の言説が簡単に消えてしまうことはないということである。同時に、こうした言説が消滅しないからといって、無傷のままでいるわけでもない。むしろ、粉々に断片化されてしまう。容易に見分けがたく、時には視野から消え、わずかな痕跡や目立たない慣習としてかすかにあらわれる程度で、「真の」近代化という言葉や、新たな言葉をともなうコスモポリタニズムや国際主義からつくり出された態度によって軽視されてしまう。都市や産業の再編成が何度となくくり返されることによって、巨大ですべてを巻きこむテクノロジーが際限なく広がった。そのために、物質的条件が変転するなかで、現在が遠い昔の延長線上にあるとはますます考えられなくなっている。近代化し国際化した国として認められたいという切迫感から、日本は庶民が推し進めてきた歴史の多くを切り捨ててきた。したがってその意味で、過去はこうした文脈のなかに、希薄で錯綜した、あらわになるのをはばかられるような劣性遺伝子のように混ぜ合わされてしまったのである。

しかし、その痕跡は識別可能であり、知的興味が強い歴史学者や、無原則でも無秩序でもなく、前方を広く照らすわけでもない痕跡をあちこちの現場で調査する民俗学者にとっては、取り組みがいがある。徳川時代後期と明治維新という騒乱のさなか、無名の巡礼僧が地方の宿所に一宿一飯の支払いとして、巻物にこう書きこんだように。「迷いと悟りの道をそのままに、ひたすら前方の平坦な道と青空を望む」〔迷悟二道総忘却只見平歩青天人〕(17)。

第二章　常識としての知識

日常的な知識、つまり常識の認識論についての議論は、ここでの叙述に欠かせない。その認識がなければ、慣習しかないことになってしまう。慣習はそれ自体重要ではある。つまり、ここで論じようとする歴史において慣習とは社会的慣習だからである。しかし、多くの場合「慣習」とは、深く染みこんだ「文化」や「習慣」を意味し、新たなものをとり入れることも、変化することもない。

一九一〇年代はじめに、徳川時代の民衆が執筆した冊子が編集されて『通俗経済』という書名がつけられた。これらの冊子についてはのちほどくわしくとりあげる。こうした冊子がもつ重要性は、名古屋の南にある知多半島小鈴谷《こすがや》村から発信された、ある著名な人物によるコメントが示唆している。そこには鈴渓資料館という地域古文書館があり、一六〇八年ごろから明治、現代にいたるまでの盛田家の歴史にかかわる資料が所蔵されている。鈴渓という文字は、海に近いこぢんまりとした低地にあるこの村の位置をあらわしている。この時代、盛田家の人びとは村のリーダーの役割を務め、農業にはあまり適していなかったこの村の悪条件を克服するために商業にたずさわった。最初は漁業用の綱を作り、その後もっと時間と手間をかけて、酒や味噌、醬油などを醸造して江戸に出荷するようになった。沿岸交易によって盛田家の製品、なかでも酒（「ねのひ」）は徳川時代に非常に高く評価されるようになり、現在にいたっている。

一九八七年、当時の盛田家当主であった盛田昭夫〔当時、ソニー会長〕は、鈴渓資料館に所蔵されている資料目録の紹介文を執筆した。この紹介文は盛田が示唆しているように、日本が世界に対して近代国家のイメージを打ち出さなければならなかったために忘れ去ろうとした歴史を明らかにしている。

現代日本の社会を考えますとき、今の日本には過去の歴史上に全く経験したことのない諸問題がよこたわっているのであります。すなわち、経済成長と共に国民の要求が極めて多様化してきて、適切な対応が必要となってきたこと、或いは海外諸国との間の国際協調を積極的に推進する必要に迫られていること等々の種々、問題を解決してゆかなければならない現実に直面しております。わが国が歴史的には近世の長い鎖国を経たにもかかわらず、明治以降急速に先進工業諸国に互することを得た原動力が、徳川時代の社会経済文化を創りあげた国民の能力資質にあると認識することは、最も肝要であると考えます。わが国の近世近代の学術の研究振興に対する考え方の基盤はそこにあるのであって、今や過去の歴史社会を適確に認識することは、今後のわが国政治経済社会の発展にとって極めて重要であるといえましょう。

さて、わたしの生家盛田家は、代々、久左衛門を名乗り、わたしが十五代の当主に当る古い家系です。

尾張国知多半島の寒村、小鈴ヶ谷村で代々庄屋をつとめて参りました。家業として、酒、味噌、醬油の醸造を江戸時代のなかばより営んで来ました。いわゆる造り酒屋で、「子乃日松」と銘じた酒を作り、古い酒蔵や味噌蔵が現存しております。古い屋敷の一隅に数棟の土蔵が建てられており、その中に先祖代々の残した古文書がぎっしり収まっておりました。

もう七、八年前のことになりますが、このような古文書に興味をもっておられます聖心女子大学の目崎徳衛教授に、これらの一部をお目にかけたところ、この古文書類は、江戸時代から明治維新までの庄屋としての記録が、家業の帳簿伝票とともに大量に保存されていることが分りました。代々の当主がそれらの文書を几帳面に保管し続けてきたのだと思います。この機会に、わたしはこれらの古文書を史学の研究者の方々へ参考資料として公開してゆきたいと考えました。

そこで、これらの古文書を本格的に整理して広く公開できるように、先の目崎徳衛教授のご協力を仰ぎ、聖心女子大学史学研究室の方々のお力添えをお願いすることに致しました。

一方、これを契機として、我が国の近世近代の歴史に関する研究の振興助成をはかるため、財団法人の設立を計画し、昭和五十三年十一月に鈴渓学術財団が発足致しました。(1)

盛田の言葉にこめられた特別な思いは、われわれが本書で歴史的考察の対象としている忘れ去られた歴史に関する貴重な視点をあたえてくれる。かれの言葉を借りれば、近代に散在する歴史的断片を教えてくれるのは「能力資質」であり、日本が近代に直面した際の基本的な知的エネルギーを考えるにあたっては、これを考慮しなければならない。つまり、こうした断片は単なる過ぎ去りし日の残滓ではなく、民衆がそこに知識を求め、日常的な実践を形成していった社会史の一部なのである。盛田昭夫は、マーケティングに関する概念は西洋経済からではなく、醸造業を営んでいた父親から学んだのだと折にふれて話していた。これを聞いた人は、ユーモアのある余談を思いつきで話していると思うことが多かったが、右に引用したかれの紹介文を読むとそうではないことがわかる。

過去の断片に「思想」つまり「能力資質」が内包されているという示唆は本書の研究の核心であり、これを裏づける証拠を小鈴谷村の近くの海に面した町、半田で見つけることができた。半田商人は盛田家と非常に似ており、事実、酢醸造のミツカン博物館にある中野家の家系図から、一八〇〇年代はじめには婚姻によって盛田家と直接の関係をもつようになったことがわかった。半田は近江のように（第一章参照）、独特の個性をもつ地方商人の町として知られるようになった。近江商人は、日本のある地域から別の地域に質の高い商品を輸送する交易商になったことで知られ、一方、半田商人はマーケティングに精通し、半田以上に有名だった北の地方とくに越後（現在の新潟県）からの酒の供給が途切れたちょうどそのときに、半田の酒などの商品を江戸に向けて船積み輸送したことで有名になった。半田製品が評判になったのは、それらが他地域の商品とくらべて本来的にすぐれていたからではなく、不足に陥りそうなちょうどそのときに、決まってそうした事態を防いできたからである(2)。

残念ながら、近代は半田を避けて通《とお》ってしまった。明治時代後期、富を結集して商船業と造船業に乗り出そうとした半田商人は、三菱の勢力に打ち負かされてしまったのである。さらに、近代的な鉄道が半田を無視して向かったのは名古屋を経由した北方であった。しかしながら半田には、注目すべき「能力資質」に関する前述の歴史にとって参考になる貴重なものが残っている。

徳川時代後期に目立って浮上してきた新たな社会経済的階層においても、半田商人は「豪商」または「豪農」として名を馳せた。かれらにとって利益とは、「知識を仕入れる」ための余剰もふくんでいた。江戸での儲けを自慢して持ち帰るだけでは不十分であった。交易や取引は同時になんらかの意味で知識の交換を意味しなければならなかった。こうして、江戸で得た利益の一部は、書籍や美術品を購入するために取り分けて蓄えられた。半田市図書館や文化センターは、そうした徳川後期以降の収集物をそのまま保存している。このように知識を求める気持ちや知的好奇心を満たすことは、地方の商人コミュニティにとって義務と見なされていた。それは今でも、この図書館の収集物から感じとることができる。

商業と文化

わたしたちが、「八日会」、毎月八日に集まって開いていたセミナーをとおして知るのは、商人たちが徳川時代後期に、かれらが関心をひかれた蔵書を読み議論していたということである。蔵書にざっと目を通すだけで、天候が不安定なときもしばしば半田と江戸のあいだを定期的に往復して沿岸貿易をおこなっていた半田商人が関心をもった資料の充実ぶりがわかる。資料のなかには「漂流記」や、中国や西洋諸国などよく知られていた遠方の地域の絵地図などもある。半田商人の沿岸貿易の海路を考えれば、こうした資料があっても不思議ではない。蔵書には、京都の商人に支持された心学の開祖であった石田梅岩（一六八五―一七四四）や、抑圧されていた農民のために一八三七年に大坂で徳川体制に対して名高い（ある者は不名誉など呼んだが）反乱を起こした大塩平八郎（一七九四―一八三七）、また貝原益軒（一六三〇―一七一四）による、受けた生を長らえる方法について書かれ最も広く読まれた『養生訓』など、とりわけ徳川時代の有名な人物による著作もある。さらに荻生徂徠（一六六六―一七二八）や、徂徠の弟子であった太宰春台《だざいしゅんだい》（一六八〇―一七四七）など、徳川時代の経世済民に関する論文も所蔵している。春台は、政治体制の脆弱性や社会的、政治的に同時代を分析する重要性を強調するために、古代社会について執筆した。また、大坂の懐徳堂の中井竹山（一七三〇―一八〇四）と履軒（一七三二―一八一七）兄弟による著作や、当時の危機を批判し、徳川幕府は確固たる政策を講じるべきであるとしたかれらの批評、さらには契約の理論を村落再建の基礎として実践にとり入れた二宮尊徳に関する本もある。

きわめて貴重な蔵書として、大蔵永常《おおくらながつね》（一七六八―一八一七）の『農家益』がある。この本は農家の生活を向上させるために書かれたものである。農業が重要であることを精力的に説いた大蔵は全国をまわって報告をまとめつつ、農業生産の商業化は必須であるがゆえに、作付けすべき作物とその栽培法を注意深く検討してこの課題に取り組まなければならないと説いた。『広益国産考』や『農具便利論』において、大蔵は農具を改良し生産高を増やす方法について論じた。徳川時代のもっとも偉大な農学者の一人として、かれは一世紀以上前の益軒や宮崎安貞《みやざきやすさだ》（一六二三―一六九七）などと並んで評価されている。益軒や安貞が科学的農法の倫理や実践を新たに提唱したのに対して、大蔵は当時の経済的な現実を考察して商業に注目した。(3)

半田商人は味噌、醤油、酒といった大豆製品と米製品を専門に交易し、農業生産の世界に深いつながりをもっていた。そのため、蔵書のなかでも大蔵が執筆したものが存在感を示していることは理解できる。さらに蔵書を見ていけば、半田商人がどのような本を購入して江戸から自分たちの地域コミュニティへ持ち帰るべきなのかを正しく理解していたことがわかる。かれらが知識を欲していたことは一目瞭然である。

あとから思いついたように、商業についての民衆の手引書がひとつのグループにまとめてあった。これらは、大蔵や益軒、荻生徂徠などの「古典的」文献よりレベルが低いと見なされていたが、すべての商家が常識として所有すべきものと考え、またのちの近代知識人も、おそらく古典にくらべれば付随的にであろうが、おなじように考えたために蔵書に入ったようだ。これらはさらに、民衆が民衆のために執筆、出版されたものとして分類され、仕事を終えた商人が晩になって考え、議論するべきことについて平易な言葉で書かれた「商家必読書」であった。これらの手引書こそが、一九一〇年代はじめに『通俗経済』として編纂された冊子であった。

わたしたちは、著名な書物や商いについての実用的な手引書を集めた半田商人の資料館からずいぶん踏みこんで議論してきた。それらの書物は、民衆による経済活動の世界のあちこちに断片が散らばっていることを伝えるエネルギッシュな「能力資質」を十分に気づかせてくれる。

半田商人が蔵書を保存した方法は卓越していたが、この時代として例外的だったわけではない。それどころか、徳川時代には地方の裕福な農家や商家では、都会で「文化」を仕入れ、国に持ち帰るというパターンができあがっていた。そうした例は、江戸の西の多摩地方の豪農[4]や九州の大分、福岡でもみられる。それについては、日本アルプスの高地にある地方の町、現在の長野県小布施町もそうだった。小布施町では、この地方の商人で、芸術家で知識人でもあった高井《たかい》鴻山《こうざん》（一八〇六－一八八三）が、京都や江戸から書籍や美術品を持ち帰るだけでなく、当時の大物芸術家であった葛飾北斎（一七六〇－一八四九）までも連れ帰っていた。八〇歳を超えていた北斎は、鴻山の経済的支援を得て、山間部にあった鴻山の別荘の自室や二階にあった書斎で絵を描くなど、好きなことをして一日の大半を過ごした。(5) 北斎はここから栗の木やソバ畑（どちらも小布施の名産品だった）、松代の下級武士による指導のもとで武道を練習する少年たちを眺めて過ごしていた。おなじく松代では、洋学の有名な指導者である佐久間象山（一八一一－一八六四）が電気や写真などの西洋学を学んでいた。

　半田商人の「商いをして文化を仕入れる」は例外ではなく、その方法には決まりきったものがないことの証である。しかし、そうした地域を訪れたのちに、私は、民衆が民衆のために執筆するということは都会だけにあったわけではなく、都会と地方を共通の言説でつなぐ現象であったという確信を深めた。高井鴻山も佐久間象山もそうした時代の人物であり、時代の流れにとり残された田舎者ではなかった。かれらの人生からは、その時代を紛糾させた事件に巻きこまれた悲劇が伝わってくる。象山は、対立の渦中にあった「中心」地京都で、西洋列強に魂を売ったと非難する国粋主義者によって暗殺された。鴻山は一八五〇年代以降の事件の奔流にとまどいながら、当時の文化を指導した人物や若い改革論者や活動家、すなわち「志士」たちと交流した。また、合理的な人間の感性や、当時の若い世代の関心の的であった東洋と西洋の大いなる区分を超えた世界の想像上の、妖怪のような人物を描いた。(6)

中央と地方のあいだの広範な交流が存在し、そこには経済活動がかかわり、その結果として多くの文化的な成果が生まれたことは、たとえそれらが北斎と鴻山の交流から生まれたものよりレベルが低かったとしても、残されている文献や芸術、人びとの流れによって明らかである。なぜ民衆が民衆を対象に商いについて執筆したのかと問われれば、都会にも地方にも幅広い読み手がいたため、そうした文献の出版に価値があったからということになるだろう。この視点に立てば、思想史とは単に「高尚なこと」を下々にゆきわたらせるために有識者が執筆した文献の歴史ではない。思想というものは、最高の文献をくり返しなぞることによってではなく、双方向的なやりとりで生まれ変わり、実践で具体化されるものである。ブライアン・ストックはかれの刺激的な著書『テキストを傾聴する――過去の事例を活用し、記述の含意を読み取って』(*Listening for the Text: Uses of the Past and the Implications of Literacy*)のなかで、少人数の読者の重要性を指摘している。少人数の読者、かれがいうところの「テクスト・コミュニティ」で一般的な文献が読まれることによって思想が吸収され、時間をかけて新たな方法で明確化されるという重要な場が現れる。そうした読者は、有名な学問所や上級の学校などに通わなくてもよかった。おなじように、前述の小冊子は、毎月八日に会合をもっていた半田グループのように、明らかに少人数の民衆によって読まれ、議論されるものであった。この集まりは、地域コミュニティの読者が一日の仕事を終えたあとで「夜話」を開き、倫理的指針や現状についての処世訓について話し合うフォーラムとして機能したこともあっただろう。

ブライアン・ストックによると、そうした対話形式で教訓を説くような文献は、その場限りのものでも偶然の産物でもなく、継続的な実践の一部であった。まさに、半田で農産物を販売し、その利益を文化的なものに投資した商人によるものがそれに当たる。こうした文献には、組織としての手続きや意識、どのようにものごとを処理するかといった、日常に関して意図した効果をあげるための言葉がふくまれていた。つまり、言われたこととおこなわれたことは区別のない連続したものとなっていた。したがって、文献そのものが、こうした文献が用いられる社会のありようを明らかにしているのである。ストックの歴史研究の主目標は、一一世紀欧州における異端宗教集団であり、読み書きができる少人数の読者のなかで宗教的な考え方に「英雄的でない」変化が起きていたことを明らかにしたのだが、かれの理論的洞察は私の分析にも適用できる。前述の経済に関する「通俗的な」文献は、その当時無名で、その後も長く忘れ去られていた人びとによる地道な努力について書かれている。こうした人びとはめざましくもなく、特別でもない方法によってではあるが、しかし広く知られていた用語に新たな意味をもたせたのみならず、組織としての自覚と実践の場であったコミュニティに深く根ざした正確性と信用に関する思想を注入した。

ストックはつぎのように書いている。「あらゆる人間のコミュニティにおいて識字能力がもたらす重要な結果は、社会組織という場から生まれるものだ。個人と家族、集団、あるいはより広いコミュニティとの関係は、社会が文字化された運営原則を認識する程度によって左右される。識字能力は人びとがそうした関係性を概念化する方法にも影響をあたえ、その思考様式は相互依存のつながりにしばしば必然的に反映される」(7)。徳川時代のさまざまな実務的な活動を正当化する基本倫理には、医者による憐れみ深い仕事や農民による科学的農法や農業経営などがふくまれていた。民衆が商いに従事したということの説明の要は、「実践倫理」という言葉であった。この倫理は時間の概念、とりわけ人間の生活を向上させるために時間を一定に保つという概念と深く結びついているからである。

私たちは、時間とは規則的な変化であり、それゆえにどのような人間の状況にもついてまわるものだと哲学的に考えてしまうことがある。時間は不安を引き起こす原因であるために、文明社会はさまざまな努力をはらって時間を一定に保とうとする。つまり時間は、文明社会やその一部がいかにして認識論や倫理を形成し、変化の過程を枠にはめ、秩序づけるかということと大いに関係しているのである。

ここで言及されている思想の論点は、たしかに前近代的なものではない。徳川時代においては、天や自然宇宙論、日々あるいは季節をとおした生活の流れのリズムによって時間が説明され「定められ」ていた。近代においては、時間には、できごとの進歩的な流れによって減じることのない優位性があるという信念が、時間に対する確信を生みつづけた。おなじように、徳川時代には「自然」が時間に秩序をあたえていたのに対し、二〇世紀の日本は「近代化」における変化に対して優越的な対照をなすものとして、変わることなくつづく「文化」という理想に目を向けた。何世紀にもわたって時間は、形而上学や世界の神学理論において、とくに近代のさまざまな理論研究にとって中心的なテーマである。こうした壮大な方法で考察される認識論の鍵になる問題、つまり、時間は日常的な仕事に従事し自分たちが理解する「日常的な言葉」で自己表現する民衆に、思想と実践とは何かを教えるものであるという点は、ミシェル・ド・セルトーが述べているとおりである(8)。

かつてE・P・トムスンが論じたように、近世の欧州の社会で民衆による時計の使用が広がったことが、時間の認識に抜本的な変化をもたらした。つまり時計は、直線的な時間という点で、都市における仕事の構造が変わりつつあることを示し、そのことによって、農業経済と結びついていた循環する時間に取ってかわったことを明確にしたのである。(9) 農業時間から都市時間へという明確な転換は徳川時代にはあてはまらなかったが、それでも新たな概念が導入され受け入れられていった。この概念にしたがって、時間は正確な数字で表現された。時計とおなじか、あるいはそれ以上に算盤があったことによって、民衆はこの概念によって時間を数として管理することができるようになり、具体的で図式化して目に見える、確かな計画を描けるようになった――年で区切って、時には一定の期間、時には無期限に、またはある世代からつぎの世代にいたるまでのあいだというように。こうした長期的な計画は、人生のサイクルに結びつけられていたという点で循環するものだったかもしれないが、実際のところ、概念としては直線的で、長期にわたって計算と累積が可能であった。

こうした概念や計画は国家の法制度による介入を受けずに形成されたために、私たちは民衆および海保青陵《かいほせいりょう》のような一風変わった知識人によって言説が形成されていくのを見ることができる。青陵は民衆とともに生活し、かれらの思考や実践の重要性を理解していた人物である。本書は基本的に、不確実性のただなかで生活をやりくりした民衆によって内在化された思考と実践の社会史である。すなわち、民衆がつくり出した民衆の言説であり、歴史を中断する激変がこの間に多発したにもかかわらず、徳川時代を超えて近代にまで持続した言説である。

商いに関する民衆の言説にはさまざまな起源がある。たとえば、知識に関する議論に結びついた哲学や、日常的な実践という常識である。おそらくもっとも重要な点は、民衆がほかの民衆のために商いに関するあらゆる疑問や理由について説明し、日々絶え間なく変化する世の中から生じた経済の主導権を掌握させるために執筆したということである。かれらは、人間の生活を現在から将来へと持続させるためには商いが不可欠だとくり返し主張した。契約や信用取引、利益、貯蓄を決定する際には、正確な数学的処理がとりわけ重要であった。数字は言葉とおなじくコミュニケーション手段のひとつであり、信用を醸成するために意思疎通をはかる正確な手段であると理解されていた。徳川時代の経済倫理では、正確性はつねに信用に先立つものであるとされた。言いかえれば、正確性がなければ信用も存在しえなかった。つまり、数字を用いて正確性を担保することは、信頼関係の維持に不可欠であった。そのことは村の緊急事態に対応する保険の相互扶助組織とおなじである。数字はまた、個々の企業のリスクを最小限に抑えることの重要性を強調する手段でもあった。こうして民衆は、中央と地方をふくめた幅ひろい社会運動をとおして商いを明確化し、実践した。

こうした民衆による文献は都市で出版されたために、徳川時代の都市の歴史に根ざしたものと見なされるかもしれないが、そこにふくまれている思想は地方とも密接につながっていたことを示している。徳川時代についての私たちの歴史観を歪めかねないような視覚的に独特な手法で美的に描かれてはいたが、都市と地方の違いははっきりしたものではなかった。

近代的変革に先立つ一七五〇－一八五〇年ごろの一世紀間、あまり知られていない、しばしば無名の民衆が、商業にたずさわることの重要性についての小冊子を民衆向けに平易な言葉で著した。こうした出版物は、徳川時代をとおして出版がもっとも拡大した時期と一致しており、また社会の下層階級に識字能力が広がったことも物語っている。一九一〇年から一七年にかけて、これらの小冊子は「通俗経済」をテーマにした一二巻本にまとめられ、一九五七年『日本経済大典』という経済思想に関するより大きなシリーズに補遺としてふくまれた。(10) その一部は元禄時代(一六八八－一七〇四)最初の商業革命の最盛期である一六九〇年代までさかのぼるが、ほとんどは一七五〇年から一八五〇年に執筆されたもので、京都、大坂、江戸という徳川時代の商業活動を支えた大都市を中心に出版された。京都は、ロバート・N・ベラーが自身の古典的著作『徳川時代の宗教』(岩波書店、一九九六年)(11) で注目した「心学」の中心地である。こうした文献の多くは、心学やその流れを汲む思想の影響を受けていた。大坂が日本経済全体における商業の中心地であり「天下の台所」として知られていたように、この地のより世俗的な気質もこうした小冊子にはっきりあらわれている。江戸は徳川将軍の行政の中心地で、俸給制の武士階級のニーズを満たすために商業活動が桁はずれに展開した場所であった。したがってこれらの「通俗」冊子にこめられた民衆の声は、武士階級に敬意をはらうものではなく、保証された収入というぜいたくがなくても生活をやりくりする民衆の能力を認めるものであった。

一見すると、これらの小冊子は旅行ガイドブックや絵入りの物語、信仰や善行といった教訓本などのような民衆向けの廉価な出版物によく似ている。絵だけでなく、世間によく知られた道徳思想や詩的な表現も全編にちりばめられている。その教えが絵で表現されたところを見ると(教訓絵入り)、子供向けだったにちがいない。月と松などの古典的な絵画のイメージで詩的な歌を表現するために過去何世紀にもわたって用いられてきた歌合《うたあわせ》が用いられ、市井の人びとの活動を正当化している。たとえば、正確さを確立するために用いられた測定方法は、時とともに規則的に形を変える月の傾きになぞらえられている。こうして、日常世界における都市部の職人たちの労働が、伝統的な表現として一般的だったイメージに持ちこまれたのである。

このように古典的な比喩表現をつかうことで、理論的主張に親しみやすさが加わった。しかし、そこで用いられる言葉は即座に、詩的な響きがない、道端で耳にするような荒っぽい会話体の話し言葉に変わっている。詩的な句読法はリズム感をもたらすが、会話調になると、伝わるメッセージに現実味が加わる。つなぎ言葉である「じゃけんども」や、粗野な「するのじゃ」といった言い方から、これらが日常的な話し言葉のように大きな声を出して読まれるべき文献であることがわかる。こうした文献のほとんどは、公式の場で読まれるような洗練された文章ではなく、学問的な訓練を受けていない人びとがいたるところで耳にするような会話であった。すでに触れたように、こうした文献はしばしば寺子屋で学ぶ子供向けのものであった。

徳川時代の寺子屋は子供のための学校であり、寺や宗教組織には付属していなかった。徳川時代以前は何世紀にもわたって、「寺子」という言葉が一般的になった。こうして、子供たちが「読み書き算盤」を学ぶ学校を指すものとして「寺子」という言葉が一般的になった。こうして、子供は寺で教育を受けた。こうした学校が都市や町、村で増加し、読み書き能力を広め、出版や小冊子の製作拡大にとって刺激になった。道端で話されるような粗野な話し言葉をもとにし、概してごく普通の散文で書かれた子供向けの絵入りの教材があったからこそ、そうした文献が社会思想史研究者にとってさらに重要なものとなった。

そうした小冊子のひとつは、和田耕斎（生没年不詳）というまったく無名の下級武士によって書かれたものである。一八四〇年代、耕斎は文字どおり生活のために寺子屋で教えていた。耕斎は子供を対象に「暗路の指南」をまとめたが、そこにこめられたメッセージは刺激的である。人生でたどるべき道筋を照らす光についてよく知られているのは、それが神道、仏教、儒教の教えの一部であるからだ。しかし耕斎は、こうした教えはしばしば不明確で矛盾しており、理解しがたいとした。ただし、それらが人生をつらぬく道を見据えるために必要な光となってくれる「灯火」ではないからといって、一般大衆が苛立ったり、混乱したりすべきではなかった。結局のところ、人生という長い旅路にたどるべき道はひとつしかなく、それは身近な世界において天を敬愛し、誠を行動であらわすことであった。(12)

歴史学者はこのテーマに非常に興味をもった。それが、一〇〇年以上前に富永仲基《とみながなかもと》(一七一五―一七四六)によって示された思想を、あらためて明確に論じたものだったからである。大坂の商家に生まれ懐徳堂で学んだ、一風変わった町人学者であった仲基は、儒教、仏教、神道に具体化されたあらゆる伝統的な教えは現在に生きる人びととはなんの関係もなく、したがってなにも益するところがない論争の産物であり、信頼できるものではないと主張した。実際、歴史を参照することは、哲学的に歴史が無用であることを論証してみせることに他ならない、ということになった。したがって、人びとは自身の「誠」にしたがって現在の行動を決めるべきであった。すなわち、人は誠実、正直、公正かつ子としてふさわしくあるべきだが、それはそうすることが「誠」だからであって、古代の文献がそう述べているからではない。仲基の「誠」に関する主張は、取引にたずさわる商人にとって具体的な正確さと公正さが重要であることを意味していた。商人が合意に達するのは、宗教的に確認されたからではなく、合意が「誠」だからである。古代哲学を主張する人びとと論争するさいに、仲基が自身の実践理論と商いを明確に関連づけることはなかったが、かれが大きな商家の出身であったことから、相手がその関連性を見いだしていたことは確かである。[13]

耕斎が、仲基の宗教に関する見解を意識していたかどうかは明らかではないが、かれの思想には明らかに仲基の影響が見てとれる。耕斎はそうした思想を用いて、仲基の見解では暗示されるにとどまっていたことを明確に示した。すなわち、誠実さは日常的な商いにどうたずさわるかという点に直接関連しているということである。こうして耕斎は、貨幣経済は誠実さが実践されるべき基盤であることを強調した。貨幣の使用を正当化するために、あるいはその重要性を理解するために過去を振り返るべきではなかった。貨幣が力をもつ世界において、人が日常生活でいかに誠実であるべきかについて、伝統的な宗教や哲学の偉大な教えは指針を示していないというのが耕斎の意見だった。したがって、誠実であるとは、貨幣の根本的な重要性を率直に認識することでもあった。おそらく、それ以上に重要なものは米だけであった。実際、宗教が唱えるところの灯火の光は、貨幣そのものの果実に他ならなかった。つまり、耕斎によれば、貨幣を誠実にあつかうことは倫理に適っており、人生における恩恵はその実践がもたらすものであるとすれば、貨幣そのものが重視されるべきであった。貨幣は民を窮状や苦労から救う「宝」(「人の難儀を救ふ寳」)なのである。貧困や退廃には真の人間味があるなどとして価値を見いだすことは愚かである。したがって、倫理はそれが誠実な実践において具体化され、日々の生活を「十分に」維持するものでなければ、ほとんど意味がなかった(「よいまねをせよせよ」)。[14]

耕斎が主張したように、すべての人がおなじレベルの熟練と理解力で効果的に貨幣をあつかえるわけではないことは明らかである。一七〇〇年代中ごろ、『町人常の道』という小冊子が茂庵《もあん》(年老いた世捨て人の意）という筆名で出版され、影響力を及ぼした。著者は、すべての人が市場経済にたずさわりたいと欲しているわけでも、そのつもりでもないとし、単に代々「受け継いでいる」からといって、そうした仕事に従事することには十分な正当性がないとした。性分に合わないのであれば、市場経済にたずさわる仕事をけっして追い求めるべきではない。しかし、性分に合うのであれば、市場経済にかかわる仕事を望むことを弁解する必要はない。実際、内なる「願望」は商人に不可欠であり、宗教的、道徳的な禁止による障壁とは無関係なのである。著者によれば、人間はそれぞれ、ある種の活動に対する好みをもって生まれているのであり、それゆえに内なる性に問いかけ、その好みを見つけ出すべきだった（「性の好きなるところを知れり」[15]）。

約一世紀前の富永仲基の時代、偉大な歴史家であり政治思想家でもあった荻生徂徠は、人は天からあたえられた性分をもって生まれることを理論化した。つまり、それは不可知の絶対的なものであり、希望や熱意をもってその道を歩むしかないということであった。徂徠は、この性分を人間の小さな「徳」であるとし、地上の船や海上の荷馬車になれる人はいないという譬えで説明した。ここから徂徠は、人は自身の内なる天賦の徳についてなんらかの方法で知り、人生をとおして系統的かつ継続的に追求することになると論じた。[16]『町人常の道』において、徂徠はそこで展開されている思想の起源として認識されているわけではない。それというのも、徂徠の文化的な世界ではかれの考え方はすでに熟知されており、徂徠は広範な自分の政治理論の基本的前提のひとつとしてその概念を用いたにすぎないからである。それにもかかわらず、この小冊子につかわれている文言には徂徠に共鳴するものもあり、指摘しておく価値がある。たとえば、この文献によると、海を好む人は海で仕事をするべきであり、山に魅せられた人にもおなじことが言えるとしている。丸い形が好きな幼い子供はそうしたもので学ぶことが許されるべきであり、角ばった形を好む子供にもおなじことが言える。あらゆる人が特定の性質をもって生まれており、その特質は育まれるべきものであって、変えようとされてはならない。したがって、小冊子の結論が、すべての人が商業にたずさわる必要はないという点にあることは言うまでもない。同時に、ほんとうに内なる徳に沿っているのであれば、商業にたずさわることは道徳的に不面目なことではないということも、おなじくらい明らかである(17)。

これに類似するメッセージは脇坂義堂《わきざかぎどう》（生没年不詳）の教えにも見いだせる。義堂は一八世紀終りにかけて、各地をまわりながら民衆相手に教えていた教師兼説教師で、さまざまな仏教各派の巡回説教師とおなじような、よくある方法で教えていた。かれの説教の特徴は心学派と同様であると見なされていた。しかし、石田梅岩やそのほかの心学派の教師などが純粋な心には普遍的な善がそなわっているという新儒教の教えを固守したのとは異なり、義堂は、民間伝承や戎大黒天のような幸運の神のイメージを引き合いに出すことが多かった。また、「むかしむかし其昔し……いまだわかれざる頃にやありけん」のように、子供相手に有名な説話で説教をはじめることもよくあった。

義堂は、民間伝承の形式で、幸せはかならず実現するものではなく、おとぎ話のようにまじないに頼ることは無意味であると考える自分の中心的な論点に導いた。幸せを実現するためには、人は天から各人にあたえられた長所を足がかりに体系的に取り組むしかない。天が決めたことを変えることはできないとしても、天賦を「磨く」ために努力し、それにもとづいて立派なおこないをすることはできるはずである、ということであった。よく知られた詩を引用して、義堂は「植て見よ花のそだゝぬ

里もなし」と説教した。(18)

こうした詩文が示唆したのはいうまでもなく、形式的には地位の高低があるとしても、価値のない人間などというものは存在しないという信念である。地位の差は自然や天が決めるものではない。すべての人には自分をひとかどの人物にするだけの潜在的な力がある。義堂は、地位の差は社会慣習の結果であり、宗教的絶対者が決めたものではないと主張した。義堂はまた、儒学者が人びとの階層的な地位は自然の延長上にあり、人は質的に異なる道徳的素養をもって生まれるとする宇宙論を展開していることをあからさまに軽蔑していた。義堂はこうした学者を「不喰貧楽《くはずひんらく》」と呼び、尊大で学者であることをひけらかす輩であり、かれらが高い地位を求めるのは言語道断なことでゆるされないと評した。また、実践の世界に一貫して身をおくことは、儒教的な思弁的学問主義よりすぐれていると教えた。「道といふその名にまよふことなかれ、あさゆふ己が為すわざとしれ」ということである。真の学問は、偉大な古典を長年学ぶことではなく、「生きること」であり、夜眠っているあいだにも通常の用をおこなうことであると断言した。「道は近きにあるもの」ということであった。道徳的にすぐれているという思いあがった錯覚を抱かず、地に足をつけて人生を歩む無学な人びとが本当にすぐれた人びとなのである。したがって、かな文字を読むことはできても漢字を読むことのできない人びとが劣っているのではない。義堂は、文字を知らない人びとのほうが高尚なのは、かれらが人生の課題のあるべき形式を決定することよりも、それを遂行する意味を理解することのほうに関心をもっているからだと主張した。(19)

人が直面する最大の敵は「貧乏神」だと義堂は説いた。一般大衆が「追い払うべし」と思うのはこの敵であった。かれは、オランダの賢者について話している。賢者が、幸福になる薬は口に苦く、貧しくなる薬は口に甘く、路上生活する定職がない人びとは一時の満足を得るために甘い薬を買い求めるものだという話である。義堂は聴衆に向かって、みずからを律し、「立身」し「一旗挙げん」――これは明治時代にくり返された表現である――ためには口に苦い薬を求めなければならないと諭した。険しい道を選ぶということは、無学な人も若い人もふくめたすべての人間が誠実さと尊厳をもって生きることができるということを肯定することであった[20]。

明治時代初期に福澤諭吉（一八三四―一九〇一）は、「天ハ人ノ上ニ人ヲ造ラズ」という有名な一文ではじまる『学問のすゝめ』を著し、新たな世代の人びとに向けて、みずから学び立身するよう諭した。この主張は、その後民権運動をはじめとして、戦後の新たな民主主義へと日本近代史をとおして大きな影響をあたえた。福澤の数世代前の義堂は、天は恵みを分け与える際、選り好みをせず私的な感覚やひとりよがりの期待を抱かずにおこなうと断言した。したがって、そうした恵みを受けとるにあたっては、目的をもって建設的に応じるのが人の道であった。「運は天より與《あた》へてあれど、なす事は人にある……なさゞるにこそこまる也」ということである。運命になぞらえるところは、徂徠のいう「天命」に似ている。「天命」は、生まれながらに天によって決められたもので、人の手による選択や政治的影響力を超えたものである。義堂は民衆に向かって、これは個々人にとって最初の「資本」であり、「元手」として利用できるものだと教えた。この利用可能な資源によって、人は自身に知識の扉を開き、一生をかけて成長していくのである。みずからの選択を超えたこの「資本」は、天命あるいは「運命」であり、徂徠の言葉によれば「徳」であった[21]。

義堂ほど説教的ではないが、『町人常の道』も貨幣経済の重要性を同様に強調し、すべての商人を対象に、貨幣とは何かを客観的に知ることは重要だとする一般的な経済理論にのっとった考え方を詳述している。つまり、貨幣を利用して仕事をするために、商人は貨幣についての誤った認識も知っておくべきだということであった。第一に、『町人常の道』は、伝統的に逆の見方が浸透しているとしても、貨幣は本質的に人の魂を荒廃させるものではないのであり、そのことを認識しておくべきだとした。貨幣は道徳的に中立なものととらえられるべきである。すなわち、特定の道徳的な意味をもたないのである。人の精神を不可避的にむしばむものでも、生活を支える富を必然的に生み出すものでもない。貨幣は人を選り好みせず、単なる物質であって生命あるものではない。人が貨幣を使う特定の方法（「人の為す技」）によって、貨幣は道徳性や活力を獲得するのである。人が富を蓄えることそれ自体を目的とするのは、不道徳ではないにしても、倫理的には劣った行為である。むしろ、富を得る「誠」の方法は、商業がもつ社会的な側面を認識した上でおこなうことであった。この側面を追求する人も貨幣に引き寄せられるが、生命のない物質としての貨幣を生活の過程や社会の流れに変えていけば、商いは「大徳」になる。このような道徳にかなった良識をもって富を獲得することは、自分や家族のためではなく、社会や公共の善のためになる。したがって、商いは単純に富の蓄積と考えられるべきではなく、富が社会に循環する（「世間にまわる」）よう、刺激をあたえるものととらえられるべきである。こうして、貨幣は、社会のある部分から別の部分を行き来し、損を生じさせることも得を生むこともありながらも、移動するあいだに「生命」を獲得していくのである。

貨幣の生命は動くことにあると理解すれば、損をするかもしれないという恐怖を克服し、損は状況に左右されるものであって取り返しのつかない惨事ではないと受けとめることができる。実際、金銭的な損失は壊滅的な事態だとする不安が富の蓄積それ自体を目的とし、その結果として貨幣から生命と活力を奪い、貨幣を実質的に殺して生命のない物体にしてしまうのである。つまり、貨幣には道徳的あるいは感情的な意味も、また本質的に堕落させる力もないのだが、商人が社会の隅々にまで貨幣を流通させるにつれて、生命を得て、その過程で幸福を拡大していく。この貨幣理論の重要な点は、過程そのものを理解することと、その過程が必然的で自然に起きるものであると受身にとらえるのではなく、人間が関与し介入することが必要だと理解することである。したがって、忍耐の倫理はリスクを受け入れる能力として理解すべきであった。(22)

商いは人間の関与を必要とし、ものごとが自然に展開することとは区別されるべきだという考え方が重要なのは、この考え方が一八六〇年代の明治維新の「ブルジョワ」革命的側面を説明するからである。この考えによれば、自然を機能させる徳をもたらす天は貧者と金持ちを区別しない。民衆の信じる天は私的な感情をもたず（「天道無私、私無し」）、だれか一人に他者以上の便宜をはかることもなく、感情的な意図をもって一人に他者以上の恵みをもたらすこともない。天は、私的な配慮をすることなく、すべての者に恩恵をもたらすのである。

自然と商いが異なるということは、人が貨幣を用いておこなう行為は、花が育ち色づくというような自然のプロセスにはいかなる影響もあたえないということでもある。自然は季節の移り変わりを調整し、人は社会的なしくみのなかで商いをおこなう。一方、貨幣は、極寒や猛暑に対処する手段を提供するというように、人の自然との関わり方の仲立ちをする。人は自然が何かを提供してくれるなどと期待することはできない。公共的な工事のように人が自然環境を相手にする場合、貨幣は不可欠である。この場合に効果的におこなえるかどうかは、富がなければ貧困しかないことを理解できるかどうかによる。天が代わりとなるものを示すことはない。選択をし、それにしたがって行動するのを決めるのは人間である。

すなわち、貨幣は人が積極的に介入して貧困や飢餓を乗り越えて幸福を選びとるための手段である。幸福を選びとるに際して、『町人常の道』の読者は、天が助けてくれると思うな、と教えられる。明らかに、神や精霊、そのほかこの世のものではない想像物に頼るな、と訴えているのだ。重い病や命を落とすというような、貨幣が救済にならない場合には祈りが捧げられるべきであり、仏に望みをかけ祈願すればよい。しかし、そのような祈願は正確性やタイミング、倹約、忍耐、根気といった常識的な倫理的実践など、人がコントロールできる行為とは区別されなければならない。この冊子が強調するように、こうした倫理的指針は天からあたえられるものではなく、貨幣の流通などの経済的な力で人間がコントロールするための手段だからである。したがって倫理は、取引や商いの世界における人間の実際の取り組みに近いものになるように決められるべきであった[23]。

こうして、『町人常の道』は現実の倫理的実践に向けられ、とりわけ貧困の軽減に関心をもっていた。同書は、貨幣は古代に人の命を救うために考案され、現在も商いに欠かせないものになっていると指摘する。天に私情はないという思想は、商いの世界では人が介在し行動する理論を提供している。科学的農業にふさわしい理論も、幅広い正当化の概念のなかに組みこまれた行動倫理として、貨幣を用いておこなう仕事をとり入れるようになった。

貨幣と商いに関するこうした思想が、懐徳堂の山片蟠桃や草間直方《くさまなおかた》（一七五三－一八三一）のような金融問題の知識人が確立したものと密接に関連していたことは、私を興奮させた。私がかれらのような商人学者について執筆したときには、かれらの思想的な洞察力は一種独特であり、エリートとしてみずからの思想を確立したのであり、まさか「通俗的な」文献を執筆した学者らしくない人びとと広範な関係を築いていたとは思っていなかった。しかし、そうではなかった。ここで概略を説明した思想は、実際に蟠桃と直方の考えの一部である。かれらも、貨幣は社会的なものであり社会を循環し、ある地域から別の地域へと品物の流れを拡大させるうちに「生命」を得ると主張している。貨幣を貯めこむことは、その循環から貨幣を取り出してしまうことであり、結果として貨幣を殺して生命のない物体に変えてしまうことである。貨幣経済においては、絶対的な富や絶対的な貧困といったものはない。富というものは、社会のあるところから別のところへと相対的に移動するものだからである。商人がこの過程に的確にかかわることは、決定的に重要であった。したがって、商人の仕事とは、貨幣を用いて仕事をする人についてよくいわれるように人間の強欲の延長ではなく、実際には本質的に個人的であると同時に社会的でもあった。(24)

蟠桃にとっては、天には利己的な意図がなく、特定の個人や集団を優先的にあつかうこともしないものであった。さらに、天の役割が決定的に重要であるのは、それが宇宙全体に「活力」をあたえ、正確で客観的に行動する条件を整えるからである。天とは太陽であり、活力と生命の唯一の普遍的な源である。その天が定める地理的空間において人間社会が機能するのだが、その重要性は天文学によって明らかにされた。天文学のこのような側面は「通俗」的な経済の文献では述べられていないが、天は私的な感情を交えることなく泰然として恵みを分けあたえるものであり、神やそのほかの迷信に頼らず、率先して行動を起こすことは人間の責任であるという蟠桃の考え方とおなじような概念が述べられている。蟠桃にとっては、このような認識論が供給の動向に関する理論となり、この理論によって適正な価格付けや正確で公正な取引がおこなわれ、両者ともに公平な利益と公正な利得を得ることができるとされた。懐徳堂で教えられていたとおり、利益は正当なもの、つまり客観的で公正なものであるべきだった(25)。

草間直方も、貨幣を、生産物の交換価値である価格を客観的に示すものと定義し、短絡的な政治的ご都合主義に合わせて切り下げるべきではないとした。切り下げればインフレーションを招くからである。直方は貨幣史を説明して、約一世紀のあいだ、米の生産に重点がおかれすぎていたために米価が下がり、武士階級の負債増加という究極の悪影響が生じたことを示した。ここから直方は、徳川体制の崩壊は不可避だと予測するにいたる。直方は、必要なのは生産増ではなく、地域間の取引を大きくすることによって商品の循環と流通の効率を高めることだと主張した。この考えはその後、国際取引へと発展していくことになる。効率を上げるためには、商人の仲介のはたらきが決定的に重要であると、直方は結論づけた(26)。

金融専門家としての蟠桃と直方は、自分たちの仕事には公共的な徳の側面があると考えた。かれらは、ここでとりあげた文献以上に、この政治的な課題を強調したのである。蟠桃と直方が同時に、貨幣という主題を時間すなわち歴史過程そのものに関連づけた点は注目すべきである。商いは、そのほとんどが激情や強欲に駆られるものでもなく、罪でも釈明する必要があるものでもない。商いは長い時間をかけておこなう、予測可能で正確な行為であった。とくに蟠桃にとって、貨幣と市場は君主制や国の起源、神聖なるものの介入などという神話的な思想に依拠することなく、進行する歴史の現実として、手元の現実に数学的な正確さを当てはめて客観的に支配すべきものであった。蟠桃にとっては、時間のほかにも科学的な視点に照らし合わせることが必要であった。直方にとっては、歴史的時間とは生産と価格との関係、すなわち長期的な貨幣の位置づけにおける正確な変化と見なされるべきものであった。

時間、正確さ、中庸

人間が時間をみずからの管理下におくというのは、民衆的な文献の中心テーマであった。すでにふれたように、時間は絶え間ない変化をあらわすもので、それがもたらす不安感をぬぐい去り安定化することが課題であると考えられた。徳川時代の商人の世界では、正確な数字をつかって計測することと、民衆が確かな将来を予測できる認識論が生まれたことによって時間は秩序立てられ、人間による統制の下におかれるようになった。貧困や困窮を回避する確実な方法を獲得したのは、数学上の数字を操ることができるようになったからだけでなく、長期的な実践における一貫性を確保するために、数的な正確性を意識的に重視したからでもあった。武士階級が収入を保障されていたことと比べ(これは、金は天から降ってくると説明されていた特権であった)、民衆はかならずやってくる変動と、それゆえに資源が枯渇する恐怖につねにさらされていた。しかし、数字を正確に操れるようになると、民衆は将来を思い描き、行く末を安定させられるようになったのである。

商人が日常的につかう言葉に「目之子算《めのこざん》」（「女之子算《めのこざん》」とも記す）があり、正確性を操る隠喩としてつかわれていた。「女之子算」の漢字はとくに興味深く、子供の面倒をみるという細かな仕事をおこなう女性の家事の一面をとらえている。「女」と「目」は同音異字である。これに、「数字計算」を意味する「算」を加えたこの言葉は「算数の学」である数学のもともとの漢字でもあり、近代になってもつかわれている。あわせて、目之子算は数字をすばやく正確に読みとる知的能力を意味し、家庭や市場でも日課業務の場面で頻繁につかわれていた。数的な詳細に「目」をこらして注意することは、「生活を養う（養生）」ために欠かせない。こうして「目之子算」という言葉は家事と強く結びつき、子供の「読み書き算盤」教育を強化することになった。(27)

当然のことながら、以上のような家事を仕切る際の認識論は、家庭における時間の概念と密接に関連づけられなければならない。この概念は、始まりと終りを意味する別の言葉、「始末」であらわされることが多い。この言葉は、ものごとが始まり、終る時間に印をつけるという意味である。目之子算と同様に、日常生活に由来するこの始末という言葉は、単純に整理をし、仕事あるいは遊びを終りにするという意味で、現在でも使われている。一方、徳川時代の民衆が執筆した通俗経済の著作では、取りかかる時と終える時を正確に知っておく、という認識論に言及している。そこでは、時間は循環するものでも、「終りがなく」「期間が定まっていない」ものでもなく、神学的にいえば「無限」でもない。実際には、期間が明確に示された限られた時間である。計画を始める前に、いつ着手して、どのように終らせるかを予測しておくべきだということである。時間的枠組みが認識できないのであれば、着手すべきではない。計画をどのように終らせるのか予測しかねる場合も、着手すべきではない。より具体的にいえば、始めたことを終らせるという概念には、人生のような長い期間に正確性の概念を当てはめるという意味があった。長期におよぶ時間枠としての始末の概念のなかで、正確性とは生命のない物体をつかむように状況を把握するというような、静態的な概念ではなかった。むしろ、長期あるいは少なくとも一定の限られた時間で、正確な読みとりを継続的にくり返すということであった。

正確な読みとりの実践をもっともよく表しているのは、おそらく教育用の小冊子に掲載されている貯蓄表である。通常、こうした表には毎年滞りなくきちんと積み立てておくことが、貧しくみじめな人生を送らない唯一の対策だという戒めが添えられている。開始と終了（始末）の時点も明確に記されている。長期にわたって正確性と一貫性を保つことの重要性を厳密に示す一方で、これらの貯蓄表は、これまで述べてきたさまざまな認識論をひとつにまとめたものといえる。長年つづけることは、時間を一定に保つために重要な方法と見なされていた。ここでは数的な正確性はひとつの言葉であり、読み書き能力のある商人が用いることができるものとして、人間どうしの信用を確立する経済基盤になるコミュニケーション方法だと見なされるべきである。

表1で示す貯蓄計画には、つぎのような注意書きがある。「一一歳で貯蓄を始めるとして」、最初に二〇〇〇貫目を預け、その後五〇〇年間、毎年滞りなくこの額を貯蓄し、それまでの貯蓄総額に年六パーセントの利子がつけば、最終的に五八万五七五四貫目という大金になる。この表は一八三三年に発行され、転写されたものであるために若干のまちがいはあるが、蓄えた金額が伝えるメッセージは明

表1　貯蓄スケジュール（一八三三年）

経過年数	利子	残高
一年目	二貫	二貫
二年目　前年残高に対する利息	一二〇匁	四貫一二〇匁
	（＝前年残高×六％＝一二〇匁）	（＝前年残高＋二貫＋利息）
三年目　利息	二四七匁二分	六貫三六七匁二分
四年目　利息	三九二匁	八貫七五九匁二分
五年目　利息	五二五匁五分	一一貫二八四匁七分
六年目　利息	六七七匁	一三貫九六一匁七分
七年目　利息	八三七匁七分	一六貫七九九匁四分
八年目　利息	一貫　七匁九分	一九貫八〇七匁三分
九年目　利息	一貫一八八匁四分	二二貫九九五匁七分
一〇年目　利息	一貫三七九匁七分	二六貫三七五匁四分
一一年目　利息	一貫七〇二匁五分	三〇貫　七七匁九分
一二年目　利息	一貫八〇四匁六分	三三貫八八二匁五分
一三年目　利息	二貫　三二匁九分	三七貫九二一匁一分
一四年目　利息	二貫二七五匁二分	四二貫一九六匁三分
一五年目　利息	二貫五三一匁七分	四六貫七二八匁
一六年目　利息	二貫八三六匁八分	五一貫五六四匁八分
一七年目　利息	三貫　九三匁八分	五六貫六五八匁六分
一八年目　利息	三貫　九九匁五分	六二貫　五八匁一分
一九年目　利息	三貫七二三匁四分	六八貫三〇四匁四分

経過年数	利子	残高
二五年目　利息	六貫一六〇匁八分	一一〇貫八四一匁五分
二六年目　利息	六貫六五〇匁四分	一一九貫四九一匁九分
二七年目　利息	七貫一六九匁五分	一二八貫六六一匁四分
二八年目　利息	七貫七一九匁六分	一三八貫三八一匁
二九年目　利息	八貫三〇二匁八分	一四八貫六八三匁八分
三〇年目　利息	八貫九二一匁	一五九貫六〇四匁八分
三一年目　利息	九貫五七六匁二分	一七一貫二二四匁二分
三二年目　利息	一〇貫二七三匁四分	一八三貫四九七匁六分
三三年目　利息	一一貫　九匁八分	一九六貫五〇七匁四分
三四年目　利息	一一貫七九〇匁四分	二一〇貫二九七匁八分
三五年目　利息	一二貫六一七匁八分	二二四貫九一五匁六分
三六年目　利息	一三貫四九四匁九分	二四〇貫四一〇匁五分
三七年目　利息	一四貫四二四匁六分	二五六貫八三五匁一分
三八年目　利息	一五貫四一〇匁一分	二七四貫二四五匁二分
三九年目　利息	一六貫四五四匁七分	二九二貫六九九匁九分
四〇年目　利息	一七貫五六一匁九分	三一二貫二六一匁八分
四一年目　利息	一八貫七三五匁七分	三三二貫九九七匁五分
四二年目　利息	一九貫九七九匁八分	三五四貫九七七匁三分
四三年目　利息	二一貫二九八匁六分	三七八貫二七五匁九分
四四年目　利息	二二貫六九六匁五分	四〇二貫九七二匁四分
四五年目　利息	二四貫一七八匁三分	四二九貫一五〇匁七分

二〇年目	利息	四貫 九八匁二分	七四貫四〇二匁六分
二一年目	利息	四貫四六四匁一分	八〇貫 六六匁七分
二二年目	利息	四貫八〇五匁二分	八七貫七一八匁七分
二三年目	利息	五貫二六三匁一分	九四貫九八一匁八分
二四年目	利息	五貫六九八匁九分	一〇二貫六八〇匁七分
四六年目	利息	二五貫七四九匁	四五六貫八九九匁七分
四七年目	利息	二七貫四一三匁九分	四八六貫三一三匁六分
四八年目	利息	二九貫一七八匁八分	五一七貫四九二匁四分
四九年目	利息	三一貫 四九匁五分	五五〇貫五四一匁九分
五〇年目	利息	三三貫 三二匁五分	五八五貫五七四匁四分

出典　辻慶儀「養生女之子算」（『通俗経済文庫巻4』日本経済叢書刊行会、一九一六年）、三〇五－二〇頁

らかである。(28)

一貫は一〇〇〇匁だとすると、この模範的な貯蓄計画は比較的裕福か、裕福になる可能性のある読者を対象にしたもののようである。こうした貯蓄計画を見ると、貨幣が広く流通していたことも、その扱い方が認識されていたこともわかる。これは徳川時代にはじまり、それまでにはみられなかった新しい現象である。経済活動ではなんらかの「貨幣」がつねに循環していたが、流通量が増え普及したのは明らかに新しいことであった。こうした比較的新しい事態に対応するうちに、将来とは、計算や管理のできる貯蓄であると考えられるようになった。だからといって、それは現在が「古代」からの経済を根源とし、それに裏打ちされているからではない。現時点とは直近の過去の延長であるととらえることが数字的に正しかったからである。こう説明すると、思い出されるのは一八世紀の英国についてのJ・G・A・ポコックの洞察である。当時の民衆は、実際の取引の投影として将来を思い描いていた。ポコックいわく、将来とは想像された具体的なものの「ファンタジー」に似ているのであ

る。表1の五八万五七五四貫目の貯蓄はそうしたファンタジーとして解釈してもよいであろう(29)。

当時の民衆が実際にそうした貯蓄計画を継続できたかどうかを確認するのはむずかしい。確かなデータはないものの、歴史学者は徳川時代後期に豪農や豪商の数が明らかに増えた点に注目した。確実に、かれらはそのような貯蓄を積み立てることができた人びとである。おそらく、実際に積み立てた人はわずかであり、多くの人は積み立てなかったであろう。しかし、詳細な貯蓄計画の目的を達成した世帯数を確認することよりも大切なことは、民衆がそれについて書き残し、読者が最適な可能性は何なのか、何がより現実的なのかを学んだという事実である。

理想的な貯蓄計画やその道徳的な内容について、普遍的な合意はない。先に挙げた例よりいくぶん緩やかではあるが、それでもかなりの規律を要するものとして、手島堵庵《てしまとあん》（一七一七―一七八六）が提示した別のパターンがある。堵庵は近江屋源右衛門として知られていた京都の町人であった。心学運動の一端を担っていたが、おなじく心学を信奉していた義堂とは異なり、各地を巡回して教えるような指導者ではなかった。義堂は貧者や遊民と交流したが、堵庵はもっと裕福で定住している人びとを対象に説き、教え方は控えめで、常識的、保守的なものであった。堵庵は民間伝承のイメージに頼ったり、義堂のように路上で耳にするくだけた言葉をつかい、説教くさい抑揚のある話し方をして聴衆をひきつけようとはしなかった。義堂は、生き抜くとか、地に足をつけてとか、「成し遂げる」といったことを話したが、堵庵はいかに貯蓄するか、余ったお金をどうするか、特定のことに金をつかいすぎないようにするにはどうしたらよいかなどを話した。

「身を立て柱となる」（身代柱立て）ための方法というみずからの提言に言及しつつ、堵庵は商人に対して、誇りをもってすっくと立ち、断固とした姿勢で人生を歩むべしと激励した。そのためには商人は、自分個人の範囲にとどまらず、家族や子供の養育費などの家計費も視野に入れて考えなければならなかった。したがって、家族に必要な予算を立てる際に、酒やタバコ、髪結い、化粧などの支出を吟味し、そうした長期的な費用を考えておく必要があった。たとえば、一〇年間の酒代が九八五匁二分五厘で一定だとすると、この費用を四〇年分、できるだけ正確に見積もって長期計画を立てるべきであった。その他の固定支出に関しても同様におこなわれなければならない。貯蓄とは、こうした固定支出を除いた余剰分だからである。つぎに堵庵は、毎年着実に増加するように貯蓄計画をつくった。二一歳で始め、六〇歳までつづけるとすると、一〇匁を積み立てれば貯蓄預金に一割の利子がつくのとおなじくらいになる。堵庵の計画は、始まりと終り（「始末算用」）が明確に記された期間にわたって計算を管理するものであった。堵庵は両親に子供が生まれたら一人ひとりについて一二歳になるまで貯金計画を立てるよう助言した。この貯金計画は、両親が子供のためにしようと思っている貯金の額によって、あるいは、さらに重要なことは、両親がむりなく貯金できる額に応じて、少額、中程度の額、高額（下、中、上）に調整することができた。ここでも、利子収入は年一割の増加で一定にした。[30]

こうした実践的な指針には正直さ、誠実さ、信頼性、他者への思いやりという心学の基本倫理がともなっていた。しかし、堵庵の地域社会における読者、つまり心学の考えが教えられていた講舎には、裕福な商人やそうなりたいと願う人びとが集まっていたことは明らかである。こうした人びとにとって、酒やタバコのような高価な嗜好を楽しむことは、管理された長期間におよぶ貯蓄計画スケジュールを継続することと矛盾するものではなかった。

しかし、ほかの心学のテキストは楽しみにふけることを良しとせず、読者は毎日三銭を貯金箱に貯めるよう説かれていた（貯金箱は「地獄箱」という、言いえて妙な名前で呼ばれていた。三銭のうち一銭は我が身のため、一銭は親のため、一銭は妻子のためである）。こうしたテキストは、一一歳で貯金を始め、この貯蓄計画を毎年つづけて大晦日には一割を追加することを命じていた。さらには、夜ふかし、朝寝、昼寝、博打、将棋、芝居見物、三味線、尺八、酒、タバコなどは禁物とも書かれていた。貧困や難儀となるようなことに対してはつねに蓄えておくこと、と警告している。[31] 貯蓄の方法についての冊子や堵庵や心学の書籍のほかには、釈雲解《しゃくうんけい》による文献がある。釈雲解はおそらく仏僧であるが、そのほかのことはほとんどわかっていない。かれは心学に真っ向から異議を唱えることはなかったが、倹約や貯蓄につとめなければ待っているのは貧困の惨めさであるという説を唱え、そのような状態を避けるために貨幣は絶対的に重要だと主張した。あらゆる階層の人びとが、生活を支えるのは金だと信じている（「助かるも銭、殺さるるも銭」）にもかかわらず、人びとは金がないために死んでいく。金がなければ最悪の苦しみがもたらされる。そのために親は生まれたばかりの子供を捨てること（「捨て子」）もあるほどだ。極貧であっても、生まれつきの悪人であるわけではない。要するに、貧すれば道徳的な生活を送ることは不可能であるというのが真実だということである。[32]

一七七〇年に堵庵が著書を出版してから三年後、かれの姿勢や提言、さらにはほかの心学文献に対する辛辣な批判があらわれた。釈雲解の著書も批判の対象であった。著者は匿名をつらぬき、分別のある読者ならば堵庵やほかの心学の文献が示すものよりも自分の見解のほうがはるかに常識的で真実に近いことがわかるはずだと自信満々で主張した。ほとんどの人が直面する問題は、「心」を磨くことでも「心」を磨かずにがさつなままでいることでもなく、また高尚さや善意などの抽象的な思想や、普遍や個別についてでもなかった。むしろ「誠実」の意味を理解し、それにしたがって行動することであり、言葉と実践との関係を知り、言葉と行動について理解するということであった[33]。

匿名の著者は明らかに苛立ちと憤りを感じながら、心と貯蓄に関する堵庵の概念を否定した。商人の生活と市場は、良き心という抽象的な説明とはなんの関係もない。貨幣を使って仕事をすることに特別の倫理は不要である。さらに、倹約が意味のある倫理となるのは、妥当な範囲で実現できる場合だけである。年一割の貯蓄をするという堵庵の提言はばかげている。そのようなことをつづけるのは非人間的であり、そのために生活が制約され、倫理的な指針の枠を超えたものとなるであろう。そのような高尚な貯蓄計画を全うしようなどと考えるのはかなり裕福な人びとだけだろう。実際、倹約は軽視されてはならない大切な考えではあるが、商人が商いを実のあるものにしたいと思う場合、リスクを負う現実、そして、いつ、どのように決定的な決断を下すのか、もしくは下さないのかを認識しておかなければならない。こうした現実は、先に挙げた倹約という考えより先にくるものである。市場で働くことについて語り、酒やタバコを控えることは重要な考えだというのは合理的ではない。大いにタバコを吸い、酒を飲んでも、取引ではやり手の人もいる（「稼ぎは上手」）。他方で、こうした習慣を制限したり控えても、うまくいかない人もいる。生活や仕事の現実から乖離しているならば、倫理としての倹約は無益である。生活という場で人間らしく生きることを認めないのであれば、豊かさの価値とはいったい何だろうか（「人並みに世情を暮らしたきゆえならずや」）。人の楽しみをきびしく制限することによって富を増やすという堵庵の提言にしたがうことは、人びとの人間性を否定することにほかならない（「人類にあらず」）。そうした非合理的な方法で人生を過ごしていけるのは、「この学派の学者」、つまり心学者だけではないだろうか。(34)

実際の商いの世界は、堵庵が描き出そうとした好意的なものとはまったく違うペースで進んでいくものだと、この批判はつづける。商いの世界は攻撃的で、和を重んじるようなものではない。商いにたずさわっていなかった古代の聖人から引用された理想化された心の徳は、倫理的前提としては非現実的である。商いの世界では、文字どおり「戦《いくさ》」のようなきわめて激しい競争の状況下で貨幣を積極的に使うことは、日常業務においてごく当然のことである。そこにおける第一義的な徳とは、理想としてどれほど魅力的なものであったとしても、純粋な心などではなく、知識を駆使してリスクをとるタイミングを知り、しかも正確さと一貫性をもって実行するということである。商人は、倹約ではなく、知性と度胸を重んじるべきであり、欠乏がよき商人を育てるなどという思想に惑わされてはならない。(35)

注目すべきことは、憤りを感じているこの著者が、理想的な商人を、船長や舵手など「自由」に仕事をしている人と比較している点である。暴風高波のなかを航海するには、舵手は正確な知識をもち、目的地に向かって船を自由に操舵できなければならない（「一心自由に向かい……その船の進退自由をなす」）。船が商人の事業と家庭の喩えであることは明らかである。荒れ狂う海は、商いと市場の現実である。このように、堵庵の「柱」つまり裕福な家の中心を支える梁が安定性を物語る一方、右の著者はそのようなシンボルは抑制的で利己的なものだとした。それは、なにが起こるか予測できない海で日常的な業務にたずさわるというのではなく、むしろ、安定への「希望」を象徴しているというのである。

商人が安定や自己保身よりも商いの行動について考えれば、その影響は広い範囲におよぶ。他者と関わりをもつことによって、商いにはかならず結果がともなう。その結果が、国家自体、その版図、さらに天の下にあるすべて（国、天下）にまでおよぶこともある。しかし倹約という思想は、とりわけ他者の苦難には当てはまらない。つまり、身近な家庭という枠を超えて社会全体におよぶことはない。「心」ある善人が社会秩序を維持するわけではないため、「貯蓄」計画として「倹約」を詳細に示しても、商いの現実や、他者と競い、みずから立ち上がる（「立身」）商いの世界についてはほとんどなにも明らかにならない。この批判は、問題の核心にするどく切りこむものであった。達成できもしない倹約計画にしたがって倹約すればするほど欲深くなり、計画を守ることだけに固執し、自分を取り巻く世界の苦しみを傍観することになる。心の徳を実践する人物が、実際には「無情」で「現実性に欠ける道徳主義者」（「実学なき道学者」）なのである。堵庵とその同類の人びとの教えは実現不可能（「今日できぬことばかり」）であり、そのようなことを道徳的実践の核心だとする主張は、聴くに値しないものであった。[36]

匿名の著者によるこの見解が一風変わっているとされるのは、その主張が口やかましいからだ。『町人常の道』は、倹約の重要性と享楽の抑制を論じる一方で、人は人生を楽しむ方法を見つけなければならない、ともしている。たしかに、娯楽を楽しむことは悪ではなく、人のありようの一部である。『町人常の道』は、天から授かった本性に沿った自分なりの好き嫌いに近い喜びを求めるべきだ

としている。(37)

この反駁にとって、倹約について論じる以上に重要なことは、人と商いの関係は心とはほとんど関係がなく、市場が実際に不安定であることのほうが関係が深いという点である。つまり、問題なのは感覚ではなく、知識や判断である。天がみずから語ることはない。売買する市場で日々の生活を送る人の心を介して語るのだ（「天物言わず、人を借りて言わしむるという」）。内なる心と天上は、人知を超えたものである。直接確認できるのは取引が踏まえる一定の型、つまりものの数分で完了するような型である。変動や変更に体系的に対応しているかぎり、ときに判断を誤って物質的な損をこうむることはあっても、面目や個人的な品位を失うことはないだろう。損失は普遍的な原則ではなく、実績の問題である。すなわち、ある人が何を正確に言ったのか言わなかったのか、また特定の時点で何をしたのかしなかったのかという問題である。

このように、売り買いを業とする商人は自分自身を役者、つまり「技術（芸能）」を実践する人間であると見なさなければならない。技術を身につければつけるほど、活気のある市場変動の「瞬間」をつかむようになる。しかし、技術を完璧に実践することはありえない。商人の仕事においてもそれはおなじで、仕事にはつねにリスクの可能性がある。リスクをとる覚悟はつねにしておくべきだが、損失の可能性は最低限に抑え、予測不可能なものとしてはならない。市場変動の始まりと終りをはっきり見極め、それにしたがってリスクも負わなければならない。結局、リスクをとることは賭けであり、花札が表か裏か（「丁半、畳算《たたみざん》」）を言い当てるようなものだ。まず押さえておくべきは、リスクをとるのはその範囲を最小に抑えてからということだ。つまり、リスクのとり方を慎重に検討し、一貫した対応をする必要がある。賭けと同様、市場での商いにぶれが生じれば、損失の可能性が高くなるからだ(38)。

こうした民衆の冊子が伝えるテーマは壮大な哲学理論に一致するわけではなく、その意味で目立ったものではない。それにもかかわらず、それらは民衆が商いにおいて活用したものであり、民衆がどのように考えていたのかを認識するうえで重要である。売り買いする「技術」と、自然の方法を混同してはならないといわれる。人間の内に秘めた能力や力は、天賦の才能として天からあたえられたものとされるかもしれないが、だからといって、それは人の行動が自然秩序の法則の延長線上にあるという結論を正当化することにはならない。民衆の行動は、社会で身を起こし注目されたい（「立身出世」）という願望から出発している。これは、一八七〇年代から八〇年代にふたたび活発につかわれるようになった言葉である。冊子はつぎのように記している。天がある人をほかの人より優遇することはなく、行動の自発力は、どんなにささやかで地味なものであっても、とにかく正確に行動しようとする個人だけから出てくるものである。こうした行動が、生き永らえ裕福に暮らす生活と貧しく悲惨な生活とを分けるのであり、明確に理解された法則にもとづく体系的な行動でなければならない。したがって、商いという仕事は技術の習得に似ており、善意の実現は内なる徳の実現とされることもあるだろう。宇宙論的に天と心を直接関連づけ、そこに行動理論を据える人もいるが、こうした姿勢を不信の念をもってとらえがちな人たちもいて、商いについての民衆の考え方の哲学的基礎は多様である。

こうした著作全体から、貨幣経済は最近のものであるという認識が明らかになる。貨幣経済は古代からつづいているものではないため、商いの世界では古代の世界の思想を遠ざけておく必要があった。おそらくもっとも重要な点は、商いに関する民衆の言説において、古典的な道徳概念のひとつである「中《ちゅう》」の概念の理解が変化しつつあることが明らかになったことである。「中」とは、道徳的な正しさに関して内なる確信を定義する言葉である。民衆の文献は伝統的な意味を放棄してはいないが、そこでは「中」を長時間かけてくり返されてきた客観的な行動を示すものとしている。言いかえれば、「中」は道徳的な正直さについてつねに参照されるものではなく、時間をかけて実現された継続的な目的とされ、商いの世界でその意味の複雑さを増したのである。つまり、「中」が必要とされたのは、長期にわたってつづける定期的で一貫した貯蓄を正当化するためであった。この点で「中」は貧困を克服し命を養うための行為として、道徳的に重要なものとなった。一方でまた、リスクを負う行為の経済的な重要性も獲得した。つねに不完全で相対的であり、人がどれだけ効果的に任務を遂行できるかに左右されるために、「中」は不完全であるというリスクをつねに意味し、それゆえに「中」を語る際にはそれにかかわる賭けの意味がともなった。「中」は両極端のあいだに存在する相対的な点であり、終点はつねに曖昧であった。絶対的な確信をもつことができないため、人は結局のところリスクを負う、つまり賭けたのである。賭けるとなると、参加者には極端を避けることが求められた。解決のための鍵は、一貫していることであった。ある可能性と別の可能性とのあいだで一貫性なく揺れると、「中」を欠く事態になった。季節の移り変わりとは異なり、つねに予測可能というわけではない一定のパターンにおいて長期にわたって正確さを保つためには、一瞬（「ただ一分」）のうちに結論を下すこともふくまれた。そうした状況で完全を期すことは不可能だが、長期間一貫して正確さを保ち「中」を達成することは、自分と他者の命を養うという高潔な目的を達成することになるはずであった。

「中」をリスクの必然性と結びつけ、「中」に頼ってリスクを低くする可能性を主張することは、商人が実践の倫理を言いあらわすために利用した概念的な手段であった。私たちが目にしているのは、実践にかかわるにつれて倫理的な概念が変化する様である。道徳にかかわる自己認識は、時間にかかわりのない善という普遍的価値であったのだが、身近な事象に引き寄せられてきた。それは、リスクの負担とタイミング、絶対的ではなく相対的な正確さで目標を達成する術にたずさわること、損失の必然性を受け入れることであった。(39)

海保青陵

民衆が書いたこうしたテーマ――的確性、タイミング、「中」の関係性――は、知識に関する、より広い言説において論じられた。これらのテーマを関心をもって見ていた思想家たちも自分たちの考えや実践を打ち出し、これがかれらの歴史観そのものに決定的な影響をあたえた。このような過程をもっともよく実証した思想家は海保青陵である。かれは民衆の思想と実践の世界での議論を理解すると、それまで修得してきた概念を考えなおした。青陵は高位の武士であったが、その地位を捨てて民衆にまじって生活し、従来の学説によっては明瞭に理解できなかった歴史における根本的な真実を追究した。ここでの議論にとって重要なのは、青陵が本章で最初に触れた地域社会での読書会に参加していたことである。青陵は書物や思想、とりわけ道教の書物や思想に関する知識に、商いにたずさわっていた民衆についてのかれの観察を取りこんで、みずからの主張を展開しただけでなく、民衆の言葉や観点をとり入れもした。青陵は一八世紀の主要な思想史の伝統のひとつである荻生徂徠学派の学徒として、幅広い分野の認識論と商いに関する民衆の言説とのあいだに、相互に関連する側面があることを解説した。民衆の文献でつかわれた言葉で執筆し、商人や農民の認識論と実践を強く支持し、そうした人びとの日常的な経験を生かして政策のありようを徹底的に再考したのである。

一〇歳から二三歳になるまで、青陵は宇佐美灊水《うさみしんすい》（一七一〇―一七七六）の学問所に学んだ。宇佐美は荻生徂徠のもとで学んで名を上げ、広く尊敬されていた。しかし、青陵の著作を読むと、かれが徂徠のいかにも〔抽象学問的な〕スコラ哲学的立場から距離をおこうとしていたことがわかる。青陵は、古代の王（先王）がつくり上げたものはすぐれているとしつつも、しょせん「ひまつぶし」で「子供遊び」であると見なした。それでも、徂徠の主要な教えは受け継いでいた。その教えとは以下のようなものである。社会的、政治的秩序の形成という賢人の目的は、現在進行中の現代の問題や危機に向けられなければならない。古代の知恵はその倫理的な概念の意味と妥当性を広めるために現在に適用されなければならない。道が美しく完璧だからといってそのまま受け入れることは、無知のはじまりそのものである。なぜなら、道は歴史過程における多くの実践的方法のなかからつねに生み出されてきたからである。身分の高い者だけが賢く、統治に責任を負うべきだとするのはまちがった考えである。最後に、すべての人は、将来の義務と運命にかかわる個人の展望を決定する天賦の才能を生まれながらに授けられている（内なる精神あるいは本質、すなわち「性」）。

各人にはその個人に固有の生きる力（「人一人だけ」）があり、その両親が生涯何をしていたかによって、子がなすべきこと（「是非」）が決定されるべきではないということから、青陵は、両親が属していた高い地位と名誉の世界から人びとを切り離し、客観的な知識を求め、内にある自分らしい本性を実現せしめようとした（「性の近き所を成就せんことを願ひて」）。(40) 徂徠の流れを汲みつつも、その枠をはるかに超え、近代の知的意識により共鳴する言葉を用いて、青陵は自分の考えをつぎのようにまとめた。「天下の人は皆天より生を受て居人故に、人は人の自由にはならぬ也、理の自由になること也、人は人を制することならず、理はよく人を制する也、此よく人を制する理を早く取人は、人の上に立つ人也(41)」。

個人の行動に関する理論的立場は徂徠から学んだものの、政策における真理を見いだそうとする青陵の強い思いは、この問題にとり組んだ徂徠の卓越した弟子である太宰春台により近いようである。春台は、古代の文献学研究にはひとつの目的があると主張した。それは、現時点における政治の倫理的構想を実現するための方策、つまり本質的には民を養う、つまり民を「救う」ための最上の方策を提供することであった。

「経世済民」つまり「民を救うために治めること」と表現されたこの言葉は、現代では「経済」を意味する、もともとの複合語である。春台は、農業以外の産業が必要であり、富は取引をとおして増やすべきであることを理論化した。すなわち、ある地域でさかんに生産されている商品を別の地域に輸送し、前者の地域ではあまり生産されていない商品と交換するということである。領土が限られていながら人口が急増するという状況では、富を生み出すこのような方法、取引はきわめて重要であり、大坂やその他の地方都市の商人によってすでにおこなわれていた。春台は、その時代の歴史的な危機に対応できない体制は没落を避けられず、それはまた当然の帰結であるとした。このことを最初に理解した聖人は老子であり、かれの哲学である道教は政治に関する教えである。道教は、自然の共同体のような自然状態に戻ることを説いているのではなく、自然界との境界に身をおき、為政者が無能で無分別なゆえに政治が崩壊するさまを観察するよう説いている。つぎに春台は、反乱が起きる可能性と、その反乱が権力中枢に対する正面攻撃なのか、それとも内戦をはじめるためにどこかの地方や領土を根拠地にするためのものなのかなど、反乱の形態を研究した(42)。

海保青陵は、欠点のある政治秩序に対する反乱については論じていないが、そうした秩序を支えている知識に、おそらく致命的な欠陥があると明確にとらえていた。もし「一大異変」が起これば、それを妨げる人たちは「討死」するにちがいなく、「なんとしてでも助命すべきは儒教学者の下にいる人びと」だと記している。このように儒学者から距離をおいたように見えるものの、青陵は実際には徂徠の教えにしたがって内なる徳を追求していたのである。かれが道教に目を向けたのは、春台とおなじく、歴史的客観性を求めたからである。青陵にとって道教の基本思想は、一般に容認された道――これは、すでに述べたとおり、もっぱら人間の無知を助長するものだった――の体現としての権力を拒否することであった。青陵は、客観性を得るためには、人はまず生まれ育った地を離れ、そのつぎに自己の地位を離れ、最後に自己そのものから離れなければならないとした。最後の段階としてかれは、「己が身を離れて己を見ることは六ヶ敷はず也、然れども己を知らず己を養ふと云ことはならぬこと也」と述べている。真実の知識に対する基本的な障害は、「他ばかり見へて自分見へねば」

であった。[43]
青陵のみるところ、江戸の人びとは江戸から離れたことがないために、自分たちのことがまったくわかっていなかった。そのため、自分たちこそが「未開人」であるにもかかわらず、地方の人びとを不当に見下していたのだ。そもそもこの批判は、都市に基盤をおいた視線で地方の人びとを蔑視し、自分たち自身には目を向けることができなかった武士や学者に向けられていた。世間を見下すようなかれらの視線では、かれらが見下していた人びとが実は日常生活において正確性にもとづいて経済活動を実践しているのであり、実際にはかれらよりもすぐれていることが理解できない、というのである。
青陵は、商いや取引という日常的な経済活動にたずさわっていた民衆の認識論と実践を十分に包摂した行動理論を形成することをめざした。歴史書や制定法の世界は、法的、道徳的な制限を認識するという意味では必要だが、より根本的な別の意味では「死物」であった。歴史上の現在に起きている変化の過程を安定させるものであるかのごとく古事に依存するのは、それを「おもちゃ」にしてしまうことであった。必要とされるのは、固定的な真実を提供する古代の融通のきかない信念などではなく、「実践的な方法」で対処しようとする意思であった。これを表現するために、青陵は仁義という合成語を用いた。仁義は「人の慈悲と正確さ」を意味するが、かれは「活力に満ちた智恵（活智）」と読み替えた。これは、それまで規準とされてきたものごとの進め方が、決まりごととされてはいても、実際には的外れで活力のないのとは対照的である。[44]青陵は、「活智」を用いて、これまで規準とされてきた規範概念を根本的に考えなおすことを提案した。それはとりわけ、こうした概念の解釈を支配していたのが儒学者であり、かれらは教育を受けた少数の賢者が道徳的知識をもっともよく理解していると固く信じていたからである。かれがおこなった数多くの講義や、とりわけ「善」と「中」の倫理概念についての論評（『善中談』）のなかで、青陵は、一定の真理がふくまれていると信じられている伝統的な倫理に関する言葉はまちがって理解され、民衆に対する偏見に満ちた使われ方をしているとくり返した。

そうした「まちがった解釈」のひとつは、二人の人間のあいだの信用という道徳的な関係を可能にする内なる善意を意味する言葉である（「仁」は文字の左側の偏は「人間」を、右側の旁は「二人」をそれぞれあらわしていて、二人が道徳的な誠において相互に交わることを意味する）。この言葉は「慈悲」あるいは「人間性」と訳され、たとえば「仁政」の場合のように、万人に共通する内なる人間の本質や、慈悲深い権力行使の正当性を指している。青陵は、仁の意味を読み誤れば広範囲に深刻な影響がおよぶとし、別の解釈を示した。それは、主流の学術的な言説の見解と異なってはいたが、青陵が自分の認識論や講義にとり入れた商いにたずさわる民衆の世界に関連したものであった（最終的には著作にもとり入れた）。

偏の「人」は、旁があらわす数字の二と関連して、複数の人をあらわしていると青陵は主張した。数字の二は、道徳的に関連性のある二人以上の人を意味するのではなく、二つの平等で普遍的な範疇をあらわしている。すなわち、天と地あるいは目には見えない原則をもつ自然秩序と、目に見える物質的な現実である。天と地に対して、人は社会的集団として存在しており、それゆえに、この文字は内なる善ではなく社会に存在する個人がたずさわるさまざまな実践においてかかわり合う二人をあらわす。つまり「人」は、人の内面に対して語りかけるのではなく、社会的環境における人間の実際の行為に対して語りかけるのである。さらに、「善」と考えられるものは抽象的な思想ではなく、社会に存在する人が命を養うためにおこなうことを意味する。要するに、「善」が意味するのは「労働」である。「自然」が意味するのは「労働」である。青陵は、これが学者や地位ある人びとにとって完全に異質な理解であることを知っていた。かれらの理解によれば、精を出して働くことは民衆が、学ぶことは地位ある人びとがおこなうことであった。こうして、地位ある人びとは、仕事にふくまれる知識を軽視した。たとえ、その知識が自然秩序の基本原則に拠って立ち、民衆が農業や商いにたずさわって生きる際に参照する、正確で恣意的でない方法について教えてくれるものであったとしても、である。(45)

青陵が「中」の概念を示したのは、「憐れみ」を社会的実践すなわち「善」として読みとるという文脈においてであった。青陵が交流していた民衆は、長年にわたりこの「中」の思想を用いて「正確さ」を立証していたので、青陵はこの概念を再考することを提唱した。憐れみとおなじく、「中」は長いあいだ、自己の道徳性を確信する価値であるとされてきた。その道徳中心主義、つまり「内なる中」は、普遍的で自然を超えたものであり、人が客観的な世界で行動できるような永遠の絶対的善と密接に結びつくように理論化されていた。これとは対照的に、青陵にとっての「中」は、現実の社会的、物質的な文脈において人間の行為にあまねく埋めこまれていた。それは自己や普遍的な善に関するものではなく、人が日常的な実践のなかで、特定の目的をどのように実現するかに関することであった。

青陵は、絶対的な道徳規範としての「中」の思想は、善悪を絶対的なものとする学者の誤った見解に端を発していると論じた。しかし、注意ぶかく孔子を読めば、一般の人びとがおよそ実現できないような絶対とか目標について書かれてはいないことがわかる。孔子の考えは、宗教的に悟りを開くといった完全な善や、邪心を一切もたないということではない。青陵によれば、「中」の思想は、二つの確固たる絶対のあいだに存在する不変の基準ではなく、労働の世界において相対的に具体化されたことによって構成されていた。つまり、「中」は一般の人びとがあつかうにふさわしいように適用されたのである。民衆は、正確性に関する認識論や数学的な正しさを、それが失敗を減らす手段だとして重視した。これが「算盤《さんばん》」であり、民衆に特有のものだと青陵は書いている。これが、相対的な正確性の世界であり、一般の人びとがあつかうことができ、かれらの熱意と分別が直接かかわっていた。一方、学者や武士階級のエリートたちは、これを劣っているとし、道徳的純粋性において程度が低いと非難した。(46) 徂徠を思い起こさせるように、青陵は古代秦王朝の「焚書」を免れた文献の多くは信頼できない論争的な注釈書であり、無益だと記している。学者貴族たちは文献を多く所有していても、中身についてはほとんど知らず、現在についてはほとんど適さない書物に頼り、自分たちの世界との関連性を説明できない、と皮肉をこめて書いたのだった。

善や「中」に関して、青陵は、熱烈な調子で率直に記している。

古へは智賢才徳通達藝能の士、肩を並べ踵を接して多かりしに、後世には何とて其人なきや、……今の士は智を厭て上へ引揚げず、下へわたして惜まぬゆへに、智民が愚士を自由自在に欺く、……

其病根は書籍あまり多きゆへなり、……後の士は高き山へのぼるに、途中にての道草甚長し、且こゝにてひまを費すこと大いなり、先づ字の音韻・反切・句讀・發聲……これは裾野の途草なり、……このやうなる詮議長ふて、……こゝにて一生の智を振ふてさわぐ、……書を見ぬ人には却て巓《いただき》へのぼりて、利害を詳かに見たる人あり、……畢竟書籍多ければ、第一に身にしみて骨髄に徹するやうに讀ぬゆへ、古書を解さぬこと多し、……民を由らしむることの出來ぬも、書を丁寧によまぬゆへなり、丁寧によまぬは書の多きゆへなり、古へは智者多く、今は智者少きは全く書物の多少ゆへなり。(47)

学者たちは難解な文献について議論することで日々を費し、目の前にある歴史の真実を見ることができない。一方、学問的な訓練を受けていない民衆のほうが、日々の発言や行動において認識することによって、現実をはっきり見据えていた。すでに述べたことだが、このように、将来へ生き抜いていくのは地位ある人びとではなく、かれら庶民であるはずだった。新儒教に対する徂徠の批判は無視されることが多かったが、青陵はその批判に立ち戻り、地域の読書会の参加者に、儒学者は古代の聖人の基本的な前提を誤解していると話した。つまり、聖人の思想は、一部の特権的な人びとではなく、あらゆる階層の人びとが、学問的あるいは思慮深い内容に磨き上げ、内在化するためにあると述べたのである。古代の聖人は、一般の人びとが日常生活においてほぼ実現できることを「規範」(法)とした。それは、学者としての訓練を必要とする、非現実的なほど理想的な目標でもなく、その規範も完全を求めるものではなく、絶対的な理想を実現することを求めるものでもなかった。「孝行」と

「忠誠」、あるいは「善」と「悪」に関するものですらなかった。完璧をめざせるのはわずかしかいないと十分に認識していた儒学者たちは、地位ある人びとを「善」、身分の低い人びとを「不完全」や「不十分」と決めつけ、学者は優れ、民衆は劣っていると話すことがあった。こうした階層構造は、嘆かわしくも不正に信じこまれていた。「過ぎたるは猶及ばざるがごとし」という聖人がつくり出した表現は、どの家庭でも聞きなれたものだが、青陵によれば、ここには、先人たちが「中」にこめた意味が言いあらわされている。「中」とは、実践の世界で相対的に実現されるものであって、時空を超えた善の規範に近づこうという内面化された理想ではない。したがって、青陵が聴衆に語ったのは、聴衆がすでに知っていることであった。すなわち、日常の労働の場においてはだれもが、過ぎたるというのも及ばざるというのも、どちらも「適切でない」誤算を減らすよう努力している、という当然のことであった。要するに、「中」とは、学問的あるいは精神的な努力によって達成できるような絶対的なものではなかったのである。[48]

青陵はこのように述べて、民衆がもっている知性を認めた。学者たちは、民衆は無教養であり、教えてはならない（民知らしむべからず）という認識を意図的に悪用した。倫理や法が社会的存在におよぼす重要性をすべての人が理解することはたしかに容易ではなかったが、だからといって民衆は無教養だとするのは大きなまちがいであった。こうした結論に導いたとされる孔子は、けっしてそのようなばかげた考えを意図してはいなかった。かれの哲学は、むしろ全体として一般庶民の倫理的能力に関するものであって、庶民に知性がないとするものではなかった。青陵が民衆と呼ぶ人びとは、真実を理解していただけでなく、みずからの理解の向上についても挑戦的であり、また適切な説明を受

けないままに上からの見解を受け入れることを拒んだのであった。(49)

民衆が保持した真実のなかに、日ごと瞬間ごとに変わる（「日々に移り、時々に変ず」）時間の概念があった。時間を固定する、つまり安定させることができるという哲学的な概念は、受け入れられる議論ではなかった。時間は目に見えず、止められないものだからである。時間と変化についての最大の恐怖は貧困に陥ることであり、民衆はこのことをよく理解していたからこそ、商いにかかわるあらゆる文献のなかでくり返したのである。青陵はくり返しこのテーマに触れ、労働の場で積極的に選択し、企画するという民衆の対応を支持した。人が天から授かる命は本質的に「知性」、より正確にいえば「積極的な知性」であり、この知性を実践することは「死んだ」過去の研究よりもずっと重要なことだと青陵は強調した。そのために、青陵は「貧乏神」を家から追い払うために大坂商人がおこなっていた（民衆の小冊子でもさりげなく書かれていた）儀式を軽視することはなかった。焼き味噌の煙を家中にふりまき、貧乏神を壺におびき寄せ、下流に流すというこの儀式の内容から、大坂商人がつねに貧困を恐れていたことがわかる。それがかれらの意識から離れることはありえなかった。(50)

青陵の認識論には全体に大きな特徴がある。天は生命の源であり、生命あるいは人の内なる自然は本質的に知性である。その知性はつねに積極的で、人に行動する目的や意志を抱かせてくれる。自然の原理にしたがった行動または実践が労働である（「働くことは天理なり」）。労働は慈悲や人間らしさと同義で、労働を形づくるのは正確さについての知識である。「中」は内的な完全さを示すわけではなく、相対的な正確性という思想に関連している。したがって、それはつねに変化する時間において相対的に正確な行動をとる人間の知性なのである。「中」は、過ぎたるも及ばざるも制限しながら目的を実現するという人間の実践の相対的な概念である。変わりゆく現実のなかに存在するリスクに関連しているからこそ、民衆の小冊子にもわざわざとりあげられたのである。[51]

収入は「固定」しているという上層の人びとの考えは、青陵にとって明らかに受け入れられないものので、かれはこれを悪習でしかない（「甚だ悪しき」）と公然と非難した。[52]「中」はたしかに、人の知性にもとづき正確性を活用して得る相対的な確度の問題であると認識した上で、どれほど綿密に計画や予測を立てたとしても、損失は避けられないことも頭に入れておかなくてはならない。つまり「中」は、つねに「近い」線にたどり着くための努力ではあるものの、完全ではない。そのために、これを理論的に理解するためには、誤差や損失の範囲もふくめておかなくてはならない。利得も損失も「中」の倫理についてまわる。損失をこうむっても無知だと見なされるべきではない。無知とは、収入が保証されていると考える人びと、つまり上層の人びとにふさわしいものだからである。青陵がリスクの許容範囲をふくめて「中」の概念を用いて提案した、機能しうる「望ましい」（つまり「合理的な」）範囲は、三分の二の確率で得をし、三分の一の確率で損をこうむるというものであった。「中」が絶対的な道徳的善と見なされるべきではないように、リスクも損失もなく最大の利得が保証されると考えるべきではなかった。[53]

商いについて書物を著した民衆も、「中」がリスクと損失という現実に組みこまれていることを受け入れた。貧困を心理的に恐れる気持ちから、損失が限定的に収まることを求めるとしても、完全に排除することもできないという理解は、「中」が相対的なものであるという考えに裏づけられていた。最終的には、リスクはつねに商いにともなう賭けから生じる、ということである。商いは生活を支え、その点で倫理にかなう正しいものではあるが、知識と行動によって左右され、制約されるものでもあった。商いは、芸術とまったく異ならないパフォーマンスの一形態であり、それによって人は徳を実現する。商いは、しかし、こうした倫理的で審美的な考え方にもかかわらず、商業活動に固有の失敗や損失は排除しえない。しかし、天や神に祈ってみたところで、助けにはならない。的とするべき完璧な中心もなければ、自身の行動を正当化する不動の道徳的中心もないため、最終的にとる行動はつねにリスクをともなう。商いの倫理は「賭け」という推測を正当化しなければならないのである。もちろん、商いは賭場の畳の上にひざをつき、さいころを投げてその目が偶数か奇数かを推測するようなものではないのだが。

しかし、ここにも学ぶべき教訓がある。賭博で負うリスクはまったくの偶然によるものではない。偶数か奇数か、よくても五分五分の確率が期待できる。すなわち、内包されているリスクを抑制して――当てにならないどのような理由があるとしても、合理的になることはないのだから――どちらかを選ぶべきであり、選択をためらうべきではない。あらゆる要素を考慮して長期的に考えれば、行き当たりばったりの気まぐれで態度を変えるよりも、一貫した対応のほうが勝る。要するに、リスクが五分五分であれば、奇数か偶数のどちらかを選ぶだけであり、今回はこれ、次回はあれということではない。始まりと終りの時間の幅を決め、態度を決めるのは一度だけ。あとは、負けの幅が五分五分より低くなるか、勝ちの幅がそれより大きくなるか、辛抱づよく待つだけである。知性、実行、倫理的確信、推測を重ねた末の必然性、そして賭けは、こうして変化する「中」の概念の内部でおこなわれるものであった。(54)

リスクを負うといっても、おこなわなければならない最後の賭けを制限するということではない。商いには損失をこうむるリスクがあり、損失は道徳的な失敗を意味するものではないと理性的に受け入れるとしても、損失を抑えるべく細心の注意をはらって備えをしなければならない人にとって、それは一定の負担になった。しかし、『町人常の道』が指摘しているように、すべての人がこのような負担に応えるわけではなく、青陵がみずからの一風変わった遍歴について強調したように、それも内なる本性に似た好み（「性の好きなるところ」）にちがいなかった。

こうしたすべてのことの根底では、時間の目まぐるしい変化が強調されている。その変化には、今という瞬間と、文字どおり「一〇〇年」という長期間をふくめた時間の急速な変化もある。こうして「中」が概念化され、ある一瞬だけでなく長期間におよぶ一貫性もふくむようになった。青陵が、リスクとしての「中」を三分の二の利益と三分の一の損失として「調整」すべきだとしたのに対して、商人は、二分の一から四分の一の利益というあたりを考えていた。その割合は青陵よりも小さいが、基本的な考えはおなじである。「中」は、リスクを最小にする計算方法をどのようにするかという判断（「人の為す技」）によって左右された。この過程に求められる理性は「積極的」で「生き生き」としていなければならなかった。そうした力強い循環の過程が、社会全体の福利に貢献したからである。したがって、商いにたずさわることは個人資産を蓄積することではなく、福利を生み出すことであり、大きな徳を生み出すことであった。

すでに説明したとおり、大坂の懐徳堂の商人学者もまったくおなじような方向性で議論をしていた。貨幣は生命がないものと見なされるべきではなく、貯めこまれたり、固定されたりすべきでもなかった。取引をつうじて循環すれば、人びとや社会全体の福利になり、また経済活動が基本的に「公的」なものとなる。『町人常の道』は、商いが自分や家、子孫、社会全体の善のためになると説いた。貨幣は出たり入ったりし、社会全体を循環し、一見失われたようにみえたとしても、また戻ってくる。つまり、リスクを負う過程で損失を避けることはできなくても、それが永遠につづくわけではないのである。「中」は長期にわたって恒常的に機能すべきものであった(55)。

「中」と信用

最後に、「中」は時間だけではなく、「信用」としても考えられた。信用がなければ、契約を結ぶことなどありえない。信用の概念は、誠実や、口に出して、そのつもりになったことは実行するという概念（「誠」）と密接に結びついていた。この漢字は、（偏と旁で）言葉と行動を意味している。つまり口にしたことを自覚し、それにしたがって行動するということであって、それ以外ではない。口に出したことをおこなうとは、知っていることをおこなうことである。知らないことをおこない、信用するよう求めるべきではなかった。誠という倫理的な概念が生み出す関係は、それゆえに「中」という倫理的な概念が生み出す関係と深く結びついている。富永仲基が一七一〇年代に述べたとおり、知識と実践はその時点において誠実であることであり、古代に述べられたこと、とくに古典的文献に述べられたことにもとづくものではなかった。

ここでの論点は、誠という概念と、相対的で正確性の認識にかかわるものとしての「中」が、信用の倫理、すなわち契約の倫理とどう関係するかということである。信用がなければ当然、契約も大規模な取引もありえないし、蟠桃や直方、また経済に関する小冊子を執筆したさまざまな人びとが想定した取引もありえない。直方が提起したように、わずか紙一枚の契約さえあれば、どれほど離れていても大量の商品を取引することができる。[56] 信用の経済の基盤、すなわち契約が信用と結びつくかぎり、商いによって資本の流れは「生き」つづけ、蓄積された富が滞ってしまうことにはならない。このことはとくに、商売が法的に管理されることがほとんどなかった民衆の経済社会にとって重要であった。つまりこの社会では、契約とその意義は司法による命令や決定によって支配されはしなかったのである。

民衆は「契約」という言葉をつかったが、この契という字は、徂徠が古代の王が天を敬うのを讃えるさいに、「畏敬の念」として言及したものである。敬意とは、「心に敬意を抱き、自他には義のみを求める（敬内義外）」という格言にあるような、儒教で伝統的にしばしば求められてきた内的な倫理ではなく、つねに自己の外にある、敬う価値のあるものに向けられていた。民衆のあいだでは、敬意の倫理には、契約における信用というもうひとつの意味があった。つまり、地域社会の個々人の外にありながら、同時にかれらを結びつける合意である。そうした合意に対する敬意が、天に対する深い敬意とくらべられた。

「契約」という用語は、近代経済では今なお使われている。しかし徳川時代の民衆のあいだでは、契約とは、裁判所で確認される法的文書を参照するようなものではなかった。むしろ、信用と約束に適用され、誠の世界、すなわち理解した上で行動し、一定の期間にわたって正確性を保つという世界で特別の価値があるものだった。

『町人常の道』では、信用はもっとも基本的な倫理として示されていた。本質的には契約を尊重するという意味であり、「信とは何事にも契約をたがへず」ということであった。[57] さらに信用は、どの計画においても合意の正確な開始時期と終了時期について「誠実」に対応する責任を求めた。ここでは貯蓄計画の維持にはふれていなかったが、合意した時間に対して揺らぐことのない「敬意」をはらうこととしていた。「重要な点は、始まり、そしてそれゆえに終りをも厳守することである」(「始めあるからその終りまでをよく慎むをいうなり」)。つづけてこの著者は、算盤をつかって算出された正確な数字に対してもそうした敬意がはらわれるべきだとした。[58] 数字的に細かな点には法的な担保はなかったが、細かな点に関する合意は「公正」で、ひいては信用の基盤となるものであるがゆえに、契約は厳格に守られる必要があったのである。信用は、商談にたずさわった商人が思案して決定した「中」にもとづくものであって、絶対的な思想や天という宇宙論的な広がり、あるいは「死んだ」古代の文献などにもとづいているものではなかった。信用は、現在の相対的な正確性を求める心にもとづいていたのである。複数の文献にあるとおり、天は万物に恵みをあたえるが、ある人びとはたがいに合意した具体的な数字に沿って行動した。つまり信用は、このように具体的で明確な合意としての「契約」にもとづいていたのである。このような民衆の認識論では、合意が正確で公正なものになり、期間も特定されたときに、契約に結実するような信用が生まれた。[59]

法的に認証された文書としてではなく、道徳的な約束事としての契約事項は、実践の枠組み、とくに「組織原理」という視点から理解することがもっとも適している。次章では、これまで論じてきた認識論が実践に移される過程を検証する。

第三章　組織原理としての講

前章で論じた思想は、思いつきや偶然に左右されたものではなく、秩序立ち規律正しい社会的実践と密接に結びついていた。商いや貯蓄に関する書物を著した民衆は、ほかの民衆に向けて、倫理に関するひとつの明確なメッセージを強く打ち出していた。それは「生きていく上で経済的な貧しさは避けられないものではない」ということだった。この思想が民衆のあいだに抽象的なかたちで伝わることはほとんどなかったが、広く共有された常識的な知識に社会的目的をあたえる作用をはたした。どのようにものごとがなされるべきかを詳細に説明した公的な書物はなかったが、民衆は長期にわたって生活を支えるためには相互扶助的な集まりが設けられるべきだと意識していた。ここで問題となるのは、「民衆経済」についての言説で生み出された思想がどのように広まり、また長期にわたって利用可能な組織的一貫性をどのようにして獲得したのか、ということである。社会的実践の過程において不可欠の要素と見なされるこうした思想は、いったいどこに存在していたのだろうか？

私は、講として知られる相互扶助組織や、この組織形態と関連していながら形態が異なる組織という観点から、この問題をとりあげてきた。講には、民衆の知的な営みの一部となっている組織原理がふくまれているがゆえに、思想史的に理解するためには、その組織形態そのものを、その倫理や運営に関する規則とともに、「組織原理」のひとつの様式としてとらえなくてはならない。

講の存在は徳川社会の人びとが、たとえば飢饉や地震などの自然災害や、明らかに不合理と思われる課税などの政治的圧力のような不測の事態にいかに団結して対処したかに光を当てる。講が維持したのは、相互の信用の倫理と道徳的な約束事（これらについては前章で論じた）だった。それらは、相互扶助組織において契約を実行させる、拘束力のある規範となった。こうした相互扶助組織としてもっともよく知られていたのは契約講である。道徳的な契約という思想は、頼母子講や無尽講の基礎だった。それらの講は、知識と倫理に適った組織的な原則を有し、民衆に資金を提供する擁護者として、本書が語ろうとしていることにとって明らかに重要な位置を占める伝統的な相互扶助組織に共通にあたえられた名称である。これらの講は倫理的で経済的な実践の枠組みとなり、それらを維持したことによって、近代や現代にも順応し持続したのである。

本章では、ふたたび現在からはじめて、複数の地域にかかわるいくつかの広範な課題に向き合い、最後に徳川時代の知識と道徳的実践との関係を描き出す具体例に焦点を当てる。

宗像《むなかた》定礼《じょうれい》

福岡市の北に位置する宗像市で、宗像病院の主任内科・外科医であった井上隆三郎医師は、みずからに問いかけた基本的な疑問を解明するためにおこなった実地調査についてくわしく語っている。緊急時に――その最たる例は徳川時代に定期的に起きていた火事や飢饉であり、近代以後は、猛威をふるった伝染病や交通事故の際に――庶民はいったいどのように、このような事態に対応していたのだろうか。井上医師は、治療費とはいつ必要になるかわからないものだということに関心を抱いたことから、飢饉のような緊急時や、また産業革命のように資金が不足した状況下で民衆がどのように自分たちの保険を準備していたのかに興味をもった。明らかにする必要があると考えたのは、健康相互保険の原則ではなく、個人や地域、国が保険基金に払いこむ掛金の導入についてであった。

井上医師は、相互保険組合の結成について徳川時代にさかのぼって調べた。かれは、この活動がはじまった正確な時期はわからなかったとしているが、一七世紀の終りか一八世紀の初めで、おそらく一七三〇年代の享保飢饉か一七八〇年代の天明飢饉のころであっただろうと考えた。それほど早くからはじまっていたという点については、井上医師はおそらくまちがっていない。瀬戸内海沿岸にある広島の柳井市で、かつては活気にあふれていたこの市の図書館に所蔵されている資料から、一七九五年に三〇〇〇人が加入していた保険組合「恵民頼母子講」が結成されていたことがわかっている。この講では、人びとに対する「敬愛から」緊急寄付をするしくみを設け、一〇〇人が年に二回、決められた掛金を払いこむことになっていた。(1)

宗像の場合、一八〇〇年代はじめ以後一八三〇年代の天保飢饉までのあいだについて、明確な証拠資料が残っている。講は西日本では頼母子講、東日本では無尽講として広く知られていたが、宗像の相互扶助組織は「定礼」と呼ばれていた。これは「定期的に礼を支払う」という意味である。定礼では相互扶助あるいは保険基金について、加入者は現金やそれに代わるもので払いこみ、そこから引き出して治療費が支払われると述べられている。その額は、感謝つまり「礼」の一部と「定め」られていた。複数の村落から一五〇もの世帯がこの相互扶助組織に加入し、定期的に掛金を払いこんだ。何事もなく過ぎた年も伝染病が流行した年も、相互扶助組織は村民に西洋の医療や東洋の漢方治療を施した。相互扶助組織から医師（定礼医）が定期的に村民を訪問し、その支払いは基金からおこなわれた。蓄えられた基金から医薬品や備品が購入され、医師への支払いをするという慣習は二〇世紀になってもつづいた。

井上医師の興味深い証言から浮かび上がるのは、ほとんど語られることがなかった、興味がかき立てられる歴史である。井上医師が論じるように、一九五〇年代後半に確立した国民健康保険制度は新たな制度というよりも、既存の制度を組み換え、体系化したものだった。宗像定礼のような相互扶助組織は小規模保険制度のモデルとなったのである。一九三八年の太平洋戦争勃発前夜、内務省は公共医療についての状況調査をおこなったが、かれらは現場には基礎的な相互扶助組織のネットワークがすでに存在し、医療支援にたずさわっていることを「発見」した。「工場」保険制度は産業部門に結びつけることはできるとしても（ドイツにおけるビスマルクの保険制度にさかのぼることができる）、「国民」保険制度は地域に根ざした相互扶助組織から成り立っていると考えられた。こうして調査団は、地域の相互扶助組織を置き換えるのではなく、それらを管理が容易で身近な、地域ごとの単位に整理し、内務省からそれらへ、とりわけ廉価な医療必需品を供給することを推奨した。特別な医療は提供されないという欠点はあるものの、こうした相互扶助組織は社会医療の一形態であり、市民全体に医療を提供しつづけている。相互扶助制度をとおして医療品を配布するという考え方について国からの指示や説得は必要なかったのだから、国はこの構想に大きく貢献したと自慢すべきではないというのが井上医師の見解であった。一般民衆は、近代国家が国民に対して慈悲深いものではなく、日常的な医療保護においていちじるしく配慮を欠いていると認識していた。この認識をさかのぼれば、強い国家にするための分野を優先していた明治時代に行き着く。したがって、国は国民全体から税金を徴収することはあっても、社会福祉というかたちで報いることはほとんどしなかったのである。公然の秘密というにはあまりにもよく知られていることではあるが、近代において日本人の寿命はそれ以前とくらべて延びていない。一九〇〇年には四二歳で、その一世紀前とほぼおなじであり、一九四〇年にはかろうじて、それを上まわっている。戦後になってようやく、公的資金の分配が戦間期と大きく変わったために、寿命も七〇歳代まで劇的に延びたのである。(2)

井上医師は、日本人が我慢の通常の限界を超えるような苦難であってもそれに耐え、文句をいわない人びとであるという文化的なイメージにも疑問を投げかける。かれの説明からは、民衆は相互扶助によって徳川時代や近代の産業革命という過酷な状況におかれてもなんとか持ちこたえていたという、通例とは異なる、おそらくより正確な実態が伝わってくる。

民衆は単に文化的な習慣として耐えたわけではなく、苦境に対して何かしらの対応をしたという事実は注目に値する。すでに述べたように、各世帯は契約上の取り決めによって一定の現物出資（おもに米だが、米を換金した場合もあった）をすることとされ、それは医薬品や巡回医師——各村が独自の医師を抱えることは、明らかに無理だった——の診察の支払いに充てられた。定礼の目的は、各村が医師の診察を受けられるようにすることだった。徳川時代に大惨事を引き起こした破滅的な飢饉の影響は近代になるとなくなったが、栄養失調や伝染病はあとを絶たず、医療の必要性が急激に高まった。井上医師によれば、一八八五年から一八九五年までに、コレラ、はしか、結核、ウイルスによって約二五万人が死亡した。この犠牲者数は、一八二〇年代や一八五〇年代半ばに日本を襲ったコレラの流行ほど甚大ではないようにみえるかもしれないのだが。井上医師の説明で重要なことは、必要不可欠な医薬品の配布が国家の介入によってなされたのではなく、おもに地域が率先しておこなったという点である。産業転換期をとおして、一般市民は第三世界的な経済状況のなかで生きていた。井上医師は、資本の蓄積と医薬品の配布が完全にくい違う状況下で、相互扶助組織がいかにして健康管理をおこない、病院の建設までおこなったかについて述べている。たとえば、一九〇〇年に福岡県に開設された神興共立病院という結核患者のための療養所がそれに当たる。井上医師によると、こうした取り組みの先駆けは捨て子を引き取る孤児院であり、福岡県では一七六四年にすでに開設されていたという(3)。

医療費が増加するようになると、特定の治療を受けるためには宗像の相互扶助組織をつうじて利用できる金額では不十分なことが明らかになった。そのために補助的な相互扶助が組織され、定礼とおなじように加入者は定期的に掛金を払った。しかしこの組織では、緊急の際や定礼による割当を超えた際に、超過した費用に応じて追加の資金供与を求めて入札がおこなわれた。宗像市では、そのような二重の資金源は一九一五年ごろから医療保険として利用されるようになった。実際の入札は緊急性の度合い、つまり必要性によって決まり、入札額を超えた余分な資金は貯蓄に戻されるか加入者に分配された[4]。

講

宗像定礼の相互扶助的な補助組織は頼母子講と呼ばれ、無尽講と同様の組織を指す言葉として、徳川時代や近代において広く使われるようになった。伝統的な相互扶助組織である「講」についての文献は紹介書から専門書まで数多くあるが、それらを包括的に論評することは本書の目的ではない。いずれにしても、このテーマは人類学や宗教学を専門とする研究者にはよく知られている。はじめて注目したのは、民俗学の有名な先駆者である柳田國男（一八七五－一九六二）だった。明治時代の「風俗と習慣」について書かれた一九二〇年代の著作で、柳田はつぎのように書いている。

> わが国の町村には、どこへいっても講の組織のないところは少ない。近年はその数も減じ、あまり盛大にはやらなくなった土地もあるが、明治時代にはいずれの土地でも数種類の講がつくられて、それぞれ活動していた。その組織や行事は大体同様で、講の日には講中が集会して酒宴を開くのだが、宿は講中の家を廻りもちするのが多い。そして年々当番がきまって、その人が代参者として、講で信心している社へ参る。その帰りには坂迎えといって、大抵部落はずれのきまった場所まで出迎えた。代参者は御礼と土産物を配り、酒宴にのぞんだ。講の代参者が往来する道筋はほぼきまっていた。明治以降は乗物を利用することになったので、そのコースがちがってしまった。また五年

乃至七年毎には、講参りといって講中全部が参ることもあった。(5)

明治初期以降は、さらに講参りの回数が増えた。明治期以降、講は減少したようだと柳田は指摘するが、大都市では地方ほど講に依存していなかったという点については、部分的にしか当たっていない。柳田にはまた、親睦のための集まりや参拝にでかける準備のために講が利用されていたと強調する傾向があった。しかし、ジョン・F・エンブリーは一九三〇年代半ばに、熊本県の人里離れた須恵村での日常生活についておこなった有名な民族学的調査によって、講は明治以前と同様に活発におこなわれていたと指摘している。エンブリーは講（「掛銭を払う」のように「掛け」としても知られていた）の多様さについて書いている。つまり経済的、宗教的、社会的機能を担うものや、空間的にも一つの部落や村、複数の村が集まった郡でおこなうものもあった。こうした講のなかには、女性だけで構成されているというようにジェンダーが偏っているもの、若者の結社のように特定の年代に限ったもの、傘や靴、寝具、織物、屋根ふきなど職業を限定したものもあった。講が村の日常的な経済活動にとって重要であったことは明らかである。「多くの貨幣は銀行や村の信用組合、郵便貯金にいっしょに預けられるよりは、講に固く結びつけられている」ことにエンブリーは気がついた。エンブリーの観察によれば、大規模な講の場合は、四、五〇人が加入し、その取り決めが二〇年以上つづくこともあった。加入者は自分の資格をほかの人に売ることもできたし、現金を工面する必要があれば割り引いて売ることもできた。出資金を相続できるように、講の地位も親族が相続することができた。さらに、部落あるいは村全体があげて一つ、あるいはいくつかの講に所属することもあった。そのような場合は、共同出資による収入は、個人ではなく集団全体で使うために村の一般基金に積み立てられた。エンブリーは、それを詳細に述べている。

村の経済において講の果たす重要な役割は容易に理解される。ほとんど誰もがいくつかの講に属しており、金持ちは二十もの講に属し、貧農でも二、三の講に入っている。収穫の時になされる最初のことは、家が入っている講に必要な米を、取りのけておくことである。裕福な人達は負債を免れるためとか、土地を買うために加入するが、貧しい人々は病気とか葬式等の不慮の費用を支払うために講をもちはじめたといってもよい。(9)

最後の例——不測の際の出費に備えること——は、講のそもそもの目的である。ここでの議論にとっては、信用と実践としての契約との関係を明らかにするのが講であり、この関係はこうした多くのさまざまなしくみについて私たちなりに解釈し理解するための基礎になる。講は何世紀にもわたって、一般的に注目されることなく発展してきた。相互扶助組織は自治の一形態であったというと誇張になるが、講が公式で体系的な政治秩序の一部ではないために、日本の歴史において語られることがないというのは基本的な事実である。歴史学者たちは、徳川幕府が講について、それが非常に投機的なしくみとして利用されていると懸念したと述べてきた。「取退け（取り置き）無尽」として知られているように、多くの人が講の資格を買い求めた。一定額を受けとった加入者は「退会」（したがって「取り退け」）し、それ以降の資格を失うため、ほかの人がこのしくみに加わることができ、欠員は生じないしくみになっている。現代の宝くじと同様に、多くの人が加入するものの、儲ける人はごくわずかである。しかし、賞金が非常に高額なために、民衆は気がそそられて加入したのである。借金をして加入する人びとも少なくなかった。幕府は、こうしたしくみが道徳的に疑わしいと考え、違法とした。しかし、この措置はほとんど効果がなかった。実のところ、徳川後期には、藩が財政をまかなうために無尽を利用して資金を集めたほどであった。宝くじ的なしくみに対する官的な介入にそれほど熱が入ったわけではなく、財政的な目的で講が利用されたのも徳川体制末期という比較的遅い時期だったということを考えると、社会史において講がほぼ公的秩序を超え、すなわち幕府や藩の政治的注目を確実に超えて広がったとする歴史学者の解釈が覆るわけではない。

したがって、講が日本の公式の政治史叙述にとり入れられていないことは、さして驚くべきことではない。また、講が日本人による独特な発明であり、古代から近代にかけての日本民族の精神史だけに見いだせるとする主張も誤りである。講は、日本と呼ばれる限られた空間で紡がれた歴史に密接にかかわり、一八世紀という一定の時期に村や地域を越えて広がるとともに、すみずみにまで波及した。こうして講は社会史に完全に組みこまれたが、原始から現代にいたるまで独自な展開を示してきた「この国」の歴史にだけ存在していたと主張することはけっしてできない。おそらく、この組織形態を「国境を越えた」「汎アジア的」なものと見るほうが適切であろう。ここで「汎アジア的」という用語をつかうのは、領土拡張を推し進めた二〇世紀につかわれていたイデオロギー的な用語と結びつけるためではなく、比較可能性を示すためである。先に引用した本のなかでエンブリーは、須恵村の信用協同組合は中国に存在していた「信用組合」の変形したもののようだと述べている。(7)

すなわち二〇世紀はじめには、講は日本独特のもので、この国の歴史や文化的真髄の典型だとする主張がなされた一方で、相互扶助組織の起源をたどった学者たちは仏教倫理のなかに講を見いだしている。つまり、古くは七、八世紀までさかのぼり、東アジア全域で起きた仏教運動に存在したというのは事実である。「無尽講」やそこにふくまれる資金である「無尽銭」のように、こうした相互扶助組織にしばしばつかわれる「無尽」という言葉は、「尽きることがない」「制限のない」資源を意味し、明らかに仏教に由来する。インドに存在する同様の相互扶助や貸付協会などは、宗教や商業がもっとも活発に交流していた時期にヒマラヤを越えて東アジア全域に伝わったものと非常によく似ている。

歴史学者のなかには、この解釈に賛成し、インドと中国の相互扶助組織に共通点を見いだす人びともいる。しかし楊聯陞《ヤン・リエンシェン》は、中国の社会的組織に関する草分け的な研究書を著し、中国の仏教徒による資金調達の組織は南アジアに由来するものではないとする証拠を示している。それにもかかわらず、楊はその組織が唐王朝（六一八－九〇七）時代に建立されたすばらしい仏教寺院と密接な関係があることを入念にまとめている。[8] かれは、仏教寺院および記念碑の建立と維持のための主要な資金源として、質屋、相互金融協会、競売、宝くじの四つを挙げている。このすべてが、朝鮮半島を経て日本に至った仏教運動のなかに存在しており、精巧につくられた巨大な寺院建築群とその周辺にある多くの記念碑に資金を提供していた。

このような組織のひとつとして、相互に資金供給をする協会がふくまれていたことは注目される。無尽というこの言葉は、「村社会」を意味する「社会」や「稧会《けいかい》」（協会）という言葉とともに中国の言葉だった。朝鮮でもっともよく知られていた言葉は「稧《け》」で、日本語の契約の基本となる文字だ。

使われる名称は地域によって異なるようだが、いずれにしても相互扶助組織という慣習は大陸に広くゆきわたっていた。一八九九年、アーサー・スミスはつぎのように報告した。「組み合わせるという中国人の才能がもっともよくあらわれている例は貸付協会だが、それはどこにでも多数あるようだ」。一九三〇年代はじめの植民地時代の朝鮮からの報告では、相互扶助組織の稧は課税の枠組みとして利用されたのに加え、社会的、文化的、経済的なあらゆる生活面で幅広く使われていたと記されている。ある報告では、稧は無尽に似ており、「豊富で多様だという意味では、稧のようなものは他に存在しない」と記されていた。(9)

アジア以外では、相互扶助組織は一九三〇年代のジャマイカのように遠く離れた華僑コミュニティで確認することができるが、(10)とりわけ日立っていたのはハワイやブラジルの日本人移民社会においてだった。頼母子講が初期のハワイ移民のあいだで広く利用されたのは、講が辺地（「地方」と呼ばれていた）の労働者や農民の貴重な収入を保護していたからだ。さらに、個人に利益をもたらす銀行とは異なり、頼母子講は相互扶助（「共済」）という倫理的な思想によって、地域社会のなかで資金を循環させた。加入者は頼母子講のために、最大で収入の三分の一を取り分けておくように助言されていた。加入者ごとに率を計算するよりも、単純な入札方式のほうが好まれ、利用する際の費用は商業銀行の利率よりも低く設定された。頼母子講は「県人会」（沖縄県人会など）に設けられることが多く、一八八〇年代後半に設けられた相互扶助組織のひとつだった。その他の相互扶助組織としては、緊急事態に備えた「慈善会」があった。頼母子講を基にした信用貸付会社であるパパイコ金融株式会社は、ハワイ島のヒロ郊外の小さなサトウキビ畑の町で開設された。ハワイの大農場や農業の町では、こうした相互扶助組織は病気などの緊急時の費用や、結婚式や葬式、進学のような節目の行事の費用をまかなう貴重な共済となっていた。また、漁業やコーヒー生産事業を統合する支援もおこなった。ホノルルにあるクアキニ病院は、一八九〇年代はじめに相互扶助協会としてはじまり、鼠蹊腺ペスト流行後の一八九九年に正式に開設された。この病院の理念を述べた声明は、緊急時に備えた日本の相互扶助組織の倫理を反映している。(11)

奴隷制が廃止された直後のブラジルに移民した日本人労働者は、その当時もなお過酷な環境で生活していたが、そこでも相互扶助組織を結成して農業界を一変させた。こうした相互扶助組織について、ある移民はつぎのように回顧している。

エスペランサでの生活の重要な部分は相互扶助組織に拠っていた。相互扶助組織は入植地の成り立ちそのものから自然と発展したもので、日本の村落そのものだった。エスペランサに多くの世帯が集まり、各世帯がその維持のために必要である以上に生産するようになると、家長が集まって適切な倉庫や種苗、農具を購入するために、またもっともよい価格で取引するために、資金を貯えておくことになった。エスペランサの全世帯が当初から組織に参加して貸付金を貯え、また借受けた。こうした相互扶助組織は経済的にも政治的にもエスペランサの中心となり、オクムラ・タケオさんが代表に就任した。年月が経ち、エスペランサが二五〇世帯ほどの大きな入植地になると、相互扶助組織の活動も拡大し、この相互扶助組織そのものが、この地域の非常に重要な、利益をもたらす組織になった。(12)

こうした移民コミュニティが存続し、確かな成功を収めたことは、相互扶助的な組織を形成して取り組んだ活動と密接に関連している。講はさまざまな形態で同時並行的に存在し、多様な目的を実現していたので、村社会のなかで相互に関連しつつ、それぞれ別個の用途を提供するものと見なされていた。くり返しになるが、講は国や地域の枠組みのなかで組織化されたものではない。膨大な距離や時代を超えて伝わるうちに、さまざまな歴史的文脈において創造的に利用されたのである。

この相互扶助の組織形態は、かならずしもすべての地域に共通しているわけではない。世界中で、こうした文化的な形態の系譜から切り離された別の地域でも、同様の組織が形成されていた。そうした組織にはもともと宗教的な拘束力があったのかもしれないが、秩序だった取り組みをするために非宗教的で地域に根づいた場を獲得していったのである。イベリアの地域社会にみられる「順番制」の平等主義にもとづく相互扶助組織の例からも、そうした民衆による組織をくらべて考えられることがわかる。順番制の相互扶助組織は、政治的な統制を受けない組織や取り組みが強調され、小さな町や地方における地域社会の自助制度という共通点がある。[13]

明治初期（一八七〇－一八九〇）に、北欧および中欧で地域政策を学んでいた日本人は、個人対市場モデルの経済活動が価格を決定するという経済発展の主流についての説明よりも、祖国の藩での講を思い出させるような地域の信用貸付相互扶助組織のほうに強い印象を受けた。かれらのなかには、地域的な相互扶助組織を近代の法体系に組みこむことを提案する者もいた。しかし、その試みは中途半端に終った。というのも、民衆のあいだには講を法規制の対象外にしておきたいという気持ちが深く根づいていたからである。
日本の講は、倫理的、宗教的な側面にその独自性があったために、民衆は講の存在理由を西洋の法律用語を用いて定義しなおしたいと考えた。庶民が講を存続させてきたのは、利子を課すような組織から自分たちの財産を守るためであった。歴史学者の池田竜蔵は、とりわけ仏教徒とのつながりを強調しつつ、講を欧州の相互扶助組織と比較している。

無尽の歴史は、金貸、質屋とともにきわめて古く、文献上での初見は、至徳四（一三八七）年の『香取文書』であり、また現在無尽と同義に用いられている頼母子講が建治元（一二七五）年の『高野山文書』であるとされているから、その発生はそれ以前ということになる。ところでこの無尽がこのように金貸、質屋と同様に、起源が古いといっても、その果たした機能はまったく相反していた。というのは、無尽はもともと消極的あるいは結果的ではあれ、金貸、質屋など高利貸の跳梁に対抗するため村落共同体を基盤に台頭した日本古来の金融組織だからである。その意味では……ヨーロッパの信用組合制度と類似している。しかし信用組合との相違は、存立基盤が等しく村落共同体にあるといっても、それを支える社会秩序の原理が仏教的な扶助共存＝布施におかれた点に特徴がある。(14)

講や、ほぼ方言といってもよい講を意味する用語が、いつごろからつかわれるようになったのかは正確にはわからないが、池田が指摘しているように、無尽が鎌倉時代（一一八五－一三三三）かそれよりも早い時期から活動していたとすれば、徳川時代初期には、こうした言葉が日常的につかわれていたのは明らかである。無尽講のほかによくつかわれていたのは、頼母子講、もやい講、備荒《びこう》、結講《ゆい》などである。講は、寺や神社に集まって仏教経典について教えていた「講義」を意味する。こうした特定の場所での集まりは座と呼ばれていた。この二つの漢字が組み合わされて「講座」という言葉になり、今日では「講義」や「教職」を意味するようになった。近代になると、この言葉はたとえばマルクス主義研究で知られた「講座派」のようにつかわれたこともあった。講義（「真理を教える」の意味）は、「教える」のように「講演をする」の意味でよくつかわれる言葉で、語源はおなじである。これらは、奈良時代（七一〇－七八四）から鎌倉時代にかけて仏教が広がりはじめたころに生まれ、宗教的な奉仕と信仰に裏づけられた合意の中身を伝えるものとなった。しかし、時が経つにつれて、講義の思想にあった重要な意味は失われ、集まることに重点がおかれるようになった。決まった時間と場所でおこなう信者の定例会でも、念仏講のように読経や念仏を唱える集まりでもよかった。世俗化した形態においては宗教上の教えは拡大解釈され、日常生活にかかわるなんらかの計画をおこなうには相互の信頼と信用が必要であることを意味するようになった。

産業革命が軌道に乗ったのち、二〇世紀も終りごろになってようやく、講は日本の学界で学問的な関心を集めるようになった。全国の一般庶民のあいだで相互扶助組織が普及したことから、それがどういうもので、どこからやってきたのか、法制化されるべきなのか、すなわち明治憲法秩序の一部として組みこみ、公的に明確化すべきではないかが問われたのである。こうした問いかけは相互扶助を実践していた人びととの関心事ではなく、国会議員や銀行家、法制史家などによるものだった。最初の論文が掲載されたのは、最高の国立大学であった東京帝国大学が発行していた『国家学会雑誌』という「国家の」法学研究誌だった。(15)

このように、無尽という言葉が仏教的なもので、また無尽銭などの言葉が書物に記された奈良や鎌倉時代にさかのぼるものであることを確認するのは比較的容易である。むずかしいのは頼母子である。こちらは仏教的なものではなく、派生語はいくつか見いだせるものの、多くの場合は「懇願する」(頼む、つまり母と子のように「相互に依存する」)を意味していた。この言葉は無尽が、その仏教的な含意とともに、神社(すでに述べたとおり、座あるいは集会の場所)と寺の両方の庇護を得て相互扶助組織のお墨付きを得るようになった過程を反映しているようだ。頼母子という言葉は無尽よりも少し遅く、一五世紀の書物に現れる。しかし重要なことは、相互扶助組織が無尽講あるいは頼母子講のいずれで呼ばれようとも、組織運営の規則はおなじであり、徳川時代(一六〇〇－一八六七)までは二つの呼称は相互に置き換え可能だったことである。無尽は東日本と東北地方で、頼母子は東海から西日本にかけて、それぞれより頻繁につかわれていた。しかし、これは方言における相対的な傾向であり、実践する際の規則はほぼおなじであったことは広く認識されている。九州の一部や沖縄のいくつかの地域でつかわれた「もやい」にも、地域ごとに独特の意味があった。もやいの正確な意味は確かではないが、基本的な考え方は無尽や頼母子とほぼおなじである。(16)

初期の論文は講の特徴を明確にしている。「親方」が相互扶助組織を組織し、安定したものにする。親方はまず、当座の資金が必要であることを伝え、最初に掛金を集めたあとで自分の掛金を多くして契約を安定したものにする。そのため、満期に近づくほど、親方の配当はほかのだれよりもかなり多くなる。徳川時代には、商人および商いにもたずさわる裕福な農家が親方をつとめることがあった。それ以前は、寺や神社の総代が親方であることもあった。契約に署名することに同意した人びとは講《こう》子《し》と呼ばれ、加入者どうしは平等な関係であることを意味している。しかし、このようなヒラの講子が契約に加入するのは、ほとんどの場合、投資目的だった。講子が最初に通常の掛金を払いこんだあとは、親方の掛金が増えて講子の掛金は減っていく。それでも講子は毎年、利用可能な積立金の全額を受けとることができた。このように親方の掛金を最初に低く設定して共同出資を多く集め、その後かれが額を増やして払いこむという取り決めによって、講子に対する親方の影響力は弱くなった。講子は、最初の払いこみは多いが、次第に少ない負担で大きな額の蓄えを受けとった。これはすべて、正確な金額を慎重に計算した計画にしたがって決められたものであった。

こうした「基本規則」は式目と呼ばれ、「基本法あるいは規則」を意味する。この用語からは、貞永（一二三二年）に発布され「基本的な規則」を意味した貞永式目や、やはり基本規則を意味し、のちにより一般的な言葉になった契約に近い言葉である「規式」が思い浮かぶ。法制史学者たちによれば、奈良県にある法隆寺などの寺院は修繕のためにそうした契約を結んでいたという。寺は修復のための資金を早々に受けとる代わりに、契約期間中に徐々に額を増やして掛金を払いこむことに同意したのである。一方、地元の出資者は、最小限の掛金で、やはりあとになるほど増えるかたちで、最終的に多額の積立金を蓄えることになる。加入者は一定の期日に、決められた額あるいはそれと同等のものを払いこむことが求められる。定額か増額していくかは、契約の内容による。各加入者は、積み立てた資金から一度だけ分配を受けることができるが、そのあとは加入者全員がその積立金からの分配を受けるまで、決められた額を掛けつづけなければならない。「積立金」は、昔ながらの言葉でいうと取足《とりあし》である。加入者全員が分配を受けとった時点で契約は「満」になったというが、これは各加入者がほかの加入者に対して貸し付けをおこない、ほかの全加入者から一括払いの金額を受けとったということだ。各加入者が債権者であると同時に債務者でもあるという考えが組みこまれ、その重要性は「親」あるいは仕切り役を凌ぐようになった。近代になると、親という言葉はしばしば会社をあらわす言葉に取ってかわられ、相互扶助組織は「親なし無尽」となった。(17)

いつからか、講や座という集会場所に安定した宗教性をもたせたしくみと、そこに加入する人びとという関係が、いくつかの村あるいは村の集合体でみられるようになった。神聖な場所とのつながりは依然として重要であり、共同体にとってのアイデンティティの中心的根源として存続したが、集会は明らかに村、つまり日常生活の現場でおこなわれるようになった。このように村落が神社や寺を確実に支援するという関係をもちつづけたことは明らかだが、講は村そのものの維持と存続の要だと考えられた。歴史学者は、この傾向がいつごろ顕在化したのかを特定できていないが、多くは相互扶助と緊急時の助け合いの形跡が現れはじめた室町時代（一三九二－一五七三）後期だとしている。(18)

徳川時代、とくに一八世紀には、特定の合意規則と契約をともなう講が急増し、民衆の価値体系として、また共通の組織原理と見なされるようになった。徳川時代になぜ講が幅広い社会的な重要性を獲得したのかは十分に説明されておらず、推測の域を出ないが、一六〇〇年代初期の徳川幕藩体制成立によって大規模な変化が生じたことは否定できない。この新しい政治秩序は城下町と呼ばれた都市を生み出したが、武士階級のほとんどがここに住み、かれらは大坂や江戸の札差《ふださし》で換金された年貢から俸給を得た。歴史学者が広く議論してきたように、この制度によって貨幣経済や商業革命が生まれ、それらが広範かつ重大な影響をおよぼしたのである。地方では、村落が新たな空間的安全を獲得した。というのも、一六〇〇年以前には、村落は敵対する複数の武将から税や兵站補給を要求されたからだ。それがいまや、明確な行政単位として安定したものになり、中心に城下町を擁する単一の領地との関係だけに「固定」されたのである。その最大かつもっとも強力で実際に支配的だった中心地は、巨大な城下町である江戸の徳川幕府そのものであった。それ以外は、約二五〇ある地方の中心地、すなわち各々一つの城下町を擁する藩に複雑に分割され、村落はその納税単位となった。

武士階級が村に存在しなくなったために、村人は自分たちが自治的な存在になったと考えた。すなわち、村内部の問題について武士階級の直接的な支配を受けないというだけでなく、武士階級が村共同体の福利の決定に関与しないということでもあった。こうして、条件さえ整えば、村人は課税分を満たすレベル以上の取り組みを率先しておこなうことができた。ときには重い税負担に対する農民の抗議もあった。講に加入して計画を拡大することも、緊急事態に対応するために資源を節約することも、それぞれの村で独自に決められた。自治に関するこうした確信は、村が自立し安定して変わることのない単位であるという認識にもとづいており、それゆえに長期契約を結ぶこともできたのである。対応すべき緊急事態が火事や嵐、飢餓、伝染病であっても、村を守るかどうかは村自身が決めることであった。講が急増した主たる要因は、災害は避けることができず必然であると村社会が認識したことにある。

一八三一年に刊行された『嬉遊笑覧』は、文化にかかわる言葉や語句をまとめた数巻からなる事典のようなものだが、そのなかで講は、町の貨幣文化の視点から記されている。講が日常生活において目立った存在であったことは明確に記されているが、書名の「笑覧」は「(民衆の営みの)お遊び感覚の記録」であり、そうした観点から講の目的を示唆しており、その記述はけっして寛容な内容ではない。『嬉遊笑覧』は、著者である喜多村節信《きたむらときのぶ》(一七八三/八四-一八五六)の飽くことのない関心を開陳している。喜多村は節信《せっしん》としても知られており、ここではそう呼ぶことにする。節信はつぎに挙げるような興味をそそるテーマをとりあげた。人の性質は一人ひとり異なるものの、すべての人が求めるのは人生における休息や娯楽、歓楽(楽乃笑)であり、この自明の理は地域ごとに異なる風習にも表れている。したがって、節信の著作は、休息や娯楽を求める人びとの気持ちを伝える幅広い言葉や慣習を記録している。節信の著述の根底にあるのは、有意義で有益な知識に対する節信の個人的な見解である。かれは、知識は学術書に見いだせるものではなく、連綿とつづく(そして気ままな)できごとを事実にもとづいて把握し理解することにあると信じていた。それは毎日の生活をとおして駒回しをして遊ぶことと大差なかった。「ものうさにまなびし道はふみもみずひまゆく駒のをしき物から」であった。(19)

つぎに節信が収集したのは、種々雑多な書きものや風聞、そして有名な文学作品から集めた多様な慣習の記録である。文学作品をふくめたことからわかるのは、先に述べた節信の基本的な認識論とは異なるものの、かれが学者ではないとしても非常に教養のある人物だということである。いや、節信にとっては日本の「古典」のような文学作品は学術書ではなく慣習の一部だったとするほうが、むしろ正確であろう。さらに、かれによる分類は大雑把で多岐にわたるようにみえたとしても、手当たりしだい、やみくもになされたのではなく、周到に準備されたものであった。分類は、居処、服飾、用具、武術、飲食、玩具、儀式、遊行、詩歌、歌舞などをふくむ。

講は「宴会」の範疇に分類された。そのなかで節信は、よく知られた聖地への参拝に役立つような祈願や学びのための無常講、天神講、大師講、伊勢講、富士講などの宗教的な講をとりあげている。節信はまた、村が突発的におこなう参拝についても記している。こうした参拝は、村全体が突然、予告も準備もないまま、神聖であり祭りも催される場所まで、徒歩ではるばる出かけていくというものである。これらは「ぬけ参り」あるいは「おかげ参り」として知られていた。[20] しかし節信は、無尽講や頼母子講は参拝やお礼参りのような宗教的な集まりではない、と考えていたことをはっきり記している。実際にこうした講は世俗的で、都会ならではのものであり、徳川時代の貨幣経済の興隆と密接にかかわって民衆のあいだに広まってきた慣習を持続させるものであった。かれは、こうした講は一七六〇年代（明和時代）に、すでに「天下の台所」として知られていた大坂やその周辺の商家町の民衆のあいだで大流行し、そこから東へ向かい、政治・文化の中心である江戸へと広まったと記している。かれの書きぶりからは、講は伝染病のように浸入するものではないとしながらも、大きく広がったことを歓迎してはいなかったことがうかがえる。講についての記述のなかで、早くも一七一八年（享保二年）には不評を買ったことが記されている。この年幕府は、講を悪用して加入者から投資を騙し取ったとして、天野佐十郎を死刑に処しており、また侍は、そうした詐欺行為に関与しないよう厳格に戒められたことも記載されている。つづけてまた、「貧者は持たぬ金を得ることゝちして」と書かれている。多くの講のひとつに投機的な投資をするために金を借りて利子を払うような貧者は、自分自身の力ではとうてい得られないような富を突然手にするという幻想を抱いたのであった。しかし、そのすぐあとの記述では、すでに金持ちでありながら、もっと金持ちになりたいと考えた者たちも、そうした宝くじのような投資計画に参加したことを指摘している。節信の見るところ、講の恩恵を受けた人たちは一〇〇かそれ以上のそうした集団に払いこみをしていた。「江戸本石町四丁目の乳牛彦《うぎゅうひこ》右衛《え》門《もん》と云人は、弐百廿口に入て無尽中をかけまはり、売買に隙なし」[21]と、節信は書いている。かれが示唆しているのは、無尽講というものは、常識的な経済を歪曲して実現不可能な期待に変えてしまった町人による悪意に満ちた作り話だということである。節信が導いた現実的かつ道徳的な結論は、人を熱狂させるような行為によって必要以上の富を求めてはならないという自明の理が確認されたことである。無尽講が、低俗な商人文化が支配的だった大坂や西日本から東の江戸へと伝わったことは、この流行が人の精神を蝕むというかれの考えをあらためて確認させることになった。

　節信はつづけて、無限の憐れみを意味する無尽という言葉は、実際には「矛盾《むじゅん》」と読むべきだと主張した。つまり、無尽は人がいかに行動すべきかに反しているからである。その趣旨は、必要とする以上の富を求めるべきではないということである。それは古代から現在にいたるまで、くり返し試され検証されてきた思慮深い知恵である。それに反して、無尽はリスクの大きな行為であり、昔ながらの慈悲は、人生いかに生きるべきかという矛盾へと完全にゆがめられてしまった。つまり無尽は、それが容易にし顕在化させた強欲さのために、人間関係をつねにぎくしゃくしたものに変えてしまったのだ。[22]

　節信が、数百人の町人が加入した投機的な無尽を「悪事」だと非難したことは、村全体が突発的に遠く離れた聖地に参拝のために出かけてしまうことに対する批判と結びついていた。共通している点は、家庭や村をあとにしてまったく省みようとしない庶民の無責任さであった。参拝のために村を空けることは、「無尽金」から引き出され、慈悲という宗教的な大義で表現されるくじのしくみに組みこまれているリスクと同然だった。事前の計画もなしに村が突然、熱狂的に参拝に出かけてしまうことは、商売の分別から見てリスクが大きな投機に熱狂的に乗り出すこととよく似ている。無尽と矛盾を同列にするのは、はかない世界の「滑稽」さに対する節信の見方とぴったり一致する。(23)

節信の著作を読むにつれて、講のような相互扶助の計画における相互信用と賭けやリスクの問題が緊密に絡み合っていることが明らかになる。これらを単に極端な例としてとらえるよりは、人間の強欲さと、リスクを最小に抑える念入りな計画とのあいだのあらゆる領域に緊張関係が存在していると考えるほうが適切だろう。前章で示したように、民衆の著した書物は、このような表面的には矛盾にみえることを明確に説明しようとするものであった。したがって、相互信用という概念とその実践上の類語である契約の概念には、リスクとそれゆえの不確実な賭けの要素がつねに存在した。注意深く考えることが求められ、海保青陵のようなごく一部の人たちは、人間の本性に内在するものとしてリスクと賭け事に正面から向き合い、建設的な方向に向けるべきだと呼びかけた。

われわれはすでに青陵の目をとおして考えてきたが、かれは節信の遊び心に共感し、習慣的におこなわれていたことに強く興味をひかれていた。とりわけ、そうした実践が商いにたずさわっていた民衆に関係していた場合にそうであった。しかし、青陵は節信とは異なり、民衆が賭け事や無尽講に加入してリスクをとることを、なにか新しいこと、おそらく将来を予期させることととらえた。それが商人特有の強欲さを示すものではなく、冒険してみようという心意気だと考えたのである。商人文化を批判する人びとは、それが庶民を堕落させたと考えたが、青陵は民衆が生活を向上させるためのチャンスをとらえたのだと考えた。講には武士も加入していたが、おもに民衆のあいだで広まった活動だった。青陵は、報酬が見こまれるかぎり、民衆が無尽にかかわっても道徳に害となるわけではなく、人生の楽しみを増やすものだと主張した。自分の弟子の一人でさえ、自宅で講をおこなっていたと書き残している。政治指導者たちは、金を使うことを楽しむ民衆の傾向に気づき、行政の財源をまかなうためにそのような資金源を組織するよう商人に依頼すべきであった。そうした制度は、独断的に命じて人びとに直接課税するよりは、はるかに良い制度となるはずであった。直接課税はかならず怒りを招くからである。実際、藩は農民に重い年貢米を課す代わりに無尽を活用すべきだった。民衆は無知ではなく、重い課税に激しく憤ってもいた。重税によって飢饉に見舞われる恐れは大きくなる。無尽であれば、民衆は地位や教育ではなくチャンスのみによって無作為に報酬を受けとることができ、その上に公共善に貢献することができた。[24]

節信のように批判的な人びとは、町や農村の純朴な人びとのあいだに詐欺を広めるような商人の活動に道徳の崩壊や強欲さを見いだしたが、青陵は武士階級や学者の地位の正当性を否定する、コミュニケーションにもとづいた新しい経済的コミュニティをそこに見いだしていた。自発的に村を留守にして神聖な場所に参拝に出かけてしまう村人とおなじように、無尽に加入する民衆はみずから自発性とリスクをになったのだ。この点で無尽は、民衆が国の経済活動を引き受けるという、広範な歴史的パターンの一部だった。それゆえに青陵にとって、強欲や利を求める動機は道徳を崩壊させる根本的原因なのではなく、認識論的な根拠を導くものであった。文献や宗教にかかわる学者や、血縁を基礎とする武士階級による支配という既存の枠組みが明らかに機能しなくなったとき、知識はどのように定着したのだろうか。こうして青陵は、民衆の経済こそ将来についての確かな展望と将来を引き継ぐ人物像を示すものだと確信した。

したがって、青陵にとっては、民衆が投資計画にたずさわることはその地に吹く災いの風などではなく、それまでの道徳的基準が、民衆の実践を説明するものとして、もはやふさわしくなくなったことを意味していた。現在の実践のなかで過去の価値観は急速に失われていった。しかも当時は、古木の幹から梅の枝が伸びるように、新たな芽が伸びているときでもあった。このように発展しつつある文化にあっては、利益は絶対的なものではありえなかった。参加する人びとがすべてのものに交換価値があることに合意するという考えにもとづいて、その範囲で適切な正当性を見つけることでしかなかった。すべてが商品（代物《しろもの》）であった。大名からかれらの藩の庶民にいたるまで、あらゆるものには交換価値があり、したがって完全に道徳的なものなどなく、価格の影響を受けないものもなかったのである。民衆はそれを理解し、貸付金に加えられた金利を投資による収益と見なしたが、一方、武士階級はこれを支払わねばならない罰金ととらえ、支払えなければ踏み倒したのだった。[25]

青陵は経済政策に関して、経済取引が一般に知られていない原因は徳川幕府そのものにあると考えた。幕府は王制の原理に立っていた（将軍は絶対君主、王に相当する存在だった）が、実際には王の正義、すなわち王道を広めることはできなかった。京都には、囚われた無力な存在であるものの正当な王である天皇が存在し、将軍は既存の体制の事実上の王であったにすぎなかったからである。しかも将軍は譜代大名を厚遇して、国内のすべての藩を公平に扱おうとはしなかった。幕府の財政政策はこの状態を反映して、統一的な金融体制も包括的な課税制度も存在しなかった。そのために青陵は、地方の藩が率先して商人の知恵を借り、その指導力を頼りにして経済を安定させ、将軍には目もくれなかったことをごく当然のことと受けとめた。将軍は米に課税することに執着し、譜代大名の領地に関心を向けるばかりだったからだ。青陵は、熊本藩や津山藩などの民衆がすでに実践していることに依拠することが重要だと主張した。両藩では、資金集めのための無尽を組織し、商人の指導者たちにそれを運営するよう要請していたのである。日常的な貨幣経済のなかで、藩は行政のための財源を生み出す方法を見つけるべきだった。青陵は、地域を越えた取引や供給量が乏しい産物の余剰分を取引することによってのみ、こうしたことが可能になると考えた。これは、青陵の先輩であった太宰春台が発展させた議論であり、より多くの富を貯えるには取引をおこなうことが必要であり、米の生産高を増やすことではないというものである。土地には物理的な限界がある。そのように考えれば、商人が取引をするのは単に私腹を肥やすためだけではなく、藩全体が経済的に豊かになるためだった。もし、各藩がこの取引の原理を実践すれば、幕府はそうありたいと願っていた君主制の理想により近づくはずであった。(26)

無尽というくじは、不可能なことを夢見て、天の介在によるチャンスを信じた民衆の願いを煽るものだという節信の見解も、また一方で、そうしたくじは新たな貨幣経済における取引や商いという普遍的な実践と深く関係し、その時代には「自然」なことだとする青陵の見解も、おなじ現象について語っているにすぎない。民衆がみずからリスクをとり、賭け事をするのは、自分たちの暮らしを変えるためだった。節信がこれをほぼ実現不可能なことだととらえていたのに対して、青陵は民衆がリスクをとるようなことをしたのはよくある娯楽としてであり、そこからの歳入は従来の税に代わるものとして用いられるべきだとしたのである。

多くの社会が採用したより賢明な方法は、リスクや賭けの度合いを減らし、なすべきことと期待されることを詳細に示して、信用や利益を確保することだった。これこそがまさしく無尽講や頼母子講の契約の目的だった。投機性やリスクは低くなっても完全になくなることはなく、したがって賭けの要素も残ってはいた。合意された規則によって、集まった基金の配分は順番性の入札で決められた。差し迫った緊急事態のために安く入札すれば、加入者が受けとる額が少なくなることもあった。しかも、割り振られる順番もくじという偶然で決まるため、もっとも必要なときに資金を受けとれるわけではなかった。さらに、順番を確保しておくために借金をして負債を抱えこむこともあった。それでも、各加入者は掛銭に対する分配を保障されていたために、完全に損をすることはなかった。そのためにはまた、各加入者が契約を確実に守り、契約に忠実でなければならなかった。無尽くじほど派手でわくわくするものではなかったが、無尽講の場合は相互扶助の基金に預けた掛金がいくら戻ってくるか、参加者はかなり正確に予測することができた。理想は、決まった順番で各加入者の掛金が満額戻ることであった。しかし実際には、高めであったとはいえ、通常は全体の一定分が戻ってくるだけだった。

信用組織として、契約にもとづく相互扶助組織が有する特徴は、一〇年というように期間を限る考え方が組みこまれていたことと、基金の利用が各加入者の意向に任せられていたことである。このしくみによって、それは投資手段として利用できるようになった。利子を獲得する投資の枠組みとして資金を循環させていたその正確さは、日本の数学者の注目を集めることとなった。和算として知られるこの知的探求の結果、一七世紀後半には独自の微積分学が考案されるにいたる。契約講による投資利益の数学的計算は、和算学者であった中村政栄《なかむらせいえい》（一七四六年没）が一六九〇年代はじめに『長崎無尽物語』にまとめている。中村は、長崎無尽について、一一の役があり、年に一度引き出すものだったと説明している。緊急に資金を必要としていた人は「親」になり、講を組織してその緊急事態をしのいだ。そのほかの人びとが加入した理由はさまざまだったが、主として利益を獲得するためだった。こうして掛金の比率は七・五パーセントから徐々に増え、その後は九番、一〇番まで横ばいになっていく。この順番の加入者の掛金はごくわずかであるにもかかわらず、集まった資金のすべてを受けとった。最後、つまり一一番目の加入者は親の地位の対極にあり、親のように敬称で呼ばれることはないが、最後の回では掛金を払いこまず、残った基金の全額を受けとることになった。一六九〇年代、長崎のこの「物語」が、解決しなければならない「問題」として学習会などで議論されていたのは間違いない。利益をどのように計算するかという同様の説明は、実際に長崎だけではなくほかの地域でも報告されていた。やがてこの計算は「大坂法」と呼ばれるようになり、明らかに大坂でも使われたが、ほかの地域の村々でも用いられるようになる。[27]

　表2の数字は一八二〇年代のもので、『物語』から引用したわけではなく、公式に執筆された多くの無尽のひとつから引用したものである。講に関する著名な学者、桜井徳太郎がまとめた表で、各加入者の掛金の割合や、一番でないことが比較的有利であることがわかる。しかし、一番は資金をすぐ

表2　10年間の頼母子（無尽）講（百分率）

加入者	回数										合計
	1	*2*	*3*	*4*	*5*	*6*	*7*	*8*	*9*	*10*	
1	3.0.0	3.3	3.3	3.3	3.3	3.3	3.3	3.3	3.3	3.3	36.3
2	3.0.0	2.3.2	3.3	3.3	3.3	3.3	3.3	3.3	3.3	3.3	35.3.2
3	3.0.0	2.3.2	2.3.0	2.2.2	3.3	3.3	3.3	3.3	3.3	3.3	34.3.2
4	3.0.0	2.3.2	2.3.0	2.2.2	3.3	3.3	3.3	3.3	3.3	3.3	33.2.2
5	3.0.0	2.3.2	2.3.0	2.2.2	2.2.0	3.3	3.3	3.3	3.3	3.3	32.2.2
6	3.0.0	2.3.2	2.3.0	2.2.2	2.2.0	2.1.0	3.3	3.3	3.3	3.3	31.0.2
7	3.0.0	2.3.2	2.3.0	2.2.2	2.2.0	2.1.0	1.3.2	3.3	3.3	3.3	29.1.0
8	3.0.0	2.3.2	2.3.0	2.2.2	2.2.0	2.1.0	1.3.2	1.1.0	3.3	3.3	26.3.0
9	3.0.0	2.3.2	2.3.0	2.2.2	2.2.0	2.1.0	1.3.2	1.1.0	0	3.3	23.0.0
10	3.0.0	2.3.2	2.3.0	2.2.2	2.2.0	2.1.0	1.3.2	1.1.0	0	0	19.1.0
合計	30	30	30	30	30	30	30	30	30	33.3	303.3

注：表の基本的な構成は以下のとおり．加入者は1から10までの10人であり，加入者の加入年数は上部に記載した．金の換金レートは1両＝4分である．1分＝4朱．それ以下の貨幣単位は1文＝10分，1分＝10厘（十進法）．1両は1000文．それぞれの掛金の割合は変わらない．この表の構成は1828年の無尽契約講による．桜井徳太郎『講集団成立過程の研究』（吉川弘文館，1962），396–401頁．本表の読み取りと作成にあたっては，ゲイル・ホンダ博士（経営数学専攻）に専門家としてご助力いただいた．

にでも必要とする個人が望む順番だった。結局、一番の加入者は、最初に給付を受けとる利点がある代わりに、ほかの加入者が一〇年間で払いこむ額よりも多く払いこむことになった。最後の五人の掛金は徐々に少なくなるが、給付に際してはほかの加入者とおなじ額を受けとることができた。

桜井が述べているように、ここで説明されている基本的な契約講は、全国の町や村でくり返し実践された。契約講が広がっていくにつれて、加入者が精通していた計算方法も伝わっていった。署名をすることは、最初に取り決めた掛金および給付の期日について同意するということだった。各加入者の掛金額は表2が示すように契約に明記され、その額は順番によって異なり、給付のタイミングによっても変わった。各加入者は、おたがいの利益率を計算するはずだと考えられた。給付をのちに受けとることができるだけの十分な資産があれば、最初の掛金は少なくてすみ、定められた相当な金を受けとることができた。ある程度の資力があれば、順番や掛金額、給付として受けとる額を調整することもできた。契約期間や期間中の各自の掛金額と順番は、最初に加入者間で話し合って決められた。契約期間も、この場合は一〇年だが、一定に定められた。ほとんどの契約期間は一〇年だったが、それ以上とする契約もあった。一〇年経つとその契約は終了し、通常は別の契約が開始された。加入者は複数の契約講に加入することが多く、掛金の管理は自分の責任だった。

このようにして決められた期間内は、投資目的の契約講も信用貸し目的の契約講も、資金の使用には制約がなかった。相互扶助に割り当てる掛金についてはなにも言及されていない。それについては個々の加入者の判断に委ねられていたからだ。こうして、期限付きの契約講にははっきり数値化された計画があり、各加入者の加入方法も定められていたが、その計画から生じる収入をどのように使うか、使わないかについては特定していなかった。要するに、この場合の契約は一定の期間、条項によって（目的についての）条件なしに合意された一連の規約であった。一八三〇年にさかのぼることができる数少ない例のなかには、明らかに投資を目的とした契約講があった。加入者は二〇回目の払いこみが完了するまで給付をおこなわず、給付はそれ以後、契約期間が終了するまでとすることに合意していた。したがって、はじめのころは払いこみの負担が大きく、給付がなされるようになると一気に軽くなった。こうした契約は主として近江商人のように裕福な商人が利用し、相互扶助組織としての講と、一八七〇年代と八〇年代の投資的な資本主義としての講との関係を示している。

森嘉兵衛は、徳川時代の無尽の歴史について豊富な例証を示し、講が正確性と長期にわたる合意に関する知識を得るための指南書として機能したとする。村レベルでの合意の目的は、不確定な将来に起きる緊急事態に備えることであった。そのほかの契約には、それぞれの限られた共通の目的があった。[28] 徳川時代の状況において投資契約としての無尽は、数学的な正確性によってリスクを減らす枠組みとして、また限られていたとはいえ、まとまった額の資金を手に入れる予測可能な基盤として成立していた。これは、それ以上に魅力的で派手なものでありながら、ほとんど実現することのない無尽くじの賞金に取ってかわる選択肢であった。貨幣経済が広くゆきわたったために、商売上の課題に対応しようとすると個人の貯蓄では不十分だった。信用貸付銀行がなかったから、徳川時代の民衆は必要な資金を得るために無尽をつうじておたがいに融通しあったのである。加入者は債権者であると同時に債務者でもあった。集まった金額は、無尽くじで手に入れるほどの大金ではなく、受けとる金額も予測できる範囲のものではあったが、自分自身で貯蓄するよりははるかに多かった。こうした協同組合的な資本主義のかたちは近代になっても存続する。これについては、のちほど無尽会社について論じる際にとりあげる。

講がどのように機能したかではなく、なぜ機能したのか、としばしば問われる。法的に認可されていたわけでも、裁判所によって認証されていたわけでもない契約講が一〇年という長期にわたってその規範性を保ったのはなぜなのだろうか。それが契約、すなわち拘束力のある合意ではあっても、それを規定する法律は存在しなかった。講が公共の秩序を損なわないかぎり、幕府も藩も講を認可制にしたり、裁判所に管理させたりする必要性を感じなかった。実際、徳川時代の民衆の歴史において講が重要であったのは、まさしく武士階級の影響も関与も受けなかったからである。規定や数値表の設定などあらゆる点が識字能力の高さを示しており、それ自体重要である。すなわち講は、コミュニティにとどまらない集団であると同時に、コミュニティにとって記録あるいは指南書として、学びの中心でもあった。

講の契約には、加入者の氏名、署名や印、掛金が記録されたが、その一方で拘束力のある倫理的規則が記されなかったのは、加入者全員が理解しているものとされたからである。そのため、なにか絶対的なものによって是認された優先的で基本的な道徳的義務か約束があるのではないかと推測したくなる。仏教や神道における慈悲や相互扶助という考え方が講における個人間の信用の基礎となり、助け合い的な交流を可能にした。そのような宗教的な側面があることは否定できず、それがくり返し使われる倫理的な言葉を提供した。講は古くから信仰、とりわけ議論したり経典を唱和したりする信徒集団を母体としてきた。慈悲深い観音菩薩や神なら、信者に恩恵をもたらす役を果たしたであろう。

徳川時代には信者集団の理念に確かな力があったことは、数多くの巡礼講があったことからも理解できる。

徳川時代の思想史において、より特徴的なもうひとつのテーマは、町や村の人びとに講についての それまでの宗教的な考えを強めさせ、かれらがひしひしと感じていた農業経済の状況についての危機感に根ざしていた——それは飢饉に対する大きな恐怖である。徳川時代に貨幣経済が広がり、それまでにはなかった収入を得る機会が生まれたものの、米価の変動により農村では定期的に飢饉が起き、都市にも広がっていった。学者でなくとも、これまでにないような富や希望、期待をもたらした貨幣経済の巨大な広がりと、定期的に起きる前代未聞の飢饉との不均衡な有様を目撃することになる。飢饉が起きた享保（一七一七—一七三六）、天明（一七八一—一七八九）、天保（一八三〇—一八四四）の各時代は、農民が一揆や反乱を起こしただけでなく、徳川体制が改革を試みた時代でもあった。こうした問題に立ち向かうために民衆はみずからの運命をその手に握り、飢饉を不可避なこととして甘んじて受け入れるのではなく、抵抗の足場をつくる必要性に駆られたのだった。

経済政策のおもだった思想家のだれもが貨幣と飢饉について執筆し、貨幣が安定ではなく混乱をもたらす理由を問うた。これらの議論の多くは、徳川幕府の政治的無能力、とくに貨幣価値の度重なる下落を問題視するものだった。というのも、以前とおなじだけの物品を購入するために、価値の下落した通貨が大量に必要となる事態を招いたからである。その結果としてインフレーションが起きた。このインフレには終りがないように思われ、実際、近代に入って一八八〇年代になるまで解決されることはなかった。

大坂の鴻池家の財務担当者であった草間直方の批判は、おそらく当時もっとも手厳しいのものだった。かれは、幕府の方針の根本的な問題は、米を増産すれば飢饉に対処できると考えていることだと主張した。実際に、一八世紀をとおして米の生産高は着実に増えていたことを考えると、それでも飢饉が起きたのは食料不足が原因ではなく、米を均一に流通させるために一定の金属成分をふくむ安定した貨幣にもとづく地域間取引制度が存在しなかったからだ。貨幣と飢饉がはらむ矛盾を解消するのは米の増産ではなく、取引をとおしてそれまで以上に流通させることだった。かれは、大坂の商家ならその運営にあたって資金を提供することができると考えた。安定した貨幣にもとづいて米を流通させるという理屈は、今から振り返れば的を射ており、徳川体制の経済的な崩壊を予言するものだった。しかし理論そのものは、インフレ時における貨幣の需要の増加と、都市での換金のために米を地方から輸送し、その結果として飢饉が起きる懸念との両方に対応する前提とはなりえず、また実際に、そうなることはなかった。(29)

武陽隠士《ぶよういんし》（生没年不詳）の個人的見解は、経済政策における深刻な危機感を強めるのに十分だった。一八一六年に書かれた『世事見聞録』は急激に衰退する歴史を記録したもので、武士であった隠士が、みずからが属していた身分に不信を抱いて浪人になり、失われつつあった忠誠心や忠節、すなわちかつて武士階級を定義し、確固たる社会秩序の維持に不可欠だとかれが信じていた価値観についてまとめたものだった。かれは、この価値観を破壊したものとして儒教や仏教をきびしく批判した。儒教はそのスコラ哲学的な性格ゆえに、仏教は世俗的な現実を否定したから、というのがその理由であった。そのかわりに、かれは国学の見解に同調し、とくに日本を「神国」とした本居宣長（一七三〇－一八

○一）に傾倒した(30)。
隠士がおもに懸念したのは、向こう見ずでリスクを冒すような商人が導く新たな貨幣経済が拡大することだった。商人はまた、都市の娯楽や劇場文化を生み出してもいた。かれらは法によって規制されず、課税もされなかった。さらに、公的な地位に就いているわけでもなかったが、実際には公的立場にある人びとよりも地位が高かった。名が知られ目立つ存在だったそうした商人として隠士が挙げたのは、大坂の大資産家である鴻池、平野屋、天王寺屋などであり、こうした商家は欲に突き動かされ、儲け心を満たすためにリスクの大きな賭けをするのだと書いている。飽くことのない富の追求やあからさまな消費などは、この国の福利にとって脅威だった。江戸の浅草弾座衛門や大坂の太鼓屋又兵衛などの非人でさえも贅沢な暮らしをしていた(31)。

節信や青陵など、隠士と同時代に生きた人びとは、社交についておもしろ半分に見ていたが、隠士の批判にはそのような傾向はなかった。かれは幸せになる方法をいかにして見つけるかではなく、そうした考えを抱くのがいかに無理なことかを説明した。隠士が注目したのは、医者や非人、浮浪者、そしてもっとも重要な存在として商人などが、きわめてあからさまにリスクの高い賭け事にかかわり、法的な身分制度に反して社会で権勢を振るうという社会のあり様だった。かつて力のあった侍は、新たな経済に追いやられて貧窮し、一〇人中八人は侍といっても名ばかりの存在になった。国の基盤をなすといわれた農民は、負担に耐ええない重い年貢米や飢饉特有の状況に直面して村全体を見捨て、田畑を耕すことなく放置して、荒廃させた(32)。

節信と隠士とは、違いはあったものの、それぞれのやり方で、おなじ徳川時代後期の歴史について語っている。この時代、民衆は自分たちの経済的世界を管理し、それまで知られていなかった方法でみずからに賭けるようになった。侍が侍であった時代に支配的だった価値の回復を求めながらも、隠士は差し迫った経済危機の重圧の下で農民が何をしているかに目を向けることはなかった。かれは農民の逃散はとりあげたが、村に踏み入って、農民自身の努力を記録することはなかったのである。青陵は民衆の気質やかれらのリスクや、投機についての意識をより理解していたが、その青陵でさえ、裕福な地方商人や大地主の目をとおして村落のはたらきを観察していたにすぎなかった。さらに、賭けやリスクをとるなどということではなく、飢饉にさらされて生きのびるという状況におかれた農民がみずからを救おうとしていた世界に立ち入ることはなかった。

農民の実践倫理は、もし、ではなく、いつ、飢饉が起きるかという恐怖にさいなまれたものであるが、農民は隠士が報告したような方法で村を離れるべきでも、大名や武士階級が助けてくれるまで待つべきでもないということだった。その代わりに「危機対策」を講じるということだった。この緊急時の必要性の理解から、無尽講や頼母子講など類似のしくみがもうひとつの危機対策の枠組みと運営規則になった。村落や小さな町では、もやい、備荒、組、そして労働力交換の場合は結講という名前で呼ばれるような緊急支援の協力体制が広がった。これらは政治的なしくみではなかったが、道徳的説教や政治的な約束がおこなわれたとしても、上からの政治的支援がない状況では、唯一頼れるのは下からの自助的な取り組みだけだという理解の上に組織されたものだった。民衆のあいだの契約とは、相互扶助や保険、あるいは下からの積み立て、そしてそれはいずれは配分を受けるための蓄えになるなど、道徳的拘束力のあるものを実践するという、おなじ志をもつ人びとのあいだの取り決めだった。

契約にもとづく相互扶助組織が生まれたことによって、信用貸付契約の規則や特定の期間を記録するために必要な識字能力が高まり、思想史が発展した。こうした記録文書に用いられる用語は「規則と期間の記録」と訳してよいだろう。それらに加入者が署名したのは、とりわけ飢饉などの緊急事態に備えた特別の合意のためだった。前出の盛田家の古文書館にはこうした記録（頼母子講仕法帳）が展示されている。これは、二〇年以上にわたる貸付金の回収と支払いを記録したもので、一八三〇年から四四年の天保時代の飢饉をめぐるものが中心である。書類の特徴は都市や地方でもおなじように広範囲で確認でき、識字力のあった徳川時代の民衆の知性を理解する鍵となっている。

こうした講のうちよく知られているのは、城下町である仙台に近い村で、おそらく一七八〇年代に組織された「縄無尽」である。縄無尽は一八〇〇年前後に、複数の村落からなる相互扶助組織に拡大し、一八三〇年代に起きた天保飢饉のあいだもつづいた。各世帯は毎月、一定の長さの縄を作るよう求められた。こうして作られた縄は決まった場所にまとめて保管され、六カ月に一度、仙台の市場に持ちこまれ、いくらであろうとついた値段で売られた。売上は村の共有口座に貯えられ、予測していなかった緊急事態の際「おたがいに助け合う」ために使われた。貯えの一部は、海岸沿いの貿易航路を通って商品を運搬する船舶などの資産購入をはじめ、村全体の利益に充てることもあった。同様に、協議によって決められた額が、個別の世帯が破産しないために貸し付けられた。この場合、すでに破産した世帯を救済するのではなく、破産を防ぐという考え方にもとづいていた。この枠組みを使って近隣の村にまで貸し付けることもあった。ただし、村の資金を失う危険が大きくなることから、「離れた」村落にまで貸付を広げることは合意で戒めていた。リスクを低くするために、弁済能力を証明できた人に限って貸付を増やし、念のためとして保証金が必要とされた。

しかし、寺や神社、武士の世帯などに貸し付けることは「諸士諸家中へ貸申間敷事」ときびしく禁止されていた。つまり、縄無尽で得た資金は明らかに農業共同体と村で用いるための貸付資金をつくることに充てられたのだ。この合意は「契約」としてまとめられ、加入者を拘束することはあっても、「村法之破れ不申様」というように慣習的な「村の取り決め」に矛盾することはなかった。これらの書類に署名した人びとは公式に登録された名字をもたないことが多かったため、喜右衛門、儀七、和蔵、庄太郎、茂吉など、名前だけで記録された。(33)

第一原理としての自然

飢饉に対する「対抗戦略」としての講は、村が存続するために不可欠だった。すでに論じたように、講という相互扶助組織の実践に埋めこまれた個人と個人の信用は、念仏を唱えるという初期の集まりでの個人どうしの信仰の上に成り立っていた。神や菩薩は手を差し伸べてくれる寛大な存在かもしれないが、命を救うために行動しなくてはならないのは人間だった。人が神に感謝し、信奉するのは、神が他者を助けるために行動するよう導いてくれるからだ。大いなる恐怖にさらされながらも、講をとおして村人が主導権を握り、共同体の人びとを助け、村のだれをも死なせないという絶対的な道徳上の約束は、信用と契約の重要な土台となっていた。その根底には、「生－生のみ」という自然概念にもとづく強力な実践倫理があった。

知と行動の第一原理としての自然という概念は、徳川時代の思想史にとって比較的新しく、道徳的な契約の基礎を説明するためにたびたび用いられた宗教的なテーマとは一線を画すと考えるべきである。これは、宇宙の「気一元説」として言及されることもあり、自然の生命はこのエネルギーの展開であって、究極的な道徳規範のそれではないことを強調している。つまり、宇宙には「生だけ」が存在する。自然を第一原理としてとらえる認識論は一七世紀後半、京都の伊藤仁斎（一六二七－一七〇五）や貝原益軒、およびかれの農学者仲間で現在の福岡県に在住していた宮崎安貞などの思想家とともに登場した。きわめて評判の高い教師であった仁斎は、人間の道徳という観点で自然を理想化するのは論理的に成り立ちがたく、自然たる人間の内面は自然であるのみという理論を打ち立てた。かれの言わんとしたのは、自然は不変のエネルギーと運動によって成り立っているということだった。人が道徳規範と呼ぶものは「自然」ではなく、自然のエネルギーの展開として積み重ねられた実践である。道徳性は自然にではなく実践において存在するのであり、他人の生を救う、あるいは慈悲をもって他者のために行動するという実践にもとづくものだ。こうした実践は、配偶者や友人に対するふさわしさや誠実さとして知られるようになる概念になった。重要な思想は、「良心」は自然にあるものではなく、他者の生や生活のために慈悲をもって働きかけるという実践に存在するのであり、この過程をつうじて、道徳的価値という自己認識を獲得するということである。人は生まれながらに道徳的であり、それゆえに良いおこないをする、というわけではない。逆に、道徳的価値の意識を獲得するのは実践をとおしてである。商人出身の背景をもつ学者である仁斎は、道徳の実践という理論を教え、倫理の分野における人の行為には普遍的な可能性があることを確認した。この可能性は、ふさわしい学識を得るのに必要な社会的地位や富をもつ恵まれた人びとだけにあるものではなかった。道徳的な実践をおこなう源は人のエネルギーであるという考え方は、その可能性があるすべての人の励みになった。[34]

第一原理としての自然、というこの認識論は、安藤昌益（一七〇三－一七六二）によって急進的な方向に向かった。昌益は、仁斎の教えが大いに流行していた時期の京都で学んだ。かれは単一エネルギー理論を用いて、封建体制を政治的に批判した。昌益によれば封建体制は、道徳イデオロギーや学術用語や、そのほか古くからある「形式」を教えることによって人びとを欺き、貴族社会を維持し、無慈悲なまでの課税をし、抑圧的な体制を押しつけたのだった。かれの生命についての思想は、「自然」を「ひとりする」と、かれなりに音読みしたもので、共同社会を形成するための生産活動において相互交流するという理想を掲げたものだった。人の窮乏は、主として政治的に引き起こされたものとして、昌益は第一原理として自然をラディカルにとらえなおしたが、これは近代の言説にも影響をおよぼしている。[35]

講が緊急事態に備えた相互扶助組織的な取り組みであった徳川時代には、貝原益軒の農学的な記述はとりわけ意味がある。益軒は仁斎のように、人間性や共同体の道徳基準を自然が示すという思想に疑問を抱いていた。天は人間が生まれたときに自然をとおして道徳的な徳をあたえる、という考えは、論理的に正当化できるものではなかった。自然に道徳的価値を読みこむのは人間だった。自然は道徳基準を示すことはなく、ある季節からつぎの季節へと時間をかけて、正確かつ規則的に移り変わるものである。この規則正しさは道徳ではなく、人が生命を維持するために耕す条件を整えるものである。

こうして益軒は宇宙の気一元説を唱えるようになった。このエネルギーは「生命そのもの」あるいは「生－生のみ」であり、「道徳の実践」は自然によってあたえられたこの生命を維持するものだった。益軒がこの自然のエネルギー、生命を「賜物」とし、恩という仏教信仰の言葉を借りて阿弥陀があたえる賜物とした点は興味深い。かれは仏教信仰が浸透した環境で育った。とはいえかれ自身は、死後永遠につづく無上の喜びという仏教的な概念には頑として同意しなかった。その代わりに、人間の生命エネルギーは生と死の弁証なしに、普遍的な生命過程の一部となるのであり、生－生のみという一元的な理論であると教えた。益軒は、親鸞と仏教信仰の教えのように、賜物、「恩」と、生きているうちに講じるべき的確な行為、「報恩」という表現を用いた。

益軒は、自然への認識論的な対応として科学的な農業に目を向けた。これは、恣意的にではなく、人の道徳などとは関係のない普遍的な規則にしたがって展開するものであった。道徳性とは、恣意的にではなく、人間の能力によって統制されるようなやり方で普遍的な自然にかかわろうとする人間の努力から生まれてくるものだ。この努力は、自然秩序の賜物である生命を維持し育むためにおこなわれた。この道徳性は、生命という賜物を維持するために科学的な農業を実践するところから発展したのである。人間の道徳性は、人間の生命を維持する実践の一部だということである。実践に関する益軒の考えは仁斎のそれに近かったが、京都で何度も顔を合わせていたにもかかわらず、ふたりの気持ちが十分に一致することはなかった。それは、仁斎の研究方法が実践の考え方を検証するために古代の文献を読むというものであったのに対して、益軒は、文献研究を認めはしたものの、農民の活動や農業の実践の道徳的価値を重視したからである。(36)

こうした対抗的な立場は、懐徳堂でも明確だった。仁斎が教えたように、他者の生命を救うために実践する思想が懐徳堂で重要な教えになったのは、それが道徳的な可能性に普遍性をあたえるものだったからだ。しかし、実践理論は古代の文献の研究によって確認される、とする学問的な見解は考慮されなかった。過去のいつの時代にも後世に伝えるべき重要な内容がある、という歴史的視点にもとづいた考えには、より大きな教育的可能性があった。結局、エネルギーとしての自然および生命としてのエネルギーという益軒の思想は、懐徳堂の認識論における主流になった(37)。

三浦梅園と村の講

第一原理としての自然、生−生のみとしての自然という思想を、村における人間の生命を救うための組織である講の道徳的根拠に関係づけたのは三浦梅園であった。梅園はほとんどの思想史研究において、高度な思想を展開した独特な哲学者としてとりあげられている。これは、自然の動きをとらえ、天文学の重要性を叙述するには新たな用語が必要であるとした三〇歳代はじめの最初の著書『玄語』と、三四歳のときに執筆した地理学の社会的適合性をあつかった『贅語《ぜいご》』という、梅園の専門書を考えれば理解できる。梅園が想像したのは、慣例的な言葉では描くことができず、道徳的概念を受け入れることのない自然秩序だった。道徳的概念は、現実として認められた実践や慣習をつうじて目に見える自然の世界を示す傾向があったが、実際には人間の感情や偏見の延長だった。こうして鳥や動物、昆虫、そのほか自然にある存在は、人間の感情や期待が吹きこまれ、好ましいかどうかが決められた。

言葉は情報の伝達に必要な手段だが、同時に、自然のはたらきを描写する客観的な方法を提示しない過去の偏見も伝え、話し手に自然の原理および自然エネルギーを人間の道徳と混同させる。梅園の考えは、自然は抽象的で非言語的な動きによって構成される、というように概念化されなければならないというものだった。すなわち、水平と垂直あるいは球形と円形の動きの恒常的な交差、あるいは対立するものの継続的な相互交流（「反観合一《はんかんごういつ》」）などである。こうしたことは同時に起きており、日常的な世界における予測できる線や接点といった型にはまった認識を拒否する。歴史学者は梅園の独創的な思想に魅了され、かれを山奥の村で「ひっそり」と思索にふける人物として描いたが、実際には農民とともに生活し、田舎の医者としてその地に尽くし、村落共同体の考えを表現した思想家であったことはほとんど記憶されていない(38)。

梅園は豊後の富永村（現在の大分県国東市）に生まれた。東に瀬戸内海を臨む地で、本章のはじめにとりあげた相互扶助定礼の地、宗像とは山脈の反対側にある。かれは、自分の村から三〇キロほど離れた杵築《きつき》藩の藩校で、麻田剛立《あさだごうりゅう》（一七三四－一七九九）の父、綾部絅斎《あやべけいさい》（一六七六－一七五〇）の下に学んだ(39)。剛立は学友として親しかった。ふたりとも天文学に、そしてさらに広く自然の内的原理に興味をもっていた。剛立は藩の城下町を出て独自に大坂で教えることを選び、梅園は父親のあとを継いで村の医者になるべく、故郷へ戻る。並外れて知的に独立した梅園の人生は、剛立のそれとはまったく異なっていた。しかし梅園は、瀬戸内海経由で大坂から書籍を「輸入」し、剛立と文通を交わしていた。杵築藩の文化的、経済的な交流の主たる中心は大坂であり、そのことから、梅園と剛立が大坂にあった懐徳堂に引き寄せられていたことがわかる。剛立は懐徳堂で教えていた学者の支援を得て、大坂に蘭学の学校を設立し、梅園は懐徳堂の学者、とりわけ中井竹山と履軒の兄弟を深く尊敬しつづけた。懐徳堂の山片蟠桃は剛立とともに天文学を学び、梅園は自分の門弟である脇愚山《わきぐざん》（一七六四－一八一四）と帆足万里《ほあしばんり》（一七七八－一八五二）を懐徳堂に入学させた(40)。

二三歳、五六歳の二度にわたり、梅園は長崎へ出向き、蘭学を学んだ。とくに、学者や医者が注目した科学的な思想を表現する方法として、オランダ語の音標文字、アルファベットに魅了された。かれは明らかに、貝原益軒と思想的に一致する、自然および生命としての自然に関する徳川時代の知的言説の一端をになっており、蘭学の学習や大坂との交流などもあったので、富永村での山村暮らしは、梅園にとってそれほど孤立したものではなかった。

したがって、孤独な天才という梅園像は誇張である。梅園が都会を離れ、孤立した山村で生きることを選んだことは否定できない。今日、細く曲がりくねった道を通ってかの地を訪れると、物理的に人里離れた富永村は、印象的な知的存在について今も語りかけ、訪問者は、梅園がそうした状況で自立した知的生活をつづけていたことに驚かされ、その地を後にすることになる。

動機はどうあれ、梅園はこの山村で生活することを選び、医者としてこの地の農民に尽くし、自然という目に見えない対象についての思想を形成し、その思想によって名を知られるようになった。言葉の基本原理に関する広範な著作『玄語』を執筆する一方で、梅園は、村のために慈悲無尽講、つまり無限の慈悲にもとづく相互扶助組織の倫理的意図および道徳的約束あるいは合意の文書をまとめた(41)。

「慈悲無尽講」とは、相互扶助を意味する。これは仏教用語だが、合意の中身は神や菩薩に救いを求めて祈ることではなく、自分たちを救うために人間が行動を起こすということだ。そうしてはじめて、天や神に感謝することが意味のある行為となる。他者に対する人間の慈悲、すなわち現実の世界でおたがいの生活を助け合うことは、天の慈善や阿弥陀仏の寛大さゆえのものではなく、日常生活における実践によるものなのである。それゆえに、人間は自分たちのために自然の賜物としての自身の生命を必要とした。

益軒とおなじように、梅園は農民の実際の仕事と生産の現場である村に注目した。益軒は、生命という賜物に応えるためには、生命を維持する体系的な農耕をおこなうことだと考えていた。梅園は、一七七三年に執筆した「経済的価値の起源」に関する著書『価原』において、農業生産の根本的な重要性についてかれの思想を論じた。歴史学者による分析のほとんどは、この著作をかれのほかの理論書に関連づけているが、『価原』はけっして理解しにくい書物ではなく、非常に身近な著作である。というのも、この著作は、地元の大名に対する経済政策に関する実際的な助言として書かれているからである。この書物のなかで梅園は、経済価値の根源は自然の生命を支える農作物の生産にあると説いている。

多くの歴史学者（私もふくめて）は、一八世紀の指導的な政治経済学者による貨幣に関する広範な議論に関連させて、この著作を評価する傾向がある。梅園の時代の実務的な経済学者は、貨幣にふくまれる金属価値の低下の問題をとりあげ、貨幣を制限して金属の質を保つか、質を落としても供給を広げるかについて議論した。学者の多くは金属の質を維持し、大規模取引の必要性に応えることに賛成し、貴重な貨幣が貯めこまれ、価値の低い貨幣が使われる事態を防ぐべきだとした。梅園は、貴金属が貨幣の価値を決めるという考えには反対した。希少であるがゆえに価値があるということと、貨幣が社会全体にとって役に立つこととは相容れないからだ。その代わりに、価値は社会的な有用性に結びつけられるべきだとした。徂徠はこの理論を半世代前に論じ、金の次は銀というように貨幣価値を階層化するのではなく、すべて銅貨とする貨幣政策を推奨した。梅園の理論的な見解では、貨幣は社会的に有用であるべきであり、したがって「廉価」であるべきだった。どこでも入手でき、価格も安かったことから、かれは鉄を選んだ。経済的な価値は金銀によって決まりうるという考えは、製品の実際の価値をとり去り、希少性や豪華さに結びつけるものであり、まちがっていた。そのような経済価値は、実際の経済価値を生み出すもの、つまり人の生活を支える製品の生産ではなく、身分が高い、裕福な人びとに結びつけられた。(42)

『価原』は、藩主の用人である上田養伯から「価格」について、ひいては、国の政治経済の状況について見解を求められたことに応じて書かれた。実際、この著作は、新たな貨幣経済が村の生活におよぼす効果は限定的であると述べるとともに、村落共同体を積極的に防衛しようとするものだった。梅園は、価格を安定させる基盤としての貨幣を強調することは国の経済危機を正確に分析することにはならないと主張した。貨幣の問題を強調すると、経済的には単純に供給が増えることによって貨幣の価値が低下し、価値の高い貨幣は循環しなくなるか、貯めこまれることになる。価値の低い貨幣が大量に供給されれば、高値つまり価格の高騰を招き、現金が乏しい農民は立ちゆかなくなることを意味した。

梅園は、経済的価値は生活を支える商品を作り出す現実の仕事と結びついているのであり、米に課税したり、米の価値を金銀に換算することはきわめて認識不足な財政政策であると論じた。鉄から貨幣を作る場合にかぎって、生命を維持する食糧は生産者の手近にとどまり、人間生命そのものを養うという当然の目的をはたすのである。交換のためならば、米は生産地近くに貯蔵されるべきであり、生産をせず寄生する武士階級を支えるために遠くの米市場まで運ばれるべきではない。貨幣が経済を支配すべきでないのは、金儲け主義の米と金との交換こそが農民を貧困化させるからだ。農民によって生産された米を希少金属を基盤とする貨幣と交換することは、食物の喪失であり、飢饉につながった。

これが、生産とその地域共同体にとっての価値についての梅園の見解だった。すなわち、農産物やそのほかの産物は遠くまで運搬されたり、村の産物を遠くの地へ運ぶことによって貨幣が重視されたりするべきではなかった。前述したように、草間直方のような大坂の両替商がすでに推奨していたように、地域間で商品を流通させるために貨幣の信頼性を高め、価値を認めるということを議論するのではなく、梅園は、まずとりあげられるべき、そしてもっとも基本的な例として、生産物は生産者の近くにあるべきだと考えた。したがって貨幣の使用は、生産者が近距離間で生産物を販売し交換することに限定されるべきだった。これは道徳哲学者が語った倫理実践の領域であった(43)。

こうして梅園は貨幣と生産についての理論を詳細に論じたが、それは農民を擁護するかれの姿勢と一致していた。問題は、農民が十分な米を作っていないことではなく、作った米が農民から取り上げられていることだった。実際、かれの著作『価原』は、村で生活する農民が、災難が迫る状況におかれた自分たちの生活を支配できるようにするための提案だった。それも、自分たちが生産したものを基礎にしての対応であって、遠く離れた市場で決められた価格に左右されるものではなかった。つまり梅園の『価原』は理論書というよりは、かれ自身が暮らしていた村とおなじような村々に住む農民の窮状についてまとめたものだった。しかし、藩の大名がその対策を実行することはありえなかった。というのも、家臣を養う現金を得るために大坂で換金していた年貢米を放棄しなければそれは実現しなかったからだ。

この視点からすると、価値に関する梅園の理論は、自然秩序について梅園が書いたほかの著作以上に、無限の慈悲にもとづく村の契約講とあわせて理解しなくてはならない。歴史学者は、価値についての梅園の理論を、事物の根源的な本質に関するかれのほかの独自の見識に関連させて理解しようとし、無限の慈悲についての梅園の見解は陳腐で独自性がないと見なす傾向にある。実際には、どちらのテーマも生命についての徳に関するおなじ意見から出ているものである。

梅園の「趣旨」文と「約束」の条件を読むと、梅園には、村人に向かって村人がつかっていた言葉で語りかける能力があり、かれが相互扶助や、その倫理をもとにした道徳上の取り決めを理解していたことがはっきりわかる。哲学者としての梅園は、自然秩序のしくみを理解するために道徳的な伝統が有効であることを疑ったが、同時に、緊急事態に備え、未来永劫おたがいの生命を助け合うという、ごく普通の村人の道徳的な力を信じる慈悲深い人物でもあった。その理想を伝えるために、かれは村人がつかう日常的な言葉を用いたのである。

この趣旨文は簡潔にまとまっている。一流の思想家であった梅園も、相互扶助と講の実践的な徳に関する民衆の言説の一部だったという先の指摘を強調するために、ここに全文を掲載する。これは梅園の通名、三浦晋安貞《すすむやすさだ》の名で書かれた。執筆されたのは、一七三〇年代や四〇年代に起きた壊滅的な宝暦飢饉ののち、まだ散発的に飢饉がつづいていた一七五七年である。当時梅園は三〇代前半で、言葉の意味についての『玄語』の草稿を書き終えたころである。この慈悲無尽講は、梅園全集が出版された一九一二年時点でもまだ活発におこなわれていた。

慈悲無盡、旨趣、約束、富永村

慈悲無盡興行旨趣

一村のうちはよき事あればうちよりて喜び、惡き事あればうちよりて悲しむ事、たとへば一家兄弟のごとし。さるによりて病人をばたすけあひ、貧人をば救ひあひ、口舌争論をばなだめあひ、惡事をばいさめあへばおのづから中よくむつまじく、又我うきしづみにつけても捨をかねばあながちに人の事とはをもふべからず。されば我親をうやまへば、其家にそだつ子も亦是を見慣て自然と我にも孝行なり。我夫婦の中惡ければ我婦や子も是を見慣ひて自然と家も睦じからず。惡事も善事も類をひくものと心得、柔和正直にしてよきかたを志し、かりにも不義放埓にして虚言をこのみ、上の法度をも守らず、傍輩のよしみをも失ふ者には交るべからず、鳥も我巣をば我かけ、我哺をば我ひろふて命を活るものなれば、つねに家業の油断すべからず。たとひ人なみにむまれても、朝はひだるく、晩は寒ければあしき手業にうつろふを、世話にも貧の盗といふ。家業に怠ざるときはかやうの邪念も終にうせ、惠む心の生ずるを、世話にもあるに継子なしといふ。かつ貧富にも品多し、分限をしらず綺羅をこのみ、金銀を遣ふこと砂のごとく無禮不義にして人に憎まれ、終に尾はをからすもあり。無精にして徒居《たゞゐ》をこのみ、爪に楊枝をつかひ、眉にけぬきをあて、百姓とも町人ともしれぬ筑浦者になりて、つゐに世帯をしまふもあり、酒をこのみ、色に耽り、明日の事をも考へず、親兄弟の異見にもつかず、行つぶるる者も有、富、博奕、賭にすき、うきまふけを心にかけ、はては盗人、非人となり、處の住居ならぬも有。又邪智ふかくして私慾を宗とし、人の物をかすめ奪ひ、道ならぬ富人もあり、人の難義もかへりみず、算用稠敷理屈つよく、從類には辛き目みせ、無理無慈悲の利をこのみ、出入賣買には人と争ひ、僥倖の仕合を己が手柄と鼻をならし、人をばみな愚頓にて貧なる様におもひ侮るものも有。是一旦の榮耀にほこるとも、人ににくまれ、天理に背き、行すへの程覺束なし。たとひ佛前に香を焚、神前に御酒を供へ、子孫繁昌延命息災といのるとも、惡を加護する佛神なければ納受決して有べからず、さればこそ天満宮の御うたにも

　こころだに誠のみちにかなひなば
　　いのらずとても神やまもらん

唯我家業に懈らず、人の爲に心を盡し、老たるをば敬ひ、稚をばいとをしみ、柔和慈悲なる時はその家自然と長久にして行末の繁昌たのもしし。又家業をもしり、倹約をもなしながら、病難、賊難、火難、水難、又は從類多くおもひの外に躓て、一生難義を致す事是誠の貧にして尤哀れなる事なり。そのうちにも無子、老、孤、かたわ、病身にしてくる〔暮〕れば家なくあく〔明〕れば食なく、春は飢、冬は凍へ、さらばひまはる類、身に引うけてみる時はいかに悲しき事ならずや。かやうなる輩には、一飯の食を分てば半日の命を繋ぎ、一杯の湯を與れば一朝の腹をあたたむ。蛇の蛙をのむをみても、是

をたすけぬ人はなし。ましてやおなじ人に生れ、おなじ里に長《ひとゝな》り、其哀を蛙ほどにも思ずば人の心をうしなふなり。つくづく貧人の有さまをみるに、風雨に中られ、餓寒にやぶられ、おもひの外の病をひき、非命の死を致す事おもへばむねをさくがごとし。かかるものは恨むまじき人をもうらみ、かこつまじき事をもかこつ事なれば、醫者たらんものは施藥をなし、加持祈禱をなさん人はその心をつくし、願祈禱に寶を費さしめず、とめる人は相應のすくひをなし、商人は高利をとらず、をの心をつくすべし。我はあく迄にくひ、あたたかにき、しらず顔にて人を見殺しにするならば、上は天の怒にあひ、下は人倫の道たヽ、處を加護する神なからん。罪を天に得ればいのる所なしとは此事なり。衆力功をなす時は塵つもりて丘となる。一村志を運び、力を合せ、すこしづつの餘資をあつめ、貧者萬分一の苦をすくふとならば、身には假初の事にして彼には廣大の慈悲なるべし。世の中の淵瀬はけふあすをもしらざれば、皆身の上の事とおもひ、行々此事に懈怠なくば、一村の交は水と魚との如くにして、面面の冥加を天にいのるといふ物なるべし。

約束

一、其家のあるじたらん人は此道理を妻子家内にも合點致させ可申事
一、夏は麥秋は米冬は銭多少にかぎらず老弱男女各志を運び可申事
一、世話人立合銭穀相とヽのへ帳面にて村役人たのみかし付無懈怠年年元利可致算用事
一、借主相應の質於無之てたとひ口入人慥候ともかし申間敷事
一、五年の間は此銀まづ救にはいたすまじき事

一、難儀なる者へは無理に出させ申間敷事
一、此銀は村中の浮銀にて無主と各可致存事
一、役人世話人立合評議の上軽重をわきまへ至極の難義を先としすくひ可申事
一、此銀決して一人の存寄を以て我儘に用間敷事
一、或は孝行或は忠貞等の人有之候はゞ是人の手本となる人に候へば此のうちにて非常の世話たりともいたすべき事
一、評議の節私の意趣をさしはさみ贔負のかたへ遣し申間敷事
一、出銀拾匁米一斗巳上に成候人をば是を施主と號し施主帳にしるし永永末につたへ出つ多分の人をば千一末末難儀に及候節はすくひの筋宜敷世話可致事
右之通約束相違致間敷候間御見届懈怠無之候様御世話頼候　巳上

寶暦丙子十二月吉日　富永村世話人

彌曾八殿
武左衛門殿
忠助殿(44)

この約束には村の「世話人」である彌曾八、武左衛門、忠助の三人が署名している。三人とも法律上の名字がなかったか、あるいは共同体的な理由から、名字で認識されることを選ばなかったのであ

ろう。かれらの署名によって、各世帯は将来にわたって拘束された。このように村の世話役が署名することによって、約束は現実的なものとなったが、一方で、たとえば大坂などの金融の中心地から遠く離れた梅園の村においてさえも、貨幣や信用取引の影響がはっきりと感じられていたことは明らかであり、そうした影響は、常識的なこととして合意文書にふくめられた。

契約講の基本的な前提の中心は、梅園の趣旨から容易に読みとることができる。村は飢饉や、そのほか火事、嵐、伝染病など予想外の緊急事態に際してみずから救済するために、団結して準備しておく必要があった。藩から慈悲の支援が届くことはないと思われたため、村は自分たちの資源に頼るしかなかった。天は私的な感情をもたず、偏見やえり好みをせずに自然の決まった行程を運行する。しかし、みずからを救おうとする人びとは天の恵みを受けていると考えたこともあっただろう。天が人を救うことはない。人がみずからを助けるのであって、それゆえに「恵まれた」といわれたのである。同様に、神に祈りを捧げても人が救われることはないが、人びとが自身を救うために行動を起こせば、「神のご加護を得た」といわれた。

梅園の道徳的「約束」も、条件を明確に要約したものだ。どの実践が求められ、どの実践がそうでないのかを、短い文章で伝えている。梅園は、村人になじみのある一般的な言葉をつかい、一人ひとりから全員に対する道徳的な信用、全員から一人ひとりに対する道徳的な信用を確認した。それは、投資講において各自が債権者であり債務者であったこととおなじだった。一人ひとりに伝わり、受け入れることができ、それゆえにすべての人が拘束される教えのなかで、梅園は講の資金は個人の欲のためではなく、村全体の利益のための「村基金」であることをはっきり示した。

梅園は純粋に個人的な目的のために利益を得ることには反対したが、徳川の貨幣経済を否定することはなかった。この貨幣経済は、経済的価値についての著作である『価原』で明らかにしたように、広くゆきわたったものであり、かれはこの経済が米生産に何をもたらしたのかをよく理解していた。つまり、過剰な課税と都市の市場で現金と交換されることによって価値を減らしたということである。したがって、村で集められた資金は、未来永劫発展する相互扶助組織としての無尽の継続性を確保するために、時間をかけて価値を増やしていく必要があった。このために城下町の信頼のおける商家に基金を預けることもあった。その商家は、村や村の必要性に共感し、村の貯蓄のために利子が増えるように投資してくれるところでなければならなかった。しかし、目的は利子を得ることではなく、村が存続することにあった。村では、資源がないからといって一人の犠牲者も出すことは許されなかった。

この文献が誤解の余地なく示していることは、根本にある道徳的約束が、緊急事態に際しても、だれも犠牲にならないということであり、豊かさや地位において差があっても、相互扶助の大義に関してはだれもが平等であるということだ。その約束や合意から排除される人はだれもいない。豊かな人と貧しい人のあいだには大きな格差が生じたが、想像していなかった不幸の際にはだれもが平等であると考えられた。約束は一人ひとりを、そしてすべての人を拘束し、各自がどのような資源を利用できるかにかかわりなく、予測できない緊急事態に対する防備に際しては、資源の一部は全体のために捧げられなければならない。梅園は、豊かな人には想定された割当以上の貢献をするようにうながし、「篤志家」と認められるように仕向けた。

梅園と村人にとって、不幸や難儀は絶えずつづく現実の姿だった。だれ一人として、このありようから免れることはできない。浪費する傲慢な人びとは、その恥知らずな行為ゆえに破産や不幸に見舞われるが、実際のところは、公正で質素な人であっても災難を避けることはできない。この合意は、仕事嫌いで怠惰な人びとよりも、そうした良き人びとのためであった。こうして梅園は、予測していない災難による難儀は個人的な不道徳の結果ではないことを強調した。勤勉で、倹約して家庭を維持している人びとでも、病気や火事、洪水、そのほか、自分の手に負えない不幸に見舞われる。世の中には、一生自分で自分の面倒をみて、晩年は自分の面倒をみてくれる人はだれもいないという人もいる。こうした不幸な状態は、神や悪魔によって引き起こされるのではなく、人間が生きている条件そのものに内在していた。自分や家族が災難に見舞われることはないと考えるのは愚か者だけである。切実に何かを必要とする人びとに、慈悲の心で提供することが人間らしさである。腹をすかせ、病気に苦しみ、不幸に見舞われている人びとに助けを差しのべないのは、人間性にそむき、そうした人びとを無視することにほかならない。ふたたび梅園の言葉を引用すれば、「つくづく貧人の有さまをみるに……むねをさくがごとし。かゝるものは恨むまじき人をもうらみ、かこつまじき事をもかこつ事」であった。

これ以上の善意はないとしても、緊急時に拡大した貸付が十分ではないかもしれない。相互扶助の資金は、緊急時の負担をすべて引き受けなくてはならない個人の安心のために設けられたものであり、村のだれにでも、あるいは村全体のためにでも継続的に利用できるようにしておく必要があった。安定した資金基盤を確保するために、梅園は、基金を設けた最初の五年間は、緊急時の貸付として引き出しや配分をしないことにした。このやり方は、配分をはじめる前の初期の段階で積み立ての拡大を可能にするほかの投資講と同様であった。

梅園はまた、平易な言葉で、資源は無尽蔵ではなく、保障されたものでもないと釘を刺した。資源が短命で終る傾向があったからだ。豊かさと貧しさの関係は相対的なものであり、制限を設けておけば前者が後者に陥るのを防ぐことができる。制限しなければ、浪費が魅力的に思われるようになる。「金銀を遣ふこと砂のごとく……終に尾はをからすもあり」である。梅園は、豊かさは知性によって決まるという主張を受け入れなかった。その代わり、そうした傲慢さを避けるために個々人が交流することを提案した。人は、不幸に見舞われる可能性がつねにあることを考慮し、それを考慮しながら謙虚に行動する必要があった。

梅園はさまざまな資源があることを認識してはいたが、契約に同意した人には、できるかぎりの貢献をおこなうことを期待し、褒め称え、村の福祉のためにできるだけのものを提供させた。つまり、医者は治療を広くおこなうべきであり、祈禱師は精神的な慰めを提供すべきであり、豊かな人は基金にかれらにふさわしい寄付をするべきであり、商人は儲けすぎるべきではなかった。

こうして確認された徳川時代の配慮と扶助の倫理――倫理哲学者の伊藤仁斎は「他者愛」と呼んだ(45)――は、梅園の手法と組織において明確にされ、実践に移されたのである。生活を維持するだけの物質的な必要性がみたされなければ、ひもじさから盗みをはたらく。つまり、思いやりは、生活の物質的な条件が適切に維持された場合にだけ可能になる。したがって、だれもとり残されず、死ぬままに放置されないようにするためには、計画――一連の手続き――に合意し、その計画を維持して緊急時の蓄えを確保しつづけるための組織が必要であった。子としての親に対する敬意や友人に対する義理などの道徳的な行動パターンには、長期間にわたる組織的な実践として、細かな日常生活に対する注意深い配慮がともなわなければならなかった。

梅園の無尽契約と、前章で論じた商いに関する民衆の言説との結びつきは、おのずと明らかである。文字が読めることは価値のある財産であり、武士階級が学者的に独占していたものではない。読むことができる人は、その幸運に恵まれなかった人とその知識を共有する義務がある。梅園は、天は私的な感情をもつことなく、すべての人に分け隔てなく恩恵を施したと確信していた。天が人のために行動することはない。人は自身を救うために行動し、そのための計画を念入りに組み立てる。苦難を避けるためには毎年決まって、体系的に貯蓄をする必要がある。これは民衆の言説でくり返されてきたテーマだ。おたがいを救うための合意は人間の一生を越えてつづくものでなければならず、つぎの世代、そのつぎの世代まで継続されなければならない。したがって、貯蓄は、時間をかけて価値が増すように投資されなければならなかった。「親切」から発する貢献についてとやかく言うわけではないが、物よりも貨幣のほうが、すでに述べたとおり利子を生み出す基金を生み出す点で優位なことは明らかである。無尽の詳細な情報は特権的な知識であったり、記憶に委ねられたりするものではない。むしろ、相互扶助組織の取引はすべて、正確かつ体系的に、継続性のあるかたちで正式に記録されるものだった。(46)

とりわけ、契約講の基本的な道徳的約束が重要であった。村全体が協力して、各人から少額の掛金を集めれば、悲惨な状況にある人びとの苦痛を少しでも和らげることができる。このささやかな贈り物は、苦しんでいる当人にとっては大切な恵みである。人生は変化に富んで短く、将来何が起きるかはだれにもわからない。したがって、他人の不幸は自分の不幸と見なすべきだった。各自が他者に手を差しのべる場合にだけ、天の恵みがあるといえるだろう。しかし重要なのは、それが人間の慈悲にもとづく行為であって、聖なるものの恵みではないことである。こうして梅園は、この原理をあらわしたものとして、第一原理としての自然と生命の認識論を堅持した。

富永村の慈悲無尽講は近代まで継続された。一九一二年には、梅園全集の解説が「今日まで」つづいているとふれている。そのころまでには産業革命は着実に進み、それとともに「社会事業」問題が生じていた。そして、梅園の自然科学者としての哲学的著作が無視されたまま、梅園に関心が集まった。東京府知事の井上友一《いのうえともいち》や留岡幸助《とめおかこうすけ》（一八六四－一九三四）といった改革論者が梅園とかれの契約無尽に関する文書にひきつけられた。梅園は近代の社会改革の先駆者と見なされ、貧者や見捨てられた人びとを救済したとして顕彰された。「慈悲無尽講」は社会福祉と見なされたのだった。梅園が身をおいた歴史的状況は、産業化した都市の社会的苦境ではなく、地方で起きた飢饉のひとつであったが、近代の知識人がかれに共感したのである。(47)

民衆経済の実践というテーマのなかでは、梅園の講と宗像の定礼は、その姿勢や意見は異なったものの、いずれも相互に関連した広範な過程の一部である。講は、非常にリスクの高いものからリスクを最小に抑えたものまで、その数や種類はさまざまであった。これは投資講でもおなじである。民衆のあいだの組織的意識の一形態として講が重要であったのは、民衆が相互扶助の課題をどのようにあつかい、緊急事態にどう対処するかを形にしたものだからである。それとともに信用貸付や投機重視の実践が登場するようになったのである。

多様な契約相互扶助組織が識字をうながしたことによって、思想史が活性化した。すべての取引を記録し、規則や信用貸付契約の特定条件を文書化することが不可欠だったからである。この書類は「規約」といわれることが多く、加入者の署名が必要とされた。この文書によって、先に概説した正確性と正確な数字という認識論が再確認された。実際、数字は文言そのものの一部として重要だった。正確な数字こそが信用の基盤だったからだ。

数字の正確さという認識論には、伝統的な道徳規範や精霊への依存、あるいは聖なるものの介入を避けるという意味がふくまれていた。節信と隠士の両者には違いはあったものの、語ったのはおなじ徳川時代後期の歴史についてである。当時の窮状の説明において、民衆が道徳や宗教規範に依存したとは記されていない。梅園も古典の道徳的な文言が確かかどうかを疑い、知識への指針としては頼みにならないと考えた。そして、相互扶助組織の実践をとおして生活を体系づける民衆の行動倫理によってこれに置きかえたのである。

梅園の見識は、かれより一世代後の二宮尊徳へと私たちを導く。村落再建の農民指導者であった尊徳は、報徳と呼ばれる運動を構築した。先人たちと同様、尊徳もそれまでの宗教の道徳的な文言に満足せず、実践的な知識への指針としては限界があると考えた。尊徳の課題は村の最悪の災難だった。つまり、隠士が報告したような定期的に起きる予測不可能な飢饉と、村人が一斉に逃亡してしまうような状況だった。梅園にとっての飢饉の状況は一七四〇年代と五〇年代の享保時代のそれであったが、尊徳のそれは一八三〇年代、四〇年代の天保時代だった。この二人の改革者のあいだには系譜の上でも直接的な因果関係はない。梅園は哲学者であり、自然秩序のはたらきの究極的な意味を探求した。尊徳は、自然秩序は民衆が生命を救うために行動する際の絶対的な前提であると主張した。尊徳の思想と組織についての考えは、梅園のそれと関連している。しかし、梅園が村の内部に注目したのに対して、尊徳は相互扶助的な契約によって村々を結びつける可能性を開いた。一つの村における契約は、類似の原則、あるいは報徳契約といわれるものに同意する村々の複合的なネットワークへと広がっていった。これはさまざまな経路で近代へとつづいている。

第四章　倫理の実践としての労働

静岡県は関東と関西のあいだに位置し、報徳社の主要な拠点である。報徳は天保時代（一八三〇―一八四三）の飢饉をきっかけに、村落再建運動としてはじまった。講の倫理的価値観や組織的な実践を具体化する一方で、この運動は合意事項を共通なものにすることによって、ある村の相互扶助組織と別の村のそれとを結びつけた。そうした合意事項は、梅園の慈悲無尽講で示されたものよりはるかに複雑で詳細だった。これによって報徳は、ひとつの村に集中しがちだった講以上にダイナミックな思想を伝えたのである。報徳は当初から、複数の村や地域を活動範囲とする取り組みの改革に力を注いだ。報徳は統一、集中した形態をとったために、とりわけ地方を社会的に安定させるための経済対策を考えていた近代国家はこの運動に注目してとり入れようとした。報徳の歴史は、徳川時代の相互扶助組織のほとんどが近代化の過程で直面した苦境を明らかにしている。

静岡県掛川市にある報徳本社の入り口には、人目を引く石造りの門柱が建っており、片方の門柱には「道徳門」、もう一つの門柱には「経済門」と刻まれている。徳川時代にはこの二つの信条は不可分のものとされていたため、このようにことさら宣言することは不要だったであろう。すなわちこの碑文は、資本主義と合理的な収益性の原則を地方に広めるために報徳運動に協力を求めた近代中央政府の意図を拒否するために刻まれたのである。その抵抗は、道徳と経済は不可分であることを思い起こさせ、運動の根底にある倫理的目標に忠実でありたいという意思がこの碑文に明確に示されている。報徳運動は、他者を救うという倫理上の義務をその存在理由としており、利益の獲得という近代の原理の名のもとに、それから逸脱することはないと主張した。この二つの石碑文は、報徳運動が近代国家に歯向かう急進的な宣言と見なされるべきではないが、報徳運動とはあまり縁がないと思われていた反骨の要素を内包している。

近くの森町では、報徳社が定期的に会合を開き、信用貸付基金を利用して緊急事態に備え、あるいは報徳社の設備を改善するかどうかを決めていた。会合は神奈川県小田原市や福島県相馬市、北海道など、報徳運動がおこなわれているすべての地域で開かれ、「芋こじ」と呼ばれている。会合で異なる意見をたたかわせる様子を、里芋の泥と皮を取るために桶に入れてこすり合わせるイメージに譬えたからだ。会合場所の裏手には耐火構造の蔵があり、一〇〇年以上前の議事録が納められていた。しかし、これらの記録は歴史的な記録などではなく、それにもとづいて物語が組み立てられることはない。むしろ、個々の講員のために記されたもので、毎年決まって保管された信用貸付「契約」や、その契約にもとづく返済の正確な記録である。こうした記録は、相互扶助組織が道徳と経済の原理の不可分性を重視する倫理的姿勢を維持していることを示している。貸付や返済の契約上の合意の細心な保存は、時間を経ても相互扶助組織の信用がつづいている証である。(1)

道徳と経済、および自立の姿勢という報徳運動の思想や発想は、二宮尊徳（一七八七－一八五六）に負っている。尊徳の基本的な思想や方策は三浦梅園のそれに似ており、梅園の村落共同組合とおなじように、尊徳の運動も産業化時代までつづいた。実際、この運動は近代になってもめざましい勢いで発展し、尊徳は日本で生まれた聖人として広く知られるようになった。かれの英雄的な名声は、梅園の評判よりはるか遠くまで伝わった。梅園は、基本的に地元である大分の学者や市民が関心を寄せるような孤高の哲学者であった。

尊徳の名が、とりわけ静岡など報徳運動が広がった地域で知られるようになったといっても、尊徳が大いに注目されたのは、おもに一八八〇年代や一九〇〇年代はじめの、社会が激しく変動した時代のことであった。弟子たちは尊徳の講義を個人的に記録したものや、恩師の説教などを刊行した。弟子たちが尊徳の思想を書き残したのは、尊徳から要請されたからではない。報徳運動に参加していても、尊徳から直接、報徳の哲学的、具体的な話を聞いたことがなかった人びとにとって、尊徳の思想を知ることには価値があると考えたからである。尊徳が自身の考えを包み隠すことなくくり返し語ったために、話に矛盾が生じることはなく、弟子たちは後世のために容易に書き残すことができた。尊徳の思想は、徳川時代の飢饉や村の自助などの諸問題を考慮して書き残され、一八八〇年代以降、近代産業化時代における社会的な不安定の問題に対応するために呼び起こされた。近代化の状況下で、藩は県に再編され、地域や城下町は工場を擁する都市になった。新たなかたちの紛争が歴史の地平線から現れ、従来からの社会的な連帯は確かな基準として妥当ではあるが、疑問視されるようになった。実際、ほとんどの人は、近代についてよくいわれるように、近代化が順調に問題なくおこなわれているとは信じていなかった。尊徳の言葉が弟子による書物をとおして改革論者の注目を集めることになったのは、こうした状況のゆえであった。

尊徳の門弟による著作のなかでとくに重要なのは、一八八四年から八七年にかけて出版された福住《ふくずみ》正兄《まさえ》（一八二四－一八九二）編集の『二宮翁夜話』、運動の根底にある思想について詳細に記録した富《と》田高慶《たかよし》（一八一四－一八九〇）の『報徳記』（一八八五年）と『報徳論』（一八九六年）、報徳の実践の概要を記した斎藤高行《さいとうたかゆき》（一八一九－一八九四）の『報徳外記』（一八八五年）やおなじく斎藤による、尊徳の「言葉」に関する『二宮先生語録』（一九〇三年）である。岡田良一郎（一八三九－一九一九）も尊徳の考えがもとにあると考えられる思想について解説し、その思想が明治啓蒙主義をふくめた近代日本にふさわしいものだったことを強調した。最後に、尊徳の孫である尊親《たかちか》（一八五五－一九二二）は一九〇八年、尊徳の仕法についてまとめた『報徳分度論』を出版した。この本の導入部分でかれは、この本をあえて世に出すことにしたと書いている。尊親によれば、創始者である尊徳は正規の教育や出版にそれほどの価値を認めず、言葉や識字についての尊徳の思想は、測定や計算の実践、収支や増産量を正確に記録することにもっぱら関連していたとはっきり指摘している。これは、先に挙げた著作もふくめて、全三六巻ある尊徳全集のうち、尊徳の思想そのものに的をしぼったものは一巻だけという事実によっても裏づけられる。経験に富む尊徳の手になる実際の「文献」は、仕法、現地調査の

詳細な記録、生産記録、融資取引、契約などであった。(2)

尊徳は明治時代後期の知識人の関心を引くようになる。かれらは、近代化がもたらした深刻な苦難のもとでも、日本の一般民衆がおたがいに助け合うためにおこなう、詳細に規定された実践方法を尊徳の思想のなかに見いだした。相互扶助組織の枠組みで実践することによって、民衆は人間として基本的な倫理的理想をもちつづけ大切にした。キリスト教平和主義者であった内村鑑三（一八六一－一九三〇）は、世界の英雄に劣らない日本の国民的英雄として尊徳を賞賛し、かれを支持する思いのこもった文章を執筆した。キリスト教社会主義者であった安部磯雄（一八六五－一九四九）は、日本の市民社会にとって理想的な人物として尊徳を賞賛した。浪漫主義的な白樺派文学運動の指導者であった武者小路実篤（一八八八－一九七六）もおなじように、生活と芸術を重視する日本の「新しき村」にとって必要な、地域社会における相互扶助の思想と実践を尊徳の運動に見いだした。社会改革者の留岡幸助は、尊徳の相互扶助組織を賞賛し、かれ自身は非行に走った少年少女のための特別施設の開設を呼びかけて感化院をつくったほどであった。留岡が高く評価したことにより、尊徳はこの時代の政界や学界の指導者たちの何人かの注目を集めることになる。政府の政策担当者のなかでもとりわけ品川弥二郎（一八四三－一九〇〇）と平田東助（一八四九－一九二五）は、尊徳の経済思想を近代国家の共済的な財政制度にとり入れようと精力的に努力した。一方、幸田露伴（一八六七－一九四七）も尊徳を支持したが、尊徳像について物議を醸すような発言をしている。(3)

露伴は、近代日本が産業化に突入すれば受け継がれてきた価値観と対立するのではないか、という夏目漱石（一八六七－一九一六）ら知識人の深い懸念を共有していた。かれはさまざまな歴史的人物について書いているが、とりわけ哲学者で反乱の首謀者であった大塩平八郎に関する著作がよく知られている。一方、尊徳については尊敬すべき点を多々見いだしていた。とくに、日本の青少年にとっての理想像として尊徳を紹介することに可能性を見いだしていた。実際に、露伴は一八九一年に『二宮尊徳翁』（博文館、一九〇三年）という短い伝記を書いている。この伝記は、勤勉、忠誠、献身という尊徳の美徳を理想的に描いている。これらの美徳を賞賛しつつ、露伴は、クリスチャンと呼ばれる勤勉な巡礼者とおなじ役割をになう人物というイメージで尊徳をとりあげた。クリスチャンは、ジョン・バニヤンの『天路歴程』で、重い荷物を背負い、聖書を手に持った人物として描かれている。この作品は、サミュエル・スマイルズの『自助論』（明治期には『西国立志編』として刊行された）とともに、一八七〇年代はじめに翻訳され、青少年に自立をうながし、人生に対する肯定的な態度を育もうとした明治時代の知識人や教育者らの愛読書となった。露伴らは尊徳にクリスチャンに対応するものを見いだし、その描写から共通した像が生まれた。それが銅像や石像として造られ、全国の小学校教科書の挿絵に描かれた。そのイメージをはじめて表現したのが銅像の製作者なのか、コンクリートの職人なのかはわからない。彫刻家の岡崎雪聲《おかざきせっせい》（一八五四－一九二一）は一九一〇年に、四五センチあまりの尊徳の銅像を明治天皇に献上したといわれる。クリスチャンをしのばせるように、若き日の尊徳――金次郎という幼名のほうが有名である――は、重い荷物ならぬ薪の束を背負い、古典を手にして読んでいる姿で描かれている。尊徳の弟子たちの記憶では、かれの愛読書のひとつが中国の古典『大學』であり、それを暗唱することもあったという点では一致している。しかし、尊徳自身が肉体労働をしながら古典を読んでいたからといって、かれが労働と勉強を結びつけることが重要であると論じていたとする弟子はいない。いずれにせよ、一九二〇年代半ばから一九三〇年代にかけて、数限りなく機械的に複製を重ね、すべての小学校に配布された姿が尊徳のイメージとして定着した。これが、国の将来に貢献するひとつの方法として、労働と学業を同時におこなうことが基本的に重要であると、生徒に日々思い起こさせたのである。(4)

すでに述べたように、思想と実践とを問わず、尊徳は学問そのもののために書物に注目するよりは肉体労働を重視していた。これは、尊徳が教養を軽視したということではない。尊徳は一貫して、書物による勉強は継続的な実践的労働にまさるものではないと確信していた。こうした考えは、ほぼまちがいなく、徳川社会の教育の質に不満をもっていたからだと思われる。官制の藩校で教養を身に着けることは武士階級の特権であった。しかしこの特権を得ているにもかかわらず、尊徳の目から見れば、武士階級は困難や飢饉に見舞われた人びとに必要なものを供給することについても、かれらを救うことについても、惨めなほど失敗を重ねてきていた。

官制の学校や教科書は、「徳としての労働」という考えを奉ずる尊徳にとって重要ではなかった。この点についてかれの信念が揺らぐことはなかった。「徳としての労働」こそは「報徳」の核となる意義であり、かれの運動はここから命名されている。学びは実践をとおして得るものであり、かれの『夜話』の序文は、尊徳が書物のなかの知識に満足していなかったことを明確に示している。「夫我教は書籍を尊まず、故に天地を以て経文とす、……掛る尊き天地の経文を外にして、書籍の上に道を求る、学者輩の論説は取らざるなり」。また、「音もなく香もなく常に天地は書かざる経をくりかへしつゝ」とも記している。(5) 尊徳は、真の知識を得るために必要なのは官制の教育や学問ではなく、一般農民が自然秩序の目に見えない、文字化されていない「文法」を「読む」ことと、こうした知識を仕事の場に組みこむことであると主張した。学校で得る知識は、日常的な農業生活において普遍的なエネルギーが明らかにする知識とおなじではない。こうして尊徳は、農村再建運動のなかで無学の百姓を排除しなかっただけでなく、逆にそうした人びとを喜んで迎え入れたのである。

しかし歴史とは皮肉なもので、独学〔尊徳は「自得」と表現している〕で学びながら、言葉や、とりわけつくり上げられた学問は形骸的なものにすぎないと考えた尊徳が、日本の青少年を動員しようとした近代国家に取りこまれてしまったのである。書物を手にし薪を背負った少年聖人の姿は、官制教育による国家の教育思想統制とおなじ意味をもつようになった。そのイメージは結果的に、国民を国家主義的な目的に向かって動員しようとする国のもくろみと合致したのである。近代国家によってイデオロギー化され、尊徳は一心に打ちこむ学生の手本になった。すなわち、日常的な労働（薪負い）という負担をにないながら、学校に通い読書に没頭する人物像である。さらに一九二〇年代、尊徳の銅像が全国各地の小学校にゆきわたる一方で、人間の言葉によらないで、自然の身近で自然から直接に知識を独学で学ぶことの重要性をかれが強調したことは、背後にかすんでいった。

太平洋戦争が終ると、知識人たちは戦前のイデオロギーの偶像から尊徳を引き離す。それ以上に重要なことは、近代について先見性のある人物としてかれを描き出そうとしたことだ。かれらが注目したのは、尊徳が天道と人道を明確に区別した点だった。尊徳は、人道とは人が人為的につくり出すことであり、人は命を養うために土地を耕し、自然界にはないような食物を栽培するのだと主張した。こうして歴史学者たちは、客観的な自然と対照的に人は物をつくり出す、という尊徳のこの見解を強調し、そのなかに民衆が形成する近代化の思想を見いだした。

宮西一積は、知識人が明治時代後期に尊徳を見いだしたとする説明のなかで、尊徳が天道と人道を区別していたことが鍵となる概念だったと認める。すなわち、天道は必然的かつ無限であるのに対して、人道は作為的かつ変えられるものであるがゆえに歴史上に存在した。こうして知識人は、尊徳を近代化の先駆けとし、客観的な自然に抵抗し克服するよう主張した人物であると考えたのである。法学者の福田徳三や井口丑二《いのくちちゅうじ》、服部弁之助のような歴史学者たちも、自然と作為を区別した点が尊徳のもっとも重要な知的発見であると指摘した。自由主義的な経済学者であった田中王堂（一八六七－一九三二）も、自然を耕す「道具」の形成に人道が関係していたとする尊徳の洞察力を高く評価した。このように尊徳は、自然を人道の模範とした新儒教（朱子学）の道徳哲学からみずからを切り離したのである。さらに、卓越した学者であった奈良本辰也は、かれの学識を尊徳研究の基準となる簡潔な伝記にまとめたが、そのなかで尊徳には「近代の構想」があり、荻生徂徠と並ぶ日本近代の知的先駆者であると評価した。自然を作為から切り離そうとする徂徠の傾向については、岩橋遵成《いわはしじゅんせい》（一八八三－一九三三）がかれの徂徠研究で強調し、のちに丸山眞男（一九一四－一九九六）が議論を発展させた。丸山は広く影響をおよぼした卓越した研究において、大きな弁証法的な枠組みのなかで、徳川時代の思想、とりわけ徂徠の思想を近代政治および政治思想に結びつけた[6]。

近代化を解釈する理論の展望が一見いかに魅力的にみえようとも、経済と道徳を不可分とする概念に注目することが賢明であろう。この認識は前近代、「封建」時代から引き継がれたもので、本章はじめでとりあげた石碑とおなじくらい深く歴史に刻まれている。近代化理論のなかでもとくに丸山眞男が荻生徂徠へとたどった理論においては、道徳は、作為という人為的な世俗世界の一部であった。それは先王によって最初につくり出され、その結果、さもなければ激情と暴力が延々とつづく自然のなかで暮らしていたはずの人間に秩序がもたらされた。このようにして道徳性から、普遍的な自然の存在の連鎖を定義する宇宙の第一かつ究極的な原則との決定的な関係が失われてしまった。このように道徳性が存在や事物の自然の秩序から切り離されると、道徳は、人間が収益や権力のような作為的な目標にしたがってその内容を決めることができるような自律的なものになった。自然は、規範的な道徳基準ではなくなり、道徳的内容を欠く対象として、こうした目標に都合のよいように使われるようになったのである。(7)

徂徠が「天」について語るとき、それはもはや自然秩序でも、明らかにされた道理でもなく、知覚を越えた絶対的概念であり、その道徳的な内容は人間の心でははかり知りえないものである。そのため、自然のありようのなかでの決定的な役割が語られることはない。それにもかかわらず、天は人の「徳」の原点である。わけがわからないまま、天は「天賦」や「使命」を人にもたらし、それを実現することが人間の存在意義となったのである。先王は言葉と政治をつくり、福祉、平和、秩序（「養いの道、安民」）において、人間の徳を実現できるようにした。(8)

尊徳にとって、天は自然秩序そのものにほかならない。徂徠がいうところの、現象を超えた徳の源のように、自然秩序を超えた引照基準は存在しない。尊徳は宗教を認めず、生命を養う言葉や規範の究極的な源としての自然について語った。自然としての天は人間の徳の源であるという点は徂徠とおなじであったが、この徳は宗教的な源からの恩恵ではなかった。意味するところは、ただ「生命」であり、階級や富に関係なくすべての生物に広く賦与されていた。したがって、自然の恵みとは生命と生命を維持するエネルギーであった。人間の道徳的な責務は、生命という恵みを養うことであり、それも個々人の徳を実現することによってではなく、相互扶助的なコミュニティで農業を実践することによって養うことであった。自己の生と他者の生の価値はおなじであり、おたがいに助け合うことは道徳的行為という点で優先されるべきであると想定された。養う方法をつくり出したのは先王ではなく、名もなき人びとが自分たちとほかの人びとを養う方法として見いだしたものである。そのために、運用についての規則が合意され、その規則を維持するための合意もつくられた。言葉と規則はこのように、生命を養うために力を合わせて働くという人間の努力を調整し、継続するためにつくられたのである。言葉は、歴史の創造というきわめて重要な時期の先王の起源を記録するためにあるわけではない。尊徳にとって、言葉は現在の仕事を記録するためのものであり、古代研究は的外れな衒学趣味であった。その意味で、尊徳は歴史に関心がなかった。かれは五年あるいは一〇年という労働のサイクルで時間を計っており、熱心かつ勤勉に労働を継続すれば、人間の生命や徳を失うことなく一〇〇年持続することができると考えていた。

したがって尊徳にとって、道徳は生命の源、生まれながらに得た天の恵み、すなわち「天徳」として、自然から切り離せないものだった。それはまた、人間が農業によって守り、養い、維持しなくてはならないものでもあった。「報徳」は勤労を道徳的に構築し、自然による生命という恵みを維持した。このような思想の構成は、農業思想家で改革論者でもあり、生命を支える農民の労働について語った貝原益軒にさかのぼることができる。益軒は、生を維持するために働いた百姓について語った人物である。恩寵としての生という思想は明らかに仏教と親鸞の信仰に由来している。親鸞は、人間の内なる恩寵である「恩」は普遍的な阿弥陀仏によってあたえられたものであり、現世の一つひとつの行為はこの恵みに感謝してなされるべきだと説いた。益軒は基本的にすべての宗教、とりわけ仏教に反対した。究極の源からの恵みとしての恩寵の論理は、村人が責務として生命を維持するために働くのであり、藩主の命令ではなく自然によるものであると益軒が述べたとき、仏教が部分的にかれの考えに残っていたといえる。農民は知識を身につけ、他者を救った。益軒とかれの同輩とりわけ宮崎安貞が農学の手引書を日常的な言葉でまとめ、科学的農法を実践するよう農民を奨励したのはそのためであった(9)。

尊徳の考えは、益軒の考え、より広くとらえれば、前章でとりあげたラディカルな思想家であった安藤昌益や三浦梅園もふくめて、自然秩序に関する徳川時代の言説と共鳴していた。自然はあらゆる存在や事物を包みこみ、生命の無限で絶対的な源であり、経済的利益を得るという限られた目的のためにけっして妥協してはならないものである。いまとるべき行動は、こうした根本的で揺るぎない前提への敬意すなわち「敬虔な労働」、あるいは徳としての労働の思想にもとづく行動であった。のこぎりや荷馬車、水車などのように、自然を利用してエネルギーを生み出すことは可能ではあったが、無限のエネルギーを生み出す源泉としての自然を支配できるという考えは尊徳にはなく、想定もしなかった。かれの思想の核にあったのは、農業という「人道」が、抽象的かつ永遠の真実を宗教的、道徳的に定式化することよりも先行するという考えであった。人間は道徳規範を表現する言葉を生み出す前に、食糧を生産し家を建てる体系的な方法を発見した。人が食糧を生産するのは、それが道徳的に正しい行為だからではなく、ともに生産にたずさわり生きる人びとのコミュニティのなかで命を養う行為だからである。しだいに、この仕事は道徳的な責任になり、人間としての責務になった。したがって「人道」と呼ばれるようになったのである。飢饉にさらされた徳川時代には、命を救うのはこの「人道」であり、神を信じ、古典的な道徳教本に頼ることではなかった。

昌益や梅園、益軒、哲学者の伊藤仁斎と同様に、尊徳は倫理的行為についてのかれの枠組み全体を「一元の気」論に基礎づけた。この理論にしたがえば、自然の宇宙では男性と女性の固定的な境界はなくなる。あらゆるものは究極的に「ひとつ」だからである。したがって、人の世界には、ただ「ひと」あるのみとなる。昌益はこれを用いて、「自然共同体」というユートピア的な構想をふくむ思想に結びつけた。そこには政治的階層構造もエリートの利益も存在しなかった。これに対して尊徳は、組織化された枠組みを提唱した。そしてこれを「作為」と考えたが、その枠組みにおいて民衆は、お上の公的支援を期待しえず、飢饉やその他不測の災害に直面しなければならなかった。この意味で尊徳の思想は、慈悲にもとづく介入に頼らず、村レベルでの科学的農法を提言した貝原益軒の思想に近い。

自然の気一元論は、生命を永遠の過程ととらえる。生から死、そこからまた生に戻るという、終りのない一続きの連続である。そこでは、死はつねに生命の過程の一部であり、つぎからつぎへと絶え間なく展開するその過程から、人間は知識を獲得するのである。尊徳は、この普遍的な過程が農学の自然界の中心にあるものだと説いた。かれに先行した益軒とおなじように、尊徳は仏教用語をつかって自分の考えを伝えた。たとえば「輪廻」の思想は、尊徳にとって、生命から生命へと推移するとともにエネルギーが伝達されていく動きを意味していた。この過程は普遍的で、生きとし生けるあらゆるものを包みこむ絶対的なものであった。つまり、天命から人間は知識を獲得したのである。ここに示唆されている生の永遠の過程は天命であり、絶対君主に対してではなく、生命の過程そのものに対する天命だとする考えは注目すべきである。尊徳はつづけて、永遠につづく生命の過程は、それが天命である以上、「もとの主《あるじ》」であり、「もとの父母」でもある天あるいは自然を引照基準にすることは当然だと断言した。すなわち、天あるいは宇宙全体は、その細部である「我」に宿り、天は個々人のうちに存在するということである（「我が身の天、天の分身」）。すべての人の個は小さな天あるいは自然であり、無限なる生命の過程の具体的な一部である。それぞれの人が自己の内部に天を保有しているとする考えは、労働についての報徳の考えの一部である。昌益はこの自然エネルギーの考えを、「直耕」の実践によってのみ治められる自然共同体という理想につけ加えた。益軒によって明確にされた農学の伝統のなかで、尊徳は、耕作には自然からは得ることができない人の知性の投入、組織的な仲介がなされていると主張した。そしてこの人間の知性の介入を「作為」とし、自分の考えと荻生徂徠の考えを関連づけようとしたようだ。徂徠は、政治的、社会的に構成されたものは自然ではなく、「言葉」つまり「法」を人為的に拡大したものだとする理論を打ち立てた。自然にはルールがある。尊徳が語った「言葉」は慣例的な言葉に先行していた。その言葉を学ぶことによって、一般の農民は身のまわりの世界を秩序づけ、体系化することができた。これは、村の農民に飢饉をもたらすような力を避けるためであった。(10)

作為のない自然共同体という安藤昌益の思想と、作為は社会秩序のために必要だとする荻生徂徠の思想とのあいだにあって、尊徳は、おたがいを助けるために農民がつくり上げた「共同体」の言説を形成した。この共同体は、農業の世界に秩序と計画を形成するという必要性にも対応するものである。尊徳が「人道」すなわち「作為」として計画に言及したからといって、尊徳と徂徠を混同してはならない。徂徠が語った作為はひとつの支配体制であり、それによって人間のあいだの差異を定め、そうすることによって社会に正義を分配するものであった。尊徳が関心をもったのは、かれがいうところの作為を均等にするために、法的秩序を干渉の武器とすることなく、みずからを助ける民衆であった。尊徳の人道には、前述したような民衆としての商人の気性と感覚に近いものがあった。それは、天は好き嫌いなく、すべての人に恵みをあたえるが、人は経済的な苦境に陥らないようにするために、みずから行動し事をなすというものである。要するに、人道という思想は尊徳独自のものではなく、主体的にリスクをとるような民衆のあいだに広がっていた言説の一部であった。

天、すなわち普遍的な自然は誠と徳を実現するエネルギーとして各個人に内在する、という尊徳の哲学には広範な意味がふくまれている。すなわち、小さな自己は自身を普遍的な自然と同一化し、その自己は対等と見なされるすべての他者とも同一性の関係をもつ。人と人とに根本的なちがいはない。そのことは、身分が高くても低くても変わらない。各個人は生命の天徳と同一であるからこそ、一人ひとりが救済され、思いやりをもって取り扱われるに値する。これもまた、仏教の教えを思い起こさせる。それは、すべての人はまったくおなじ神聖な資質に恵まれており、そのことによってすべての人間は「平等」なのだという教えである。尊徳は、生命という徳は天からの恵みとして、すべての人に分け隔てなく分配されると考えていた。これは徂徠の考えとは異なる。徂徠は、一人ひとりに対する天の恵みは個別で異なり、徳は各人によって実現される（「徳は徳なり」）と信じていた。尊徳にとって徳とは、相互扶助か契約による枠組みのなかで作物をつくり出す、農業の質をとおして実現されるものであった。この枠組みでは、志をおなじくする人びとが同一の徳を共有し、人の生を救うことに力が注がれる。「報徳」の「報」の字は、徳に対する「報い」と解釈されることが多いが、仕事をとおして徳を実現すると解釈するほうがよりよく理解できるのではないだろうか。ある人を他人と違う存在にするものはその人の徳ではなく、その人が実際におこなったことの質である。つまり、その人が自分自身とほかの人びとの生命を育むために、どのように「実践したか」ということである。[11]

ここでとりあげた教えがもたらす倫理的な力は注目に値する。普遍的な天すなわち自然は、利己的な意図で生命という恵みをもたらしていたのではない。尊徳が民衆に教えたように、天に「私的」な感情はなく、特定の個人や集団、武士階級はもちろんのこと、農民さえも優遇することはしない。したがって論理的に、各々の「個別の自己（天地の分身）」は、天にしたがって行動すべきだということになる。すなわち、確立された基本原則の「文法」にしたがって行動するということである。この文法とは恣意的な介入ではなく、このような合意された決まりを適用して、階級や富についての偏見なしに他者を助けるということでもある。人はつねに「自然のなかで、自然とともに」行動し努力し悟る（天地と共に行う……務む……尽くすべし）。このように倫理的に行動する人間にとっては、肉体的精神的自己に気を配り、実効性のある行為に結実させることも欠かせない。それゆえに、尊徳の運動における不変の教えは「我を愛せよ、我を敬せよ」である。ここでいう我とは、明らかに自己に内在する天のことである。[12]

しかしながら、このように「人道」を信奉することは、自然は主体的な意図を有していないという事実を認識し、受け入れることにもとづいていた。つまり、自然は人間に対して好意的ではないということである。実際、自然の営みは多くの場合、人に優しいものではなかった。古代の人びとは、自然についてこの点を理解していた。自然はその営みにおいて善意も悪意も抱かないということだ。自然はつねに美しく崇高なわけではなく、人間の生活を破壊する場合もあった。そう理解していたからこそ、人は自然という制約のなかで生き抜くための方策を講じる必要があったのである。計画的に食糧を生産し、衣服を作り、住まいを建てる。そして決定的に重要なのは、「余剰分」を蓄えること、つまり貯蓄であった。貯蓄という対策は避けられない危機に備えるために貨幣や信用貸しに頼ることにつながった。安藤昌益が提唱したような完全な自然共同体によるかつての対策は、尊徳の選択肢にはなかった。しかし尊徳は、破壊的な自然の力への必要な対抗策として、余剰分の責務にともなう「言葉」の重要性を十分に理解していた[13]。

言葉と正確性という論点は、徳川時代の知識に関する言説では、しきりに議論されており、尊徳においても例外ではなかった。昌益と梅園は、岩手と大分という日本の両端から、たがいに近い見解にたどりついた。それは、言語はものごとの誠に合致しない考え方をする傾向があり、ごまかしがちだというものであった。昌益は言葉には、とりわけ食糧を生産する農民に対する政治的支配を助長するだけという、まちがった道徳的な主張がふくまれていると結論づけた。梅園は言葉が、自然現象のとらえ方についての習慣的な偏見をあらわしていると非難した。自然の存在や事象に人間の感情を押しつけ、自然をありのままに理解するのを妨げているというのである。人間は好き嫌いの感情を、虫であろうと、ネズミや蛇のようなもっと忌み嫌われるものであろうと、自然にある存在に対して押しつけ、それに人格をあたえている。人間は自然に存在するものにみずからの感情を読みとり、その感情を言葉で表現する。たとえ自然に存在するものが、人間の言葉とはまったく関係のない論理によって生命を吹きこまれているとしても、である。それゆえ梅園は、一般に受け入れられている言葉が信頼に足るものかどうかを考えるよう呼びかけ、言葉の従来の慣例以外で自然の内なるはたらきについて伝える方法を探究した。徂徠は、これとはまったく異なる視点から、政治倫理の安定した基盤を求めた。徂徠はやがて、日常生活で交わされる言葉はその意味をゆがめられ、基本的な名前やそれらがもつ本来の意味が失われていると主張した。この「ゆがみ」によって、人間は長い歴史のなかで習慣をつくり出していったのである(14)。

この広範な言説のなかで尊徳が主張したのは、名前というものは、人間が自分たちのおこなったことを記録するという機能的な必要を満たしているということであった。たとえば計画の概要をまとめる、見積もりをつくる、結果を一覧にするなどである。人間はまた、自然の規則性をあらわすための名前もつくり出した。こうした客観的な規則性に名前をつけたのは人間であり、自然が名前を割り当てたのではない。さらに人間は人間関係にも名をつけ、共同体に属する人びとが敬い従うような倫理的な立場をもたせた。その一方で、言葉や規範をつくり出し、それによって歴史としての現在の流れを管理したような聖人としての先王については、尊徳はほとんど語っていない。かれはむしろ、目には見えない根本的な原理を用いる自然のはたらきについては十分に記述できないがゆえに言葉は基本的なものではない、という命題から出発した。知識は直接的な体験や生産の実践、自分や他者を救う実践から得るものであり、学問的な言葉に仲介されるものではない。言葉が基本的であるというのは別の意味においてである。すなわち、「真実」つまり正確で一貫した知識にもとづいて実践を文書にまとめ、記録として残すための手段としてである。要するに、道は言葉や学問のなかには見いだせないもので、実践や徳の実行のなかに埋めこまれており、言葉はそうした徳を記録するものであった(15)。

まさにこの意味において、言葉は重要になった。言葉は、道徳的な遺産や重要な事件、支配者の歴史をまとめるための神聖な様式などではない。言葉は、人の行為を正確に記録する手段そのものであり、道徳的な約束という評価を得るようになった実践にかかわるものであった。だからこそ、尊徳の運動においては、村のあらゆる相互扶助的な合意は明確な言葉で記録された。そうすれば、用語とそれが意味するものに疑義が生じることはない。読み書き能力の意義とは結局のところ、古典や、さらにいえば真正な国家的文献の規範について学び、歴史的倫理的な知識を得ることではない。人間は基礎的な知を把握する認識力をそなえている。しかし文字がなければ、毎年成し遂げたいと思っていることについての合意を記録しておくことができない。この種の読み書き能力は生まれつきのものではない。人間が自分たちの実践を記録し、それに名前をつけることは「作為」であり、「人道」である。「天道」と混同してはならない。言葉は手段であり、一貫した規則を書きとめるためのものであり、道具や衣服、住居、寺院をつくる際に頼るべきものだった。定義や名前がなければ、人間はこのような実践をおこなうことはできず、自然界のほかの生物となんら変わるところがないものとなってしまう。言葉があるからこそ、人は地域社会でたがいに交流することができ、なすべき行為や負うべき義務、もっと一般的にいえば合意事項や説明責任について決断することができる。したがって農業の世界では、言葉や名前はとくに重要である。かならず起こる飢饉や伝染病に対する備えを充実させることにつながるからである。(16)

尊徳の改革主義的な思想の根底にあったのは、宗教的な概念と融合した一連の哲学的な前提であった。正規の教育を受けず、読み書きのできない民衆であっても知識を獲得することはできるという自分の基本的な前提を述べるとともに、なぜ民衆が知識の源として宗教に依存すべきではないのかについて、尊徳は込み入った説明をおこなった。すなわち、歴史は宗教の創設にはじまるのではなく、人間が農作物を生産することによってはじまる。善や徳についての解釈は、人間が耕すという実践をおこなったのちにはじめて現れた。尊徳はおもに実践についての自分の思想について話し、宗教と正式に関与することを否定したが、自身の講義や会話では哲学や宗教を広く論じた。弟子たちが記録したように、農業改革に向けた尊徳の実践的な提言に付随していた概念全体に一貫していたのはこうした思想である。

尊徳は、さまざまな宗教の教えを自身の倫理にとり入れる折衷派と評されることが多い。尊徳がどの宗教をも完全には否定しなかったという意味では、これは事実である。しかし、尊徳が、宗教的な教えをとり入れつづけていたことは考慮に入れておくべきである。かれが大切にした倫理はつねに農業生産の前提、すなわち農業生産の過程の物理的な自然に根ざすものであった。かれはその考えを固く信じ、それにもとづいて、実践として価値のないものや恣意的な抽象概念と考えられるものを否定した。それ以上に重要なことは、一般に容認された宗教の、主流の考えや実践を否定したことである。

したがって尊徳の倫理が、さまざまな宗教の教えから選び出された信条の寄せ集めであると考えることがそれなりに妥当であったとしても、より正確にいうならば、尊徳はすべての思想の基本的な前提を評価するにあたって、たとえその宗教思想が古代から現在にいたるまで地域社会で受け入れられてきたとしても、労働と仕事の原則に固執したということである。そうした思想が学問的な書物や古典でどれほどくり返しとりあげられたとしても、それが自己や他者の幸福につながらなければ、尊徳はそれをとり入れることはなかった(「予は取らず」)。要するに尊徳は、かれの時代の宗教とは基本的に異なる意見をもつよう主張したのである(「違ふ事あるべし」)。[17]

尊徳は、日本の土着宗教である神道をこの前提にしたがって評価しなおした。国と政体は天に存在する神の延長としてはじまり、国土そのものも神聖なる創造物だとする神道の神官にありがちな考えは、尊徳の見解からすると論理的に受け入れ難かった。天皇——日神あるいは天照大神——は尊徳にとって、農業生産の原理および人間が耕し食糧を生産するようになった歴史のはじまりの瞬間の比喩としてならば納得がいった。この特定の意味で最初の瞬間は神聖とされ、「神道」であると見なされた。この立場によれば、天皇は天の延長ではなく、最初の生産の瞬間を記憶しておくための比喩である。その瞬間以後は、人間はおたがいに助け合う方法を「人道」に見いだしたのだ。神道は農業が創始されたことの社会的記憶であり、人道は実際の歴史的な時間に、人間が自分たちを養うためにおこなってきたものであった。

最初の生産を歴史の始点とする論理によって、尊徳は幕末や明治時代の思想家に近い方法で理論を組み立てるようになったが、これは国学者の手法とは異なっていた。つまり、「神道的瞬間」は日本独特のものではないとしたのである（「万国皆然り」）。この点で尊徳は、自分と本居宣長のような学者を切り離した。本居宣長は、この国は神からあたえられてはじまり、その国土や言葉は神聖なものであると強調した。かれによれば、代々つづく天皇は神聖なる誠の担い手であり、神道のまさに創造の瞬間をもって日本人一人ひとりの魂の自我を確立させたのだ。一方、尊徳は、農業生産がはじまった瞬間がすべての社会における歴史の始点であると考えた。したがって、それはどこかの国に特別なものでも、独特なものでもないということになる。どの国にも、食糧や衣服、住まいがはじめてつくり出されたそれぞれの「神道的瞬間」があるにちがいない。それは神聖な瞬間であり、日本の神道となんら変わるところがない。歴史がはじまったのはこの瞬間であって、独特でほかとの違いをもたらす言葉によるのではないと尊徳は確信した。

さらに尊徳は、徳川時代に存在した諸問題に対する解決法は、古代の神々に迷信的に祈りを捧げることにもとづいて考えたがる神官や学者による助言では得られないと考えた。つまり、神が介入して現状から救ってくれると信じることは無益である。人間が頼ることのできるのは、自然に関する知識と、ある世代からそのつぎの世代へと日常的に直面する課題に対処する際の正確な方法しかないからである。この事実は不変だと尊徳は確信していた。日本の「宗教」として神道が受け入れられたのは、それが農業を見いだしたことによって、古代に国が開かれたという物語と見なされたからである。それは、食糧を生産し、風や天候など自然の力に耐えるための日用品がつくり出されたときでもあった。尊徳は、そうした生産や製造は「人間的」であって自然そのものには見いだせないものの、自然の過程や自然が提供する原料や力と深く必然的に結びついていると強調した。これはどの国についてもおなじであった（「万国同じかるべし」）。こうした古代の発見が、神聖なる天皇や、神々の末裔としての人びとという思想と混同されることはなかった。実際、神官の助言などには耳を貸さないほうがよかったのである。[18]

これより一世代早い一八〇〇年代のはじめ、懐徳堂では山片蟠桃が神道に疑問を呈する尊徳と同様の見解をまとめていた。蟠桃の講演録はほとんどがかれ個人の手元におかれ、一般向けに出版されることはなかった。それゆえ、尊徳がそれを読んだとは考えにくいが、両者の見解には共通するテーマがふくまれていた。すなわち、神は人間を救わない、むしろ、人間がみずからを助け、そして天に感謝する、というのが共通の見解であった。蟠桃は神道と国学者を批判した。本居宣長に対してはもっとも手厳しく、人びとに偽りを教えたとして批判した。天皇や国土、民族の起源を神聖なものであるとする主張は、人間の理性と真っ向から対立するもので、とうてい受け入れ難かったからである。蟠桃は、自然という普遍的な原理にしたがって、社会より先に土地または地理的条件が存在していたと主張した。地理的条件にしたがって社会が発展したのであり、それゆえに世界中の人間の社会にはちがいがある。社会とそれをとり囲む環境が相互に作用することによって階層が生じ、それがやがて首長や天皇の形成につながった。日本の天皇も、こうした人間の発展の一般的な枠組みの外にあるものではない。したがって、天皇は社会の延長と見なされるべきであって、神聖な存在であり、神聖なる起源の末裔としての人民と土地を所有するなどと見なされるべきではなかった。[19]

天皇を農業生産の象徴であるとした尊徳の思想は、蟠桃の社会君主制の思想とともに消えていく。後者は、近代国民国家に不可欠な絶対的な国家主権のためにもイデオロギー的に利用された。神道および神道が介入することによって人びとに幸運をもたらすという曖昧な主張に対する尊徳のいら立ちも、しだいに顧みられなくなっていった。事実、小田原にはかれの名を冠した神社が建立されたが、この二宮尊徳神社の名称は、尊徳自身が認めなかった国学の伝統と尊徳を結びつけ、かれを全国の神社網に位置づけたのである。

神道に対する批判と同様の手法で、尊徳は儒教を批判した。それはとくに、自然共同体と比較して社会秩序は望ましいかという儒教と道教のあいだの論争について展開された。尊徳はまず、儒教が天道や無限で不変の自然秩序にもとづかず、統治の人為的な規則に依拠していると批判した老子の見解を支持した。尊徳は一方で、老子が、よく練り上げられた計画に沿った農業によって維持される共同体で人間がなぜ、どのように共に暮らしているかを説明していないとして批判した。老子にとっては、組織された人道はどのようなものであれ、当然のこととして「作為」であった。おなじように、互恵という共同体主義的な概念も作為であった。儒教は基本的に社会に秩序を課そうとするものだとする老子の見解を念頭におきつつ、尊徳は儒教がなによりも先に人間の共同体があったと想定している点に異議を唱えた。儒教が人間中心、「人あり」だといわれるのはこのためである。社会は自然の空間に存在し（「土あり」）、富の生産はそのつぎである。尊徳は、儒教の限界は人が第一、自然が第二とした基本的な誤りにさかのぼると考えた。儒教の倫理体系はこの想定にもとづいて組み立てられていた。かれは、自然あるいは自然の地形が、共同体で生活する人間よりも先に存在していたとする原理を堅持することが基本だと主張した。あらゆる倫理的な知識は、自然たる土地が社会よりも先にある（「土ありて人あり」）という考えにもとづくべきであった。農作業において、はじめて共同体が成立するようになったのである。こうして人道は食糧の生産と直接関連づけられ、食糧の生産は物をつくり、人を組織することを必要としたために「作為」であった。また、この一連の行為は、儒教とその人間中心の道徳を重視する共同体の理論が確立するはるか以前に存在していた。[20]

尊徳は、儒教の定理、すなわち人間の共同体は自然そのものの一部であるかのように所与のものであり、その意味で慈悲もあたえられた価値であるとする考えからは距離を置いていた。朱子（一一三〇－一二〇〇）など一二世紀の新儒学者が示した新たな考えにおいては、秩序は「人間」から「土地」、そして「政治」へという順序で形成されるとされた。朱子学が拡大して徳川時代にいたると、儒教思想全体がこの仮定に追随した。

尊徳は、太宰春台が孝行を「自然なもの」とした点を批評し、これに関する自身の思想をさらに展開した。太宰のこの指摘は、天の下に存在する人で親のない人はいない、したがって聖人はこの事実を「当然」に延長したものとして「孝行」に言及した、という信念にもとづくものであった。もし、人間を中心とする儒教の思想を前提として受け入れれば、この推論には説得力がある。しかし、そうした儒教の歴史観はすでに浸透していた。そのような歴史がはじまる以前、農耕がなされるようになる前の生活に注目して、尊徳は孝行という倫理を正当化するような親の観念があったのかどうか疑問に思った。尊徳は、儒教が人間中心主義であったがゆえに、孝行が存在する以前の農耕という考えと実践を理解できなかったのだと考えた。「当然なもの」としての「親」や、「共同体」の起源としての「親」について語る言葉は、尊徳にとって納得のいくものではなかった。

尊徳はこの論点に沿って理論構築をつづけた。親が当然のこととして道徳的な特性を獲得するのは、子供をもうけるからだ。実際、子供が誕生することによって、意識することなしに「親」が定義される。したがって、親になるということは、既存の道徳的範疇に収まることではなく、子供の誕生という自然の過程の延長である。これは自然そのものの精神に起因することであり（「天地の霊命にあり」）、儒教が仮定していたように、先天的で不変の倫理的なものによるのではなかった。要するに、出産という自然の過程は「子供」より先にあり、「子供」は「親」より先にあるということだ。儒教は人間中心をゆるぎない第一の前提として出発したために、より根本的な自然の再生産や、農耕が存在しなかった時代、すなわち共同体が未だ形成されていなかった時代のさらに根本的な過程を考慮しなかった。「孔子といえども」徳ははるか昔から存在していたと考えた。尊徳はここから、「天の子」や民の本源的な「親」としての天皇を正当化する教えは歪んでいる（「非なり」）と結論づけた。ちょうど「子供」が「親」を定義するように、全体としての「子供」が「天皇」を定義するのである。「子供」としての「民」は、そのアイデンティティを延長して「天皇」にいたるはずであり、その逆ではない。[21]

儒教は道徳論を設定したが、そこでは最初から、政治がある種の共同体を構成するよう「民」に命じていた。この道徳論は、歴史が順調に推移していたときに形成された思想体系（中流的思想）である。徳、正義、慈悲などの規範が確立したのは、そうした順調な時代だった。倫理的な徳の誕生時にさかのぼれば、それらの徳は、農耕にたずさわるのみで当時の倫理的な意義についていかなる基本的な主張もしなかった人間に言及している。

当時正統派と見なされていた教義に対するこのような批判のなかで、尊徳は、慈悲の倫理や文言を直接否定することはなかった。むしろ、人間が生活の中心に居るというよりは、自然がもたらす大きな困難に立ち向かう方法を考え出していたころと比較して、儒教の考え方の歴史的限界を主張したのである。かれの結論は、儒教の関心はおもに社会秩序にかかわる問題であって、労働すなわち実際の食糧生産についてではないというものであった。儒教は、法律家や学者に高い地位を認め、農業にたずさわる人びとにはそうした地位を認めなかった。現状の秩序を維持することがなによりも重要だったからである。尊徳は、儒教が農業の基本条件を損ねるがゆえに人びとのあいだに広めるべきではないという見解を明らかにした。しかし明治期になると、公立学校で学ぶ少年少女に教える倫理を強化するために、尊徳は広い意味での儒教の伝統のなかで蘇らせられた。尊徳が最終的な結論として「儒道ほどつまらぬ物は有るまじ[22]」と切り捨てたことは言及されなかった。

尊徳がとりあげた三つの宗教のうち、仏教についてのかれ個人の考えがもっとも複雑である。尊徳は曹洞宗の影響の強い地域で育ったので、人生のさまざまな転機に際して座禅を組んで瞑想した。かれが用いる言葉は仏教哲学への傾倒とはくい違うことが多いが、実際に報徳でつかわれる言葉は一二世紀以来発展した真宗の言葉に共鳴している。それは絶対的慈悲の菩薩であり、すべての人の救済の誓いを明確に述べた阿弥陀仏から受けた恩に報いる労働にこめられた崇拝の気持ちは、自然から受けた徳という恵みに応えることが労働だとする尊徳の思想に通じる。すでに述べたように、この思想は貝原益軒の、生命は自然からの恵みあるいは賜物であり、そのことが人間に、生命という恵みを養うことで報いるという責務をつくり出した、という思想に近いように思われる。報徳と報恩は緊密に関連する概念だが、尊徳は恵みや生命の絶対的源泉と労働との関係について、かれなりの唯物論的な解釈をおこなった。

門弟との対話のなかで尊徳は、人の意識や言葉が誕生する以前から存在する、拡大する「円」（「一円」）の内に、究極的にすべてのことが包摂されるということに、たびたび言及した。一円についてはさらに、この包摂が歴史的時間をつうじてつねに存在し、宇宙にあるすべてのものを取りこみ相互に関連させる、という考えが尊徳の思想に存在しつづけた。したがって、尊徳が「空」というイメージを用いて通常の道理を超えた可能性を示したことや、悟りの思想で表現されるように、この普遍的な真実が直観によってのみとらえうるものだったことは驚くにあたらない。

尊徳はこのイメージに、因果関係の「直線的な」過程を加えた。すなわち、現時点における一つひとつのあらゆる行為は、原因から生じた結果をともなうということである。尊徳は、「因果／因縁」という仏教用語を用いて、人がおこなったことの因果的な影響の重要性を論じた。正確を期そうが偶然に任せようが、すべての行為には因果関係がついてまわる。仏教におけるこの因果の論理は輪廻を意味し、肉体が死んでも魂が生きる可能性を意味する。しかし尊徳は、永遠の平和という魂の生命に転換してしまう仏教の超越的な思想には関心がなかった。かれにとって、死とは肉体的な存在が自然の過程に回帰することであり、巨大な円のなかですべてのものが普遍的に相互に結びついている状態に戻ることであった。死は生命の過程の一部であるというこの立場は、伊藤仁斎や安藤昌益、貝原益軒、山片蟠桃といった徳川時代の多くの思想家と共通していた。自然の宇宙の「生―生」理論と呼ばれるこの立場は、仏教の「生―死」の弁証法の転換の論理とは対照的であった。尊徳はこうした思考の枠組みのなかで、自分を埋葬するときはどこかの森のなかに土を盛るだけにして、思想的な碑文を刻みつけた記念碑や石碑を置かないようにと遺言したのである。

そのことから、尊徳は仏教の因果応報の哲学を評価するようになった。それが過去のおこない、現在の行為、おそらく生じる将来の結果に由来する見通しを認めていたからである。しかし仏教は、因果応報の論理を歴史過程の思想に転化することはなかった。今この時が、記憶のない時代からそうであったように、つねに永遠なる現実であり条件であるとされる。仏教では「自然（しぜん）」は、生命が自ずとあらわれること（「じねん」）と解釈され、現実そのものがあらわれる世俗的な現実、エネルギーのみとしての自然についてはなにも説明せず、死後の魂はどうなるのかという人間の関心とはかかわりをもたなかった。仏教の強みは、平和と平穏の可能性を一人ひとりに感じさせ、精神的な不安から解放したことである。しかし仏教は、「全体としての人びと」の精神的状況や、すべての人びとがそれぞれの悲惨な暮らしの条件からどうしたら救われるかという問題にはかかわらなかった。仏教が儒教よりすぐれていると思われるのは、過去の行為の結果として現在があり、将来を形成するものとして現在があると理解しようとする因果応報の理論をもつからである。しかし尊徳は、仏教には欠点があると考えた。なぜなら、将来に関する哲学が問題としたのは永遠の平安であり、長期的な成果をもたらす取り組みをとおして変えるべき現在の物質的な窮乏ではなかった（「現在を主とせず」）。したがって、仏教における自然は終局的には、永遠の静寂や平安についてのものでも、「自ずから」信仰が明らかになることでもなかった。しかし、実際には今生きている人を救うのは集中した「努力」（「勤労」）であり、実践のためのエネルギーであった。さらに明言するならば、現在のこの行為が、現在や将来の貧困や窮状を緩和するかもしれないのである。現在の窮状は、たとえば武家体制の財政政策のように、過去のおこないによってもたらされたものである。しかし今この現在は、将来において、ほかにどうすることもできなかったと見なされる必要はない。問題は、何を、どのような戦略でおこなうかである。因果関係についての尊徳の考えによれば、欠乏の苦しみが過去から未来へとつづく人間の条件であると考える必要はなかった。[23]

したがって、歴史学者が尊徳を全体として折衷派として評価したことはまちがいではないが、誤解を招く。つまり尊徳は、さまざまな精神的伝統を引用したが、それぞれの主要な傾向を明確に否定している。神道が重要だったのは、人と神を仲介するからであった。儒教は、学問の長所を生かして道を明確に示した。仏教は、生から死への転換を説明した。しかし、これらのどれもが、将来における生命の枠組みとしての現在の生産や労働という、人道の課題に対処する術をいちじるしく欠いていた。そうした努力の目的は結局のところ、相互扶助的な共同体のなかで他者に手を貸し、他者を救うためであった。他者にあたえ、他者を救うというこうした行為も、おなじく人道であろう。それは、一人ひとりが自然の生命という価値をもっているからである。おなじ状況におかれれば、他者に対する愛情（「親愛」）と、すべての人びとに対する愛情は、自己と他者の内にある自然に対する愛情という点ではおなじものであった。[24]

仕法と分度

初期の改革の時代から現在にいたるまで、尊徳の「人道」は体系的かつ長期的な計画（「仕法」）にしたがって進められることになっている。かつて古い時代に最初に考え出された仕法は、人びとが目の前の自然の流れや脅威に直面した、それぞれの歴史的場面で実践されていた。仕法の漢字は、「一連の法を実行する」「手法を適用する」ことを意味している。この方法はとくに村や放棄地の再興を目的とするものだったが、通常は農業に生産の実践を、すなわち徳をふたたびとり入れるために設計された。さらに、仕法には時間の概念がふくまれていた。たとえば一〇年というように期限を切った長期間にわたって実行され、期間の最後には見直しがなされることになっていた。その結果、期限を設けた長期的な仕法が新たにはじめられることもあった。仕法は、書きとめられて「記録」され、計画の諸々の条件が忘れられることはなく、また場合によっては変更されることもあった。それぞれの年になされたすべての取引も同様に記録され、実行したことや仕法の条件にしたがってなされた貸付と返済についても、それに関する証拠を残したのである。長期計画を実施することによって、人道の「誠」が実現され、記録されていった。

一つひとつの段階はなりゆきまかせではなく、意識的に人の手による介入が必要で、つねに自然の知恵と自然の「文法」を利用しておこなわれた。すでに述べたように、この「文法」は学問的な書物から直接理解するものではなく、自然そのもののなかで、また自然とともにおこなう労働をとおして、実践から学ばなければならないものであった。現在進行中の自然や人の知識、そこにおける実践の真実を理解するために、古代の原点に立ち戻るべしというような理論的な指摘はなされなかった。尊徳の仕法における「法」は明らかに法則をあらわしている。しかしこれは司法的な概念ではなく、人間が農業に取り組む規則や手法の一貫性を指している。その時代の学問的な議論では、「法」はそれぞれの領域の基本法に合致するということのみを意味した。一方、尊徳にとっては、通常の人間が自然の法則に沿って行動することであった。独学の改革者である尊徳は、通常の人間にはものごとを理解し、ありのままの現実に対する取り組みを記録する基本的能力があると信じていた。この記録は、季節や年が移り変わっても、真実に対するゆるぎない取り組みの証として残る。そのため、報徳を実践した村落では、文書を保管しておくための耐火性の蔵を建てた。ここでいう文書とは、伝記や通常の意味でのできごとの記録ではなく、長期にわたる仕法の実践の詳細な記録である。その保存は基本的に、正確性を期すことの確認と、ひいては地域社会における相互の信用を守るために役立った。

正確性を期すのは明らかに、規律をうながすためではなく、みずからは譲り、他者を救い、四方《よも》の海《うみ》〔世界〕のすべての村を「一村《ひとむら》」として救う道徳を広げるためであった。(25) これは近代的な意味での経済ではなかった。そのような再定義を試みた人もいたが、徳川時代には、秩序だった方法で他者を救う（「経世済民」）という意味であり、これが経済をあらわす概念的な原点である。「民衆経済」の執筆者たちとおなじく、尊徳も経済的困窮はけっして「偶然」ではない（「偶然にあらず」）と教えた。(26) 仕法には、貧困や飢饉という状況下にある人の生命を救うための倫理的使命もふくまれており、報徳運動の手法や倫理の中心であった。目的をもって計画する――危機にやみくもに対応するのではなく、明確な手法をもって対処する――ことは、利益を得るためではなく、自分と村の人びとを救うためであった。一八〇六年ごろ、尊徳はいくつかの用語をつかって、目的をもって計画を立てるという考えを説明するようになった。一八三〇年代の天保期は経済的に困窮し、飢饉に見舞われていた時期で、こうした考えはほぼ一貫して仕法、つまり体系的で目的のある計画と呼ばれていた。そのころになると仕法は、それが個人的利益を意味するわけではないとしても、かなり明確に「余剰」を生み出すという考えをふくむようになった。この考え方は、自分のために備え、他人に惜しみなくあたえる（「他譲」あるいは「推譲」）という倫理に合致していた。それは恵まれた状況にある人だけがおこなえることで、貧しく困窮している人ができることではなかった。

「仕法」はこのように余剰を生み、時間をかけて積み立てる貯蓄を生むものとして考え出された。実行のしくみである「分度」は予算編成と結びつき、各世帯でも、また長期的な改革計画でも用いられた。分度の文字は尊徳の基本的な哲学を表現している。「分」は、天あるいは自然秩序が利用可能にしたものをあらわしている。天はあたえ、許すものの、決定的に重要なのは、制限することである。天は原則にしたがって提供する。尊徳はこれを、自然の因果で避けることのできない道であるとくり返し表現した。これによって、食糧やそのほか現実社会で人間が必要とするものが生産できるようになる。また、これは人間が戦略を立てる基盤ともなる。「度」は、配分を決め、自然の限界を知り、自然が提供するエネルギーを使って仕事をするという人間の側面をあらわしている。水車にみられるような相反する自然の力がその例である。水車の半分は水につかり、あとの半分は外に出て、人が使えるような力をつくり出し、水を汲み出してそれよりも高い場所に送り、それよりも低い土地を灌漑する可能性を高める。「分度」の「度」があらわすもっとも抽象的で一般的な意味は、適度な量を見極め、測定し、理解する能力である。人間は、自然が許容するものを受け入れ、そのかぎりで労働をする必要があった。また、一貫して公平に資源を分配することも必要であった。自然に無理強いしたり、自然によって許された以外の方法で労働したりすることは、けっしてできなかった。

しかし分度の役割は、極度に困窮したときに飢饉を避けるために余剰を生み出すことにあった。こうして分度は、農村での労働と生産を決める枠組みとなる。生存のためと報徳運動を維持するための費用（管理費や現在では「諸経費」などと呼ばれるもの）のほかに、明らかに余剰を見こんでいた。その余剰は利子がつく基金に預けられ、緊急事態に備えて積み立てられた。この基金の使途は、飢饉の際の食糧購入、急に物入りになった世帯への貸し出し、放棄された田畑の耕作、換金作物や新しい農作物および副作物を生産するための貸付拡大、そして一般的に農業経済の生産性拡大のための費用などであった。こうした貸付や利子付きの基金にはさまざまな名称がつけられたが、もっとも浸透していたのは報徳金という呼び方である。

「分度」を基本的に構成したものは、まず人が「天」からの分配として得たもの（天分）、いわば基本的な収入の一〇〇パーセントである。生産から得た収入のうち、四割はお上の命令によって年貢として藩主に収める。残りの半分は家族の「必要」に当てられる（「分内」）。これは「我」に対する天の恵みであり、分内のうち、一割を緊急事態に備えて別にしておく。詳細は各世帯に委ねられた。残りの半分は「それ以外の必要」にあてる（分外）。分外のうち、半分は「内」に取っておく。つまり、「我」の周囲、とくに家族のために別にしておくということだ（「自譲」）。残りの半分は、譲る（「推譲」）か、「他人」にあたえる（「他譲」。ここではおもに長期信用貸付の報徳基金「報徳金」に定期的に預け入れることを指す）ためにとっておく。ここで重要なのは、明確な表現である。「自分」にあたえるのは「自譲」、「真正の」自分自身として他者にあたえることは「他譲」である。以上のことは、一人ひとりにおける天の哲学すなわち生命という恵みのなかで明確に述べられている。適度を見積もり、「自分」と「その他の自分」の生命の面倒をみることの詳細を知るという分度の基本的な手法は、飢饉のように不可避で困難な状況での相互扶助に適用された。

分度がどのように機能するかについて詳細に述べることは、一見してきわめて入り組んでいるようにみえる契約について説明することになるが、予算（分度）の全体的な構成は複雑ではなく単純であり、簡潔かつ厳格であった。尊徳の愛弟子の一人、斎藤高行の簡潔な言葉を借りるならば、分度の原則とは「入りを量りて出るを制する」である。古典的な理論からすると、分度を律するのは中庸の原則である。人が天から受けとるものすべてはつねに相対的であり、調整されなければならなかった。しかし、それぞれのすべてに中間点にあたる中庸があり、そこから配分が決められた。運用と記録に力を入れると、五年あるいは一〇年という期間内に貧困層と富裕層の格差や他者を救済する力がはっきりとあらわれた。以下に示す概要は「分度」（予算）を要約したものだが、二つに分けて、半分は世帯の維持に使い、もう半分はさらに二つに分け、家族一人ひとりや世帯として必要なものと他者を助けるために使う。こうして、年貢を納めたのちの収入の約四分の一は慈善や施しのために別にしておく。他者にあたえ、他者を救うことは人道においてもっとも高い道徳的な価値とされたのである。[27]

自然資源（天分）

世帯ごとの資源の分配（分度）

あ　世帯維持の支出（分内）——五割

1　経常支出——今日、今月、今年の支出。世帯の日常交際、教育費を含む

2　臨時支出——婚姻、葬式、祭り、火事、伝染病など特別の出来事

い　世帯維持以外の支出（分外）――五割

1　他者に対する支援（他譲）――他者への寄附、貸付、援助のための貯蓄

2　自己への支出（自譲）――来年のための貯蓄、個人的な必要、自身、家族、子孫のための長期積立[28]

前述のとおり、一つあるいは複数の村レベルで総純収入を計算する場合、総生産高の四割は藩主に収める年貢米として別にする。つまり、報徳は年貢米の負担を放棄する運動でも、年貢見直しを求める一揆に加わる運動でもない。まず年貢米の義務を果たし、つぎに税制が届かないところで徳のある仕事がなされることによって安定した収入を得るための余地を生み出す運動であった。したがって、報徳においては総生産高を正確に算定し、各世帯への実際の割当量を算出することが不可欠であった。尊徳はこの目的に適った大まかな調査手法を考え出し、それにもとづいて年間予算を見積もり、一〇年以上にわたって徐々に増加する余剰を生み出すような計画を立てた。調査の結果から尊徳は、長期計画（「仕法」）を実行する条件を藩主とともに決定するために必要な情報を得ることができた。尊徳の調査結果の詳細は、藩の行政責任者に提出する報告と提案にまとめられた。藩の行政責任者は事実にもとづいた情報を見れば、尊徳が提案する条件に同意するだろうと見こんだのである。提案の基本計画は、小田原藩の飛地であった桜町〔下野、現在の栃木県〕で実践された。桜町での仕法という任務を引き受けるために、尊徳は相模の自宅を処分して妻子を連れ、千人にのぼる民を救済するために尽力したという話がくり返し語られ、広まっていった。

桜町で尊徳は、調査もふくめた手法の詳細を明らかにし、それを公式の改革計画に組みこんだ。尊徳は藩主に対して適切な道徳的正直さが望ましいことを説くのではなく、地域の経済の状況について広い視野に立った調査で得た情報を提示し、その地域経済のための長期的な改革計画である「仕法」をおこなった。藩の窮状についてのかれの調査結果の概要は明確で説得力があった。(一) 過去一〇〇年に、農業人口、ひいては農業生産と収入は減りつづけている、(二) 耕作放棄地の割合はその間、着実に増えた、(三) 放棄された水田の割合は放棄された畑の割合より高い、(四) 約四割の年貢は農民の生活を苦しめ、以上のことが藩にとっては税源として依存している米作の減少を説明している。

尊徳が集めたデータから、かれの計画の枠組みと、それを実現するためになすべきことが明らかになった。かれは地形的な特徴で土地を区分けし、それぞれの区域の土地全体の広さと荒地に比例した具体的な生産高、全体に占めるそれぞれの割合を算出した。これを田地と畑地に分けておこなった。そうすることによって、尊徳は農民が田地から畑地の耕作へ移行したことをはっきり認識した。この移行は、人口減少および主として米の税率が高かったためである。尊徳はつぎのように指摘した。畑地の農作物収入が課税分をまかなっているのが現状だが、そもそも米を多く生産しつづけるよりは、地元の市場で売るための野菜やそのほかの食材を生産するほうが利益が大きく、米を生産しつづけても、その大部分は年貢米として納税することになる。したがって仕法がおもに取り組んだのは、放棄された田地の再生であった。

尊徳は歴史の記録を検証して、この地域の人口動向をまとめた。一七〇〇年 (元禄時代)、桜町地区〔『尊徳開顕　二宮尊徳生誕二百年記念論文集』九五頁に「物井、東沼、横田の三か村」を野州桜町として紹介している〕には四〇〇戸、一九〇〇人が住んでいた。一八二一年（文政期）になると、一五六戸、七三二人に減少した。これには、逃散や間引き、捨て子など、いくつかの要因があるだろう。しかし記録は、民衆の道徳観念が堕落したせいで生産高が減少し、耕作地が放棄されたとは示していない。かれらにはどうすることもできない力のために絶望や自暴自棄に陥り、家や田畑を放棄するにいたったのである。年貢米による歳入をくわしくみると、この下降傾向がはっきりとわかる。一七〇〇年、米の収穫量は三一一六俵だった。一七六〇年（明和年間）は二〇〇〇俵、一八〇〇年（文化時代）は九〇〇俵余であった。これらのデータから、過去一〇〇年以上のあいだに米生産高と歳入が減少したことは明らかであると、尊徳は論じた。藩は年貢課税率を四割に引き上げるというあからさまな増税の方向へ走った。そのような状況になったために、農民は田地から逃げ出したのである。尊徳のデータが興味深いのは、農民が畑地での農作物（豆や野菜）の耕作に転換し、その作物を市場で売って収入を得て、米ではなく現金で納税の義務を果たしていたということである。尊徳の調査が明らかにしたことは、水田の数と米の生産が大きく減少し、田地の五割が「放棄」され、畑地の生産が安定したレベルまで増加したことであった。

村全体の人口が減るとともに労働人口も減り、荒地とくに米を生産する田地の荒地が増えていった。横田村の調査で尊徳は、水田全体の六二・七パーセントが荒地もしくは放棄地であり、生産地は三七・三パーセントであると記録している。三つの村〔表3は右記「物井、東沼、横田の三か村」の田畑生荒表として『尊徳開顕　二宮尊徳生誕二百年記念論文集』九四頁に記されている〕を合わせると、生産地と荒地の比率はそれぞれ四六・一一パーセント、五三・八九パーセントである。こうした区分のなかでも、ある区域はほかの区域よりも明らかに荒廃し、とくに注目する必要があった。生活区域に近い「屋敷」と「芝野」（シダヤキノコ、そのほか農作物以外を育てて収穫した村の共有地ではないかと思われる）を考慮すると、乾地の優に九七パーセントは生産に供される土地であった。表3の調査データが示すように、畑地耕作は水田での米作を上まわり、休耕地の割合に対する畑地の生産地の比率は水田の場合よりも圧倒的に高いのである。

　尊徳にとって調査の結論は明らかであった。農民は生産高にくらべて年貢の負担があまりに重すぎるために米作をやめたのである。また、農民の多くは田地を捨て、村を出ていった。これは人口減少が裏づけている事実である。そのほかの農民は、地元や地域の市場で需要があったので、野菜やほかの畑地農作に転換し、利益を得ていた。畑地の農作物は米の生産よりも多くなった。尊徳の方法は米作を推奨し、また農民に市場向けの農作物による収入の保証までしても、土地に戻るように仕向けることであった。

　農業生産を回復しようとする尊徳の計画は、水田の休耕地をふたたび耕作し、畑地での商品作物の生産を奨励しつづけることを基本とした。一〇年にわたって余剰を生み出せるかどうかは、田畑の両方でおこなわれる労働しだいであった。尊徳が考え出したのは、畑地で市場用に生産した作物については、その作物が売られる前に信用貸し基金で一定の価格を「保証」するという方法である。こうすれば、農民は収入が保証され、畑での生産に従事することができる。保証された市場価格を超えた場合の収入は積立金にくり入れられた。

　水田とりわけ放棄された土地を耕して米作をうながすために、その取り組みにたずさわる農民の励

表3　二宮尊徳による桜町（横田村）での調査データ，1830年ごろ

A. 桜町横田村の田畑生荒表の例・水田（a）

	上々田（b）	割合	上　田	割合	中　田	割合	下　田	割合	下々田	割合	小　計	割合
田地	町，反畝，歩	100	町，反畝，歩	100	町，反畝，歩	100	町，反畝，歩	100	町，反畝，歩	100	町，反畝，歩	100
	10, 19. 23		15, 12. 28		15, 25. 12		14, 66. 03		3, 83. 27		59, 08. 03	
生地	5, 85. 17	57. 4	6, 44. 23	42. 6	2, 62. 07	17. 2	5, 93. 28	40. 5	1, 17. 27	30. 7	22, 05. 12	37. 3
荒地	4, 34. 06	42. 6	8, 68. 05	57. 4	12, 63. 03	82. 8	8, 72. 05	59. 5	2, 66. 00	69. 3	37, 02. 21	62. 7

B. 桜町横田村の田畑生荒表の例・畑（d）

	上　畑	割合	中　畑	割合	下　畑	割合	下々畑	割合	屋　敷	割合	芝野立出	割合	合　計	割合
畑地	町，反畝，歩	100	町，反畝，歩	100	町，反畝，歩	100	町，反畝，歩	100	町，反畝，歩	100	町，反畝，歩	100	町，反畝，歩	100
	12, 81. 00		5, 19. 16		5, 33. 21		60. 04		1, 86. 01		5, 03. 24		30, 84. 06	
生地	12, 16. 02	94. 9	5, 02. 23	96. 8	5, 24. 21	98. 3	60. 04	100	1, 86. 01	100	5, 03. 24	100	29, 93. 15	97. 1
荒地	64. 28	5. 1	16. 23	3. 2	9. 00	1. 7							90. 21	2. 9

出典　黒田博「桜町仕法の「量率グラフ」と統計」，河内八郎「常野地方の歴史的風土と報徳仕法」．どちらも『尊徳開顕　二宮尊徳生誕二百年記念論文集』（1987）所収，89-104, 105-21頁；佐々井信太郎『二宮尊徳伝』（経済往来社，1977），78-127頁；海野福寿「報徳仕法の展開」（『村落・報徳・地主制：日本近代の基底』東洋経済新報社，1976），83-150頁．

（a）水田の総面積226, 16. 20を100％とする．生産地は104, 29. 17 = 46. 11％，不毛地121, 87. 08 = 53. 89％．
（b）上々田，上田，中田，下田は比較した高度を指す．
（c）町 = 10反，反 = 10畝，畝 = 30坪（歩）．
（d）畑地の総面積274,92. 00を100％とする．生産地は209,79. 14 = 98. 14％，不毛地5,12. 16 = 1. 86％．

みになるように基金を利用できるようにした。逃散した農民を呼び戻したり入植させたりするために、貸付基金が提供された。この基金は、合意された期間を超えて三年から五年、無利息で貸し付けられることもあった。報徳基金の資金はもっぱら仕法に取り組むために取り分けられたもので、藩政府の利益や必要を支援するために使われるものでも、またすでに富を所有している者、つまり借金を返済する余裕がある人びとの利益のために貸し付けられるものでもなかった。焦点は断固として、村の再建と民衆の復帰に絞られていた。

人口、生産高、歳入の減少の構図がくり返された大きな要因は、藩が四割という非常に高い税を課したことにある。尊徳の仕法が機能するためには、仕法を実施する一〇年間の税率について取り決める必要があった。桜町の場合、尊徳は一八二〇年代の平均的な歳入であった米九〇〇石と、一七〇〇年代はじめの三〇〇〇石とのあいだをとり、一七六〇年の二〇〇〇石を「承認」した。その結果、藩は一世紀前の歳入ほどではないものの、近年の歳入を超えるものを得ることになった。ただし尊徳が付した条件は、仕法がおこなわれる一〇年間の生産高を二〇〇〇石に固定することであった。それを超える収益はすべて無利子の報徳基金に預けられ、藩の追加歳入にはしなかった。この取引は明確である。藩は合意した水準に税率を維持する。その範囲内で尊徳の計画によって生じた余剰分はすべて村落共同体の再建のために用いる。尊徳はきびしい取引をおこなったわけだが、そのために反発を招き、藩の家臣である武士の多くはその方針に強く抵抗し、尊徳の改革を支持する者と反対する者とが財政をめぐって激しく対立した(29)。

一〇年の仕法が定めた上限の枠内で、尊徳が立てた予算が運用された。その手法は予測された「自然な」「中」にもとづき、着実な改善を継続するものであった。この方法は、設定期間の範囲内で最多の収穫高と最少の収穫高の両方の可能性を計算し、一〇年以上にわたって維持可能な範囲を見いだすものである。桜町の場合、尊徳は、「中」は一七〇〇年に固定されるべきではなく、一七六〇年に近づけるべきだと考えた。最低収穫高を当時の一八三〇年代に合わせたために、その手法すなわち分度は、もっとも収穫高が多かったと思われる一七〇〇年ではなく、改革の取り組みが照準を合わせた一七六〇年に向けて現時点を調整した。低い収穫高は一八三〇年代の現時点に設定され、手法すなわち「分度」は可能最大値の一七〇〇年ではなく、改革の取り組みがめざす一七六〇年の「中」に調整されなければならなかった。桜町ではこうして、一〇〇年以上を視野に入れて、収穫高が急減しはじめた五〇年前に「中」が設定されたのである。尊徳のいう「中」は「中正自然」と呼ばれるものをめざし、これによってかれの仕法は当時の状況を改善する確実な成果を生んだのである。

尊徳は大名に最低一〇年という期間を提案した。その間の成果は検討に付され、新たに仕法をおこなうことを想定して数値の見直しがおこなわれ、それ以降も未来へ向かって継続していく。「中」をこのように解釈すると、改革には三〇年、つまり一〇年計画を三回くり返すことが必要になるだろう。この「中」の概念に耐えるとするならば、大名は年貢米の税率を一〇〇年前の税率よりもいちじるしく低い水準で受け入れて固定し、行政にかかる費用を米の生産が急減する前の水準に合わせて、一七六〇年の時点の税率以上にすることは控えなければならない。しかし言いかえれば、大名は支出をおよそ二〇年前の水準で維持することができ、尊徳はその時期の収穫高以上を約束することができる。報徳仕法が機能して村が再建するためには、大名はこの計画の条件を超える税を取り立ててはならなかった。

大名が財政的な制約を受け入れる代わりに、尊徳は緊急用の信用貸付基金の設立を確実にするために仕法に一定の貯蓄計画を設けた。すべての水田と畑地を正確に測定することに加え、契約の一部として各世帯は米二俵に相当する土地の一部（約四分の一反歩）を提供し、「報徳金」（または「土台金」。緊急時や貸付に用いられるもので、「積立金」と呼ばれることもあった）に預け入れることに同意した。[30]

信用貸しについての二つの方針は、特記するに値する。農民が水田に戻り、もとどおりに耕すのをうながすために、尊徳は約束どおり「無利息」（「無利子」）の貸付を提供した。この方針が仕法にとって欠かせなかったのは、それが村落再建の倫理的、道徳的目標を確認するものだったからである。目的は民を救うことであって、貸付に利子を課して儲けることではなかった。民を救うために、貸付は農民のその時点での経済状況ではなく、農業の再建という目標に対する農民の貢献を基礎におこなわれた。すでに担保も財源もある人びとは貸付を返済する可能性が高く、それゆえ仕法にとってリスクは低かったはずである。尊徳は、報徳金の追加原資となる余剰を生み出すことと、投資をする個人の利益となるものとを区別した。今後一〇年間は年貢米を増やされないことが保証され、報徳金から無利子の貸付を受けることにもなって、農民はやる気を取り戻し、水田をふたたび耕作しはじめた。

報徳を批判する人びとは即座に、無利子方針というのはごまかしだと指摘した。実際、尊徳は貸付に料金を課していた。すなわち、五年以上におよぶ貸付は六年の期間として計算された。その結果、貸付期間が終ってみると、最後の一年分は負債となる。しかし、この六年目の返済は「謝金」と呼ばれ、貸付に対する利子ではなかった。尊徳にいわせれば、六年目は余剰金を生む年であり、その全額はそのまま報徳金に加えられた。六年目の支払いができずに土地が取り上げられることはほとんどなかった。勤勉な努力が認められれば、支払期限は延長された。尊徳が認めたように、自然の力はつねに恵みをあたえるわけではなく、予想だにしない不運を世帯にもたらすこともあったからである。余剰金という発想がそうした配慮を可能にしたのであり、儲け主義を基礎としてはいなかった。

尊徳は徳川時代の商業経済の活力を念頭におき、報徳金を活用することによって畑地の生産を維持あるいは拡大して、地元や地域の城下町の市場の需要に応じるよう農民をうながした。数世帯で構成される集団に、その時点での農産物の市場価格にしたがって、三年から六年にわたって無利子で貸付がおこなわれた。これには農作物だけではなく、副産物もふくまれていた。相場価格で計算された総収入が報徳金によって保証されたために、農民は収入を見込んで計画に取り組むことができた。尊徳はさらに、インフレーションによる商品価格の上昇分を計算して、それまでの基準を超えた収入すなわち余剰分も資本金にくり入れた。

尊徳の方針に抜かりはなかった。無利子貸付は手作り製品の購入を保証するための手段であったが、そうした製品も利益が道徳的な貸付基金に加算される価格で城下町の市場で売られた。また、それぞれの貸付は特定の個人ではなく生産者集団のために設定されたものであり、集団のメンバーは貸付を返済するよう努力した。それぞれの集団には一〇人から二〇人が参加し、責任者が貸付を受けるための計画案を提出した。満額で三両を借り受けるためには一つのグループに七七人の個人が参加し、貸付金を返済するためにその一人ひとりが七八匁を負担することを尊徳は想定した。こうした相互扶助的な貸付金という手法は、町の貸付市場で取り立てていた一五－二〇パーセントという暴利に対抗するために考え出されたものであった。また、無利子で貸し付けて現金収入を保証し、負債漬けの苦境を大幅に緩和することによって、市場向けの手工芸品の製造をうながすこともその目的であった。たとえば、一八二一年に尊徳がはじめた相互扶助制度である五常講でもっとも重要なものは、その貸付基金（五常講金貸箱）である。元金は一〇〇両であった。

一金百両
右者手細工諸色買入代として金三両高百日限無利足にて貸付申候間思召之面々別紙帳に御名前御印シ被レ成候得は手廻り次第相渡可レ申候
右者聖人御傳授之金にして仁義禮智信さへ違はさる様に仕候得は一ヶ年には金三百六拾両之通用仕候若一人此道に違ひ候もの有レ之候はヽ金三百六拾両也不通に相成申候[31]

報徳が日常的に実践されるようになると、この積立金は村の寄合いでの話合いによって使途が決められた。その結果、種苗や道具が購入され、大豆製品の製造にかかる追加費用が支払われ、飢饉に備えるために、また休息所、とくに近隣の寺社で老人、身体障害者、病気になった浮浪者などに食事を提供するために食糧が購入され備蓄された。村は組によって編成され、それぞれの組を組長一人が代表した。組長は年貢米の運搬や報徳積立金への積み立ての査定などを受け持った。要するに、組長の役割は分度の取り組みを監督することであった。[32]

報徳を複数の村にまたがる地域的な運動にすることによって、尊徳は村全体で議論し合意してすべての決定がなされるならば、それは契約的な関係になると性格づけた。本章の最初に記したような「芋こじ」によって尊徳がめざしたのは、複数の村が力を合わせ、ひとたび仕法がはじまれば、けっしてあきらめないという規律ある運動にすることであった。村は長期にわたって仕法を実践するか、もしくは道徳上の約束を破る羽目になるかであった。報徳契約あるいは「規定書」は、つぎのように定めていた。構成員は決まった時間に決まった場所で定期的に会合をもつこと。病気や急用のために欠席する場合は書面で通知すること。貸付の申請手続きは詳細に定めること。これには申請時に印判を押すこととされている入札についての手続きもふくまれていた。以下のことも定められていた。別途の申し出があり、入札者に提供できるだけの原資があれば、一八カ月、三六カ月あるいは五年間無利子とする規定を適用し、積立金による貸付期間を延長すること。すでに貸付を受けている人に対する追加の貸付は認めないこと。自然の恵みの名のもとに働きつづけるという報徳の理想を守ることを約束し、後世に伝えること。(33)

「芋こじ」でまとまった合意は重要であり、すべての決定が「規定書」に記録された。まちがいなく、詳細に記録されたのは、個々の世帯に対する貸付とその返済、緊急時に集まった慈善の寄付、穀物倉や灌漑計画など村全体の必要性に対応するための投資であった。

よく尊徳の仕法とくらべられるのは、同時代人であった大原幽学《おおはらゆうがく》（一七九七―一八五八）によるものである。幽学は、一八四〇年代に現在の千葉県で村レベルでの相互扶助組織をはじめた。尊徳が求めた努力と同様に、この相互扶助組織の加入者も自分たちの責務をまとめた「誓約」に署名することを求められた。女性も男性とともに働くことが期待され、この方針を促進するために保育所や学校などが設置された。緊急時の基金や道具などは共有であった。飢饉を回避するために、この相互扶助組織は永久に存続するものとされた。主著『微味幽玄考』のなかで幽学は、「自然の養育《やしない》」と相互扶助の根源的な重要性を頼りにすることについて述べ、これは人道であり、自然秩序のなかには見いだせないものだとした。尊徳とおなじく幽学も、自然を生命と養育の根源的な力ととらえ、これもまた尊徳と同様に天道と人道を区別した。人道において、人は知識を得て活用し、ともに働き、長期間にわたって助け合ったのである。しかし、定かではない理由で、幽学は幕府役人ににらまれて迫害され、自害に追いこまれてしまった。(34)

報徳運動

報徳運動は、その運動のすべての主要な特徴をはじめから備えて始まったわけではなかった。この運動の歴史をとおして尊徳が強調したことは、村落の再建は自助として下からなされるものであり、お上からの財政支援は受け入れられないということであった。この見解に小田原の大名は驚愕したといわれる。「自助」はまた、お上は介入してはならない、この運動は尊徳とその門弟の手に委ねられるべきであるということも意味した。基本にある倫理的な目的は明らかである。つまり、統治者が資源の運用方法を改めれば、民衆はみずからを助けることができるということだ。民衆は資源や支出を管理することができる。分度すなわち予算上の制約を維持する明確な合意にしたがって、為政者はこうした管理を受け入れなくてはならない。尊徳にすれば、それが意味していたのは、とくに、いったん仕法に着手したら、お上は一方的な増税などによって仕法を変更することなどあってはならないということであった。このように、村レベルの必要に応じておこなったことと藩レベルで必要とされることとの区別は一定に保たれ、予測可能なものでなければならなかった。それはおもに、一〇年間は税率を固定し、どのような計画であれ、お上は緊急時を理由に強制的な取り立てはしないことを意味した。強制的な取り立てが必要なときは、それは仕法における貸付として検討された。報徳運動では、藩政府はそうした貸付を報徳基金に要請することになっていたので、この規定は家臣のあいだで混乱や意見の不一致を引き起こした。尊徳にとっての優先事項は、基金の一貫性を維持することであった。もし藩の大名がしかるべきときに返済しなければ、仕法は行き詰ってしまう。それゆえ尊徳は、とくに桜町での運動以降は、基本的な分度すなわち予算を受け入れるよう藩の大名に主張し、その主張がぶれることはなかった。そうした合意がなければ、尊徳が村落再建のための仕法を報徳運動に沿って進めることはありえなかった。(35)

尊徳に共感的な伝記において奈良本辰也は、尊徳が権力の地位にある人びとに対する伝統的な追従のゆえに政治的権威に抵抗できなかったとして批判している。奈良本がこうした見方を示したのは、報徳運動が明治維新につながる急進的な政治現象の一翼をになうものではなかったからである。一八五〇年代という波乱に満ちた時代、尊徳は日光にあった徳川家の霊廟の周囲にある村落の再建に従事していた。この事実は、尊徳が旧体制とその儒教的イデオロギーに仕える人物であったことを推測させるものではある。

しかし、報徳の計画すなわち仕法を実行した際の尊徳と藩の大名とのやり取りを再検討すると、それとは異なる像が浮かび上がってくる。たとえば、最初の一〇年間の仕法の条件に大名が公式に合意しなければ、尊徳はその藩の農業復興事業をけっして引き受けなかった。そうした合意は藩の家臣から相当な反発を受けた。かれらは尊徳の計画は村人に都合がよく藩主の利益にならない歪んだものだと、不満を抱いた。実際に、尊徳はこの運動の目的は経済を回復させ、ひいては民衆の尊厳を取り戻すことであると明言していた。かれは、民衆こそが結局のところ、発展しうるあらゆる政治形態の基盤を構成する人びとだと考えていたのである。したがって、藩主の究極の利益は、村の人口を回復することにあるはずであった。尊徳は疑いなく、仕法こそがこの目的に適った手段であり、藩の歳入を増やすための行政的手段と見なされるべきではないと考えていた。もし後者であるならば、仕法は、すでに過剰に課税されている人びとをさらに搾取する手段となってしまう。尊徳が強調したように、仕法の目的は余剰を生み出し、人びとの苦境を除くことであった。尊徳は誠実に一貫してこの倫理的な原則を堅持し、かれの条件について合意が疑わしいと考えれば、業務を拒否したのである。

この経済計画がお上に損害をもたらし、下々の福利を充実させるとして反対する声はつねにあった。桜町では、家臣のあいだで論争となり、一時は尊徳に反対する側が優位に立った。そのため、尊徳を引き立てた中心人物は家老の地位を追われ、自宅謹慎に処された。引き立ててくれた一派の全員が失脚し、役職を追われるか、俸給を減らされるかという目にあった。この政争の詳細は記録されていないが、二年後に状況が急速に悪化すると、尊徳支持派がふたたび支配的になった。尊徳は大名と小田原藩の分家〔旗本宇津家〕の固い支持を得て、報徳仕法を再開した。この仕法はその後約三〇年にわたって継続した。

政治権力に対する尊徳の姿勢を示すもうひとつの事例がある。ある旗本（斎藤鍬太）は尊徳の仕法に同意し、一八三七年から三八年までの天保飢饉の時期にかれの領地で尊徳の仕法をおこなった。しかし、この大名は尊徳との約束を守らず、一八四〇年にこの計画を中止した。経済状況が一気に悪化したため、この旗本はたびたび尊徳を呼び出して報徳仕法を再開しようとしたが、尊徳は呼び出しに応じなかった。この旗本の場合、報徳金に無理強いした貸付金を返済していなかった。尊徳にとっては、報徳運動が成功するか失敗するかは、さまざまな改革の取り組みを支援する基金があるかどうかにかかっており、旗本の治政の必要からの圧力は、いかなるものであっても容認できなかった(36)。

大名と藩統治に対する尊徳の姿勢は、近代の歴史学者がみるように「政治的」ではなかったかもしれない。そうした歴史学者の関心は、近代の変容と近代国家に対する抵抗にあったからである。しかしながら、藩は命令によって仕法の計画と実行に干渉することがあってはならないとする尊徳の契約についての解釈や、大名は予算を明確に立てるべきだという尊徳の主張に政治を見いだすことはそうむずかしいことではない。予算の基本線の上で、尊徳と報徳運動は経済復興のすべての責任を引き受けたのである。したがって、責任の要素は二つあった。大名にとっては明確に立てた予算の範囲内で統治することであり、尊徳にとっては村落再建に必要な自助を確保することであった。尊徳が、徳川幕藩体制によって慈悲をもって統治するよう任ぜられていた権力側の人間から敵対的な目を向けられていたことは明らかである。当局に政治的に対応しつつ、同時に倫理的な原則にもとづいた組織の自治を要求することから生じる緊張関係は、近代に入って明治時代後期にもくり返された(37)。

桜町には三〇の村と数百にのぼる部落があり、約四万三〇〇〇人の農民が住み、みずから組織化し、ひとつの報徳村と呼ばれていた。一八三〇年から三八年までつづいた天保の大飢饉においても、一人の餓死者も出さなかった。(38)

尊徳は、徳川幕府の先祖を祀る日光の神社の周囲にある、貧しくうち捨てられた村落の復興という難儀な仕事を引き受け、この計画に取り組んでいた一八五六年に亡くなった。尊徳が最後に門弟に託したのは、森のなかのどこかに土を盛るだけの埋葬にして、標も置かないようにということだった。一八五七年、幕府は、面目を保とうと絶望的に無駄な努力をするなかで安政の大獄を断行した。これは、不平等条約の調印や植民地化という国家の危機に反対して国家の力を結集しようとした急進派や改革派を逮捕、投獄した事件である。それまでの古い体制を終焉に導くことになった内戦は、すでにはじまっていた。尊徳は、一八六八年の明治維新や、その後の産業革命の前夜にこの世を去ったのである。しかし、尊徳の運動は衰えることなくつづき、近代への転換がはじまって地方の苦境が深刻化するように見えるなかで、より緊急性があると感じられるようになった。報徳運動はこうした社会状況下で粘りづよく取り組まれ、明治時代には官僚指導者たちがつぶさに調査するようになる。かれらは、国家を存続させる富と力の成否は、地方の社会的安定性いかんによると考えたからである。報徳運動はそうした努力のために非常に重要であった。こうして報徳は、尊徳が想像しえなかったような、近代的で新しい権力の構造に直面することになった。

尊徳にとっては、道徳と経済はけっして別個の問題ではない。実際、第四章の冒頭でふれた二基の門柱が立てられたのは、報徳運動ではこの二つの原理が不可分であることを想起させるためであった。しかし、これらの原理が大きな論争の的になったのは、国家がその近代化に向けた計画のなかに報徳運動を取りこもうとしたときであった。

相互扶助組織やその立憲制度上の位置づけに関する公的な議論は、後知恵としておこなわれたといってよいもので、明治維新のそもそもの構想にはふくまれていなかった。政府は、藩が所有していた財産権を課税可能な個々の世帯に移し、武士階級を解体して、一般庶民が教育を受け、商売をおこなえるようにした。しかし、新しい公的秩序を創出するためのこうした改革は、従順で忠実な国民を育てることにはならず、広範な民衆が新たに設けられた法的な場を利用して政府方針を批判することにつながった。とりわけ悪評高かったのは、米の生産量に応じてすべての国民に課された地租であり、それは旧体制の税より重かった。新たな経済秩序のための諸政策が実施されるや、社会的な危機や機能不全によって産業化という目標が脅かされ、挫折するのではないかと危ぶまれた。一八七〇年代から八〇年代にかけて、もっとも混乱したのは、当時国民の大多数が住んでいた地方社会であった。抵抗が長引くにつれて、官僚たちの関心はしだいに、新政府がそれらの地方住民にどのように対応しるかという問題に向けられるようになる。意欲的な若手官僚のなかでもとくに地方出身者にとっては、地方の経済政策について学び視察するために渡欧した際に、この問題に対する関心はかれらの心の内で最高潮に達した。品川弥二郎と平田東助はそうした若手の代表格であり、この問題をめぐって歴史上重要な役割をになうことになった。

品川弥二郎と平田東助

長州藩で生まれた品川弥二郎は、吉田松陰（一八三〇－一八五九）に学んだ。松陰は徳川幕藩体制に対する革命を率いた多くの若き志士を指導した人物である。明治維新後の一八七〇年、二七歳であった品川はほかの若者数人とともに欧州に派遣され、社会状況やとりわけ一八七〇年から七一年にかけての普仏戦争を視察した。かれはその後一八七六年まで、留学生として新生ドイツに滞在し、一八八五年には公使としてベルリンに赴任する。しかし品川は、一八九一年の選挙に内務大臣として権威主義的に干渉したという不名誉な事実によって記憶されている。かれは近代的な公教育を受けなかった留学生ではあったが、先見の明があった。しかしそのことはあまり評価されていない。プロイセンの軍事力が重要であったことはまちがいないものの、かれは、ドイツ（より広くは欧州全体）における重要な点は、地方に銀行や貯蓄組合を創設する相互扶助的な試みにあることを見いだしたのである。こうした銀行や貯蓄組合は、産業革命が引き起こした社会的混乱から地域社会やその経済的基盤を守った。品川はとりわけ、一八五〇年代半ば、フランツ・ヘルマン・シュルツェ＝デーリチュ（一八〇八―一八八三）が設立した「国民銀行」につよい印象を受けた。農業協同組合を地方の中産階級を対象にした投資志向の銀行に転換するという戦略は、品川の心に永く刻まれることになる。[1]

シュルツェ＝デーリチュは、地方を安定させるには社会福祉政策よりも資本主義の原則と適用のほうが適していると確信していた。望ましい目標は経済的な自己充足であり、慈善などは余計なことであった。こうしてかれの協同組合は信用貸付銀行に改組された。かれの協同組合が信用銀行として自立性を確保していたこと、正確に利益計上することを必須としたことは重要であった。シュルツェ＝デーリチュ式の協同組合は地方銀行に転換されたが、かれの事業がめざしていたのは地方の裕福な人びと、つまり地方のブルジョワと呼ぶことができる人びとの利益であった。シュルツェ＝デーリチュはまた、貧しい農民の生活水準を裕福な人びとのそれにまで引き上げることにも取り組んだ。おそらくおなじように重要なことは、かれが自分の協同組合事業を長期的に継続させるためには公的な法的地位を獲得しなくてはならないと考えたことである。この目的のために、かれは協同組合を定義し正当性を賦与する法律を制定すべく、プロシアで運動を展開し、またドイツの国会議員として協同組合銀行を奨励しつづけた。[2]

もうひとつのモデルは、フリードリヒ・ヴィルヘルム・ライファイゼン（一八一八―一八八八）と結びつけて広く知られており、当時、卓越しているとして日本人留学生の注目の的となったものである。ライファイゼンは勤勉でキリスト教人道主義を心から支持し、その倫理を統一的な理想として掲げることを主張した。かれは生涯をとおして、小規模で貧しい農民を支援することに力を注いだ。それゆえかれの事業では、儲けの追求よりも、慈善や社会福祉により力が入れられた。ライファイゼンの協同組合は規模が小さく、地域も限られ、地域社会を志向していた。この協同組合は信用貸付組合の役割を果たし、組織を経済的に存続させ改善するために一定の金利を課した。協同組合の役員は名誉会員として奉仕し、給与を受けとらず、組織をキリスト教人道主義に確実に貢献するものとした。しかし品川は、日本の相互扶助組織に欠けているのは人道主義的な倫理観ではなく、近代資本主義の原理だと考えた。かれは、ライファイゼンの取り組みよりもシュルツェ＝デーリチュのそれを好んだ。(3)

品川より六歳年下の若手官僚であった平田東助もおなじように考え、やはりシュルツェ＝デーリチュの主張を支持した。平田は山形県出身で、明治維新の志士ではなかったが、品川以上に「近代的」で政策通の官僚であり、明治時代初期としては最高の教育を受けていた。ベルリン、ハイデルベルク、ライプツィヒの大学で学び、一八七六年にライプツィヒ大学で博士号を取得した。かれはベルリンで品川と交流を深め、帰国後は品川とともに内務省に勤めた。内務省では、日本の相互扶助組織である頼母子講、無尽講、とりわけ報徳運動を全国的な信用貸付組合制度に統合する法律の制定という理想に専念した。品川も平田も、欧州の協同組合の鍵となる経済的構成要素は資本主義であると考え、地方の近代化にとっては、それが決定的に重要であると考えた。平田はまた、欧州の協同組合運動が勢いを得たのは、一八四六年から四七年にかけて中欧で発生した飢饉への対応だったという点でも、品川とおなじ意見だった。この飢饉によって、大量の移民が都市や国外へ流失した。当時、各国政府は農民がおかれた苦境に対する具体策を講じようとしなかった。このことから明らかになったのは、孤立した個人は無力であり、広範な経済的混乱に対応できないがゆえに、一般市民は資本主義的な協同組合において協力する必要があるということだった。(4)

平田と品川は、シュルツェ゠デーリチュ型協同組合が「国民」信用金庫に移行するころに、ドイツに滞在していた。一八七〇年代、シュルツェ゠デーリチュの思想は、地方の経済政策を専門とする学者たちによって複数の大学でめざましい発展を示した。利潤獲得が経済的自立の基本であるというかれの考え方が強調されてはいたものの、シュルツェ゠デーリチュの思想は「社会改革」を唱道するために組み立てられたものであり、利益最優先の資本主義ではなかった。平田は、地方では資本主義が社会改革を意味するのであり、資本主義そのものが目的となって個々人が相争うように追求されてはならないと理解した。かれは、シュルツェ゠デーリチュが提唱する改革案を支持したが、この改革は「自由競争」に対応できる農民たちが増えることにつながるとも語った。さしあたって重要な点は、何世紀にもわたって機能してきた伝統的な相互扶助組織がそのまま法体系にとり入れられることはなく、シュルツェ゠デーリチュの原則にもとづいた近代的な協同信用貸付組合へ「改革」されるであろうと平田が考えていたことである。すなわち平田は、伝統的な相互扶助組織が経済的安定、ひいては社会的安定をもたらすような組織につくりかえられると考えていたのである。

欧州から学んだ教訓はその軍事力についてではなく、欧州がきびしい社会的危機を経験してきたという気がかりなメッセージだった。産業革命によって貧富の格差は一段と大きくなり、おなじように産業資本主義の道を歩みはじめた日本も同様の危機に遭遇すると思われた。品川と平田は、日本の経済的転換を完全に都市中心の産業化であると理解することはできないと考えた。産業化の打撃がもっとも深刻になるのは「中産以下」の人びとになるはずであり、貧しい農民層のあいだに資本主義を浸透させるためには帝国議会の冒頭で法律を成立させなければならなかった。両者とも、日本の将来は欧州と同様に、地方の安定に大いにかかっていると考えた。地方で調和が成立せず、秩序が維持できなかったのは、農民の抗議行動がつづいた結果であった。しかし、品川も平田も、民衆の緊急時に調整をおこなう、村レベルの社会組織構造と信用貸付の必要性については、よく承知していた。これらの組織は明確な規則にもとづいて経済活動をうながすものであった。つまり、そのような構造が、欧州の協同組合の思想や実践を日本の講に融合させるために利用しうる鍵であった。(5)

品川と平田は、頼母子と無尽がいずれも歴史的経験に深く根ざすものであったがゆえに、重要な社会的資源だと考えていた。かれらが、活発な報徳運動を主要な対象と考えたのは当然であった。報徳運動は広範な地域で実践され、組織的にも明確に規定され、信用取引の拡大や融資の経験を積んでいた。日本は協同組合の理念を推進するにあたって、外国の例に全面的に頼る必要はなかったのである。シュルツェ゠デーリチュが福祉と慈善を目的とする協同組合を信用組合に転換したのとおなじような組織改編が日本でも望ましく、また可能であった。

両者の関心をとらえたのは、欧州の協同組合が法的に認可され、公的な制度に完全に組みこまれていたために、手続きがはるかに明確だったことである。かれらは、日本の相互扶助組織が近代的で法的な位置づけを得れば、欧州と同様の手続き上の合理性を得られると確信していた。そうなれば、新しい「相互扶助的資本主義」が地域に根づき、社会的不安定の問題は解決するだろう。また、大多数の国民は欧州におけると同様に、こうした相互扶助的な経済形態に合わせて生活を組み立てるようになるだろう(6)。

シュルツェ＝デーリチュが、協同組合を法的実体として位置づけるのを重視したことは、平田と品川に強い印象をあたえた。新進気鋭の内務官僚であった両者は、地方の相互扶助組織が社会秩序の基盤として貢献する可能性に関心をもった。かれらは、徳川時代の農民が資本家や企業家になり、近代化の大義に忠実な市民となることを思い描いた。農民は地方の安定を支え、富国強兵の国家目標に貢献するであろう。農業用地や生産性に自然の限界があるとしても、地方に資本主義が広がれば農民間の「自由」競争の水準は上り、国家の経済体制に組みこまれるであろう。近代化計画が積極的に推進されると同時に、国の社会経済的基盤は強固になるはずであった。品川と平田がシュルツェ＝デーリチュ型の農民銀行モデルを採用するよう主張したのは、これが、かつての徳川時代の農民の経済社会に道理と合理性をもたらすからである。これに対して、ライファイゼン型はかれらにとってはキリスト教人道主義にもとづいており、慈悲と相互扶助の倫理を確認するものでしかなかった。

平田は内務省を中心に支持を集め、同僚らと民衆「組合」の設置法案を提案した。これらの組合は企業として機能し、所有者は投資に対して「有限責任」を負うことになっていた。これは投資家が負うリスクの要素を強調し、組合の「福祉」的側面を弱めるものであった。信用組合は投資と収益を見極めて、個人組合員に「配当」を分配する。これはシュルツェ＝デーリチュ型の企業構想に似ている。この構想は、オーナー投資家が基金や預金投資家の貯金を使っておこなうもので、貯蓄貸付銀行にもみられるものである(7)。

かれらの目的を実現する法律を支持するために、品川は一八九一年に開かれた第一通常議会でつぎのように主張した。新しい明治国家はいまだ整備途上にあり、それゆえ柔軟な対応が可能である。つまり、地方の経済改革をおこなう機は熟した。農民による抵抗の歴史を顧みると、資本をもたない農民の状況に対策を講じなければ、貧富の格差は広がり、新国家のまさに基盤を揺るがす社会的危機につながるであろう。しかし、産業革命はいまだ十分に進行してはおらず、格差は欧州ほど深刻ではなかった。富の程度も全体として比較的低く、したがって欧州で起きているような危機は日本では切迫したものではなかった。品川が述べたように、「人民の財産がみずから平均を得まして貧富の度も甚だしき懸隔がなか」った。地方に資本主義を広める改革は、比較的貧しい農民の大半を新たな「中産階級」にまで引き上げようとするものであった。既存の相互扶助組織は、欧州の協同組合と同様に、個人では緊急事態に対応できないことを理解しているから、改革に取り組むだろう。(8)

平田はみずからの短い声明、「信用組合論」で品川の主張を支えた。そのなかでかれが紹介した言葉「社会問題」は、知的階級のあいだにまたたく間に広まった。日本は欧州とおなじく「社会問題」に直面せざるをえないだろう。この危機がとりわけ実感されたのは、おもに徳川時代をとおして、そして明治初期に新政府に抵抗し社会不安に陥っていた農業分野においてであった。しかしこの新しい危機は、農民と封建権力との対立としてではなく、富める者と貧しい者、「無産者」(「無産」はその後「プロレタリアート」を意味するようになった)との対立として登場した。こうした対立は、社会と国家の根底を崩しかねないものであった(「社会破裂」「国家敗北」)。そうなれば新国家は、確立しないうちに統治不可能になるだろう。しかし、日本は欧州ほど発展していないので、そうした不可避の事態に対処し、世界的な「生存競争」で効果的に競争するまでには、まだ時間的余裕がある。平田は以上のように主張した(9)。

信用組合に関する平田の声明は、法制定の緊急な必要性を比較的少数の議員集団に限って訴えるために執筆されたものだったために、大仰な言葉づかいになったと思われる。それにもかかわらず、この声明は、近い将来に社会問題が起こるであろうことと、相互扶助組織を近代的な法体系に位置づけることの重要性を、政治と官僚制の内部の論議へ導入することになった。平田が用いた文言は、近代化が幸多いものではないことを懸念した欧州の社会主義者や社会理論家たちの議論から引用されたものであることは明らかであった。世界でもっとも文明化が進んでいた欧州は、社会の機能不全と政治的対立を予期させる非常に厄介な不安材料を抱えていた。啓蒙思想の発祥の地である西洋が社会危機に陥っていると認識した品川と平田は、欧州諸国で発生した危機は不可避であるという結論に達した。さらに、産業化という目標を追求しているために、おなじような混乱が日本で起きることも避けられなかった。品川も平田も、目前で展開していた大きな歴史を観察しその意味を洞察する力を持ち合わせていた。

しかし、かれらの法制化計画は、当時の社会の歴史や地方の現状と完全に無関係だったわけではない。徳川時代末期、およそ一八〇〇年から一八六八年〔明治維新〕という報徳運動が登場した時代、地方の豪農や豪商など裕福な新しい階級が存在感を増すようになっていた。活力に満ちた徳川時代の商業経済で地方の指導者になったのは、商人や造り酒屋、質屋などであった。こうした人びとは近代における名望家としての地位を維持するために多大な努力をはらっていたので、地方の新「中産階級」

の指導者にふさわしいと思われた。その多くは新体制が採った産業経済政策に対応して地域を活性化することを決意し、また明治維新にともなう啓蒙主義に知的な関心を抱き、一八八〇年代の自由民権運動に参加していった。かれらは、薩摩や長州の武士であった人びとが近代化を実現できるのか、不平等条約によって西洋の諸国家に押しつけられた半植民地状態から完全に独立できるのか、疑問視した。また、士族が権力を独占していることも批判した。農村の現状に身近に接している指導者として、かれらは中央を強化するだけでなく、一般の民衆を救う責任も強く感じていた。かれらは、農業分野をほとんど省みない新しい指導者たちへの不満に突き動かされ、民権という新たな思想に接して、人びとを救いたいという思いに駆られていた。こうして、徳川時代の「地方の名士」だったかれらは、一般的に殖産興業として知られる新しい資本主義的な商業や製造業の企業活動に乗り出すようになる。そうした興業には、「通商会社」や「為替会社」などがあった。後者は地方の小規模な貯蓄銀行に似ていた。[10]

信用貸付制度を創設する新たな法案は、順調には進まなかった。一八九一年に提出された最初の法案は、官僚制における管轄権をめぐって内務省と農商務省の指導者間で見解が異なり、審議未了に終った。また農商務省は、シュルツェ＝デーリチュ型よりもライファイゼン型、すなわち人道型を好んだ。

平田が一八九一年に法案を作成した当時、ドイツの状況とは異なり、日本の社会危機は「未だ」現実味が乏しいものと理解されていた。しかしわずか数年後、この認識はもはや通用しなくなる。社会的危機はさし迫った問題となっていた。下層階級はますます貧困に陥り債務を抱え、農民の「無産階級」のあいだで紛争が発生していたからである。農商務省内でも、品川と平田に対する反発が表面化しつつあった。高橋昌《たかはしあきら》と横井時敬《よこいときよし》は「信用組合論」(11)と題した声明のなかで、シュルツェ＝デーリチュ型ではなく、ライファイゼン型が採用されるべきであると主張した。ライファイゼンの倫理が、相互扶助や「無尽」の慈悲という日本独自の遺産と明らかに調和していたからである。とりわけ貧しい零細農民に関しては、まさにそのとおりであった。そうした農民たちにとっては、貨幣や貯蓄によって余剰を蓄えることなど、手の届かない抽象的なこととしか言いようがなかった。ライファイゼン型を「近代的」事業として法体系に取りこむことは、無尽や頼母子のような地方社会での相互扶助組織の実践を合法化するという直接的な効果を生み、それらを制度に取りこむことにもなるはずであった。

ライファイゼン型では、預け入れをした出資者は、個々の貯蓄を保全するために「無限連帯責任」を引き受ける。出資者は株を買うわけでも、所有者による投資の効果によって配当を受けとるわけでもない。執行部の長は「名誉」理事であって、所有者ではない。こうした特徴はライファイゼンの理論にさかのぼることができ、おかげで貧しい農民は必要な道具や肥料を購入したり借りたりすることができた。つまり、下層階級の農民を優先するような組合員への「貸付」として共有するために、組合全体が基金を積み立てたのである。これにくらべてシュルツェ＝デーリチュ型では、所有者つまり主要な投資者はほとんどが裕福な農民か土地所有者であった。こちらはトップダウンで運営され、地方における社会的序列、つまり裕福な土地所有農民が土地を所有しない農民を支配する構造を維持することになった。高橋と横井によれば、地方社会は投資や利子所得という経済に合わせてではなく、貧しい農民に保障付きの貸付を提供するものとしてつくり変えられるべきであった。したがって、そうした組合が機能する「空間」は、信用関係の成り立つ小さなコミュニティであり、村や町など伝統的な相互扶助組織が依然として機能していた生産単位に限られた。資本主義的な投資をうながすシュルツェ゠デーリチュ型は、村の農民にとって利子を得るための貯蓄という行為そのものが、家計の観点からとうていできなかったために適していなかった。地方が直面していた課題は、近代的な資本主義に転換できるかどうかではなく、貧しい農民を救うために資源を無条件で共有できるかということにあった。(12)

この見解には説得力があったが、政府の「社会問題」の把握は一八九〇年代に大きく変化し、品川と平田の立場にほぼ近くなる。このとらえ方の変化は、学者、政治家、官僚で構成された「社会問題講究会」の考えを反映していた。高橋や横井、および農商務省の同僚たちはこの研究会に参加し、社会秩序を維持するためには中間層を形成する必要があるとの結論に達した。さらに、社会対立はもはや将来起きるものと見なされるべきではなく、当時すでに激しさを増しつつあり、地方からほかの地域、とりわけ都市へ広がっていると考えられた。こうした不穏な傾向は、横山源之助（一八七一－一九一五）が一八九八年に『毎日新聞』のためにおこなった「日本之下層社会」の先駆的な調査によって裏づけられた。資本主義的な改革と、慈悲にもとづく貧困層の救済という相対立する考え方に分かれたのだが、論理的に優勢になったのは前者であった。相対立していたシュルツェ゠デーリチュ型とライファイゼン型のそれぞれの支持者は、信用貸付組合に関する法律を成立させる根拠として「社会問題」を全体としてもっとも重視することで最終的に合意したのである。(13)

貯蓄貸付組合の議論は、地方で社会改革を進めるための手段として平田がシュルツェ゠デーリチュの資本主義的な理論に傾いたことへの批判としてはじまったが、まわりまわって、その理論を確認することになった。産業化という条件のもとでは、地方の中間層に合理的な資本主義をうながすことによって、社会主義に向かうことなく安定が達成されるはずである。平田と品川は、一八九六年に批判者に対する返答（「信用組合提要」）を示したが、そこでシュルツェ゠デーリチュの手法を採用し貯蓄貸付組合（認可庶民銀行）を導入して、地方で資本主義的目標を促進することをあらためて確認した。資本主義すなわち自由競争経済こそが進歩の基本的原動力であると、かれらは確信をもって主張した。大衆の多くが新たな経済の時代（「営業の維新」）を認識するのに、遅すぎることはなかった。上述の「信用組合提要」はつぎのように主張している。「今日小農小商工社會を助けて將來の危險を豫防し、其の維持發達を奨むるに果して如何の道ある歟、我か輩の所信を以てすれは對人信用の機關を設けて無資産者と雖も容易に資本を利用するを得せしめ、以て其の生産力を培養せしむるの外道なきなり」[14]。

それに反応して一八九九年、農商務省はライファイゼン型を支持することを確認した。しかし、そこには明らかに大きな方向転換があった。「社会問題講究会」の結論を反映して農商務省もまた、地方の中間層の存在が経済的・社会的安定を促進するためにはとくに重要であると強調したのである。このように農商務省の姿勢は、シュルツェ゠デーリチュ型の基本方針に適応したものになった。貧者に対する人道支援よりも、社会改革対策としての自由競争が優先されたのである[15]。

産業組合法が最終的に成立したのは一九〇〇年であった。ライファイゼン型の特徴がいくつか維持され、農商務省が主務官庁になったが、イデオロギー的な展望はシュルツェ゠デーリチュ型であった[16]。ライファイゼン型の倫理や共同体主義的な考え方が主張されたにもかかわらず、複雑な過程や官僚の内部対立の末に、結局のところ報徳もふくめた農業分野に対して実際に示された計画はシュルツェ＝デーリチュ型の農業資本主義にもとづいたものになったのである。

信用組合法がはじめて提案された当時、平田は内務省の主力であったが、新たな法律のイデオロギー的な構想について合意が得られたおかげで、農商務省で法案にかかわった際も主力として動きやすくなった。強力な地位にあった平田の尽力によって、新しい信用組合計画が推進される。キリスト教人道主義というライファイゼンの倫理とシュルツェ＝デーリチュの資本主義支持とは、同一の身体の二つの魂として共存し、農商務省では、あいまいな状態のままで相互扶助運動の目的が追求された。論者の多くはその後、この二つを重要な影響をおよぼしたものとして挙げたが、その違いや、それらのもっていた意味を明確にすることはなかった[17]。

官僚たちは、新しい法律のあいまいさは現実的かつ具体的に解決できると確信していた。かれらが考えた方策は、報徳運動全体を新しい貯蓄貸付組合制度に取りこむことであった。平田は、報徳運動が明治時代をつうじて神習舎、克譲社などさまざまな名前で、実質的に広がったことを十分に承知していた。名前は違っていても、どの結社も内部の構成や規則は同様であり、そのことが運動全体を強化していた。実際、平田が見抜いたとおり、報徳は静岡県や小田原、相馬をはじめとする福島県全域、北海道を中心に、新体制のもとで発展した。派手に宣伝するわけではなく、都会の報道機関から注目されることもなかったが、報徳は一八七〇年代および八〇年代に相当な勢いを得て、一八九〇年代までに三〇〇以上の村落を農業改革のために一致団結した運動に組織した。報徳運動は、県レベルの本部と村レベルの扶助組織で構成され、そのすべてがおなじ基本契約と相互信用、他者救済という、いずれも創設者である二宮尊徳が明確にした人道的倫理の遵守を共有した。運動の目的をさらに拡大するために、すべての報徳扶助組織が、構成員による規則的な出資と改善された収穫から蓄えた余剰を基礎にして、貯蓄貸付基金を提供した。近代になると、新しい製造企業にも貸付がおこなわれ、それらのいくつかは有力な地元企業に育っていった。

報徳運動は、明確に規定された内規によって組織され、複数の村および県からなる複合的な組織であった。報徳の参加者は村レベルで月に三度集まり（「村参会」）、土壌や種苗、肥料、農具など農業に関する実際的な問題を話し合った。数カ月に一度は「農談会」を開き、報徳の教えや仕法、そのときどきの思想的な傾向について話し合った。毎年、複数の村や地域による「大参会」と呼ばれる会議が開かれ、それぞれ異なる地域での報徳の取り組みを振り返り、長期計画を議論した。尊敬されている年長の指導者が講演し、運動内の友情を深める交流の場もあった。要するに、報徳はライファイゼンの人道主義の倫理とシュルツェ゠デーリチュの論理を効果的に組み合わせて、社会変革をもたらすための信用銀行制度を形成したようにみえた。平田とかれの同僚が、報徳運動こそ、かれらが苦労してつくり上げた法律を現実化するためのもっとも重要な機会であると考えたのは当然であった(18)。

報徳が近代的な外見を獲得したことも、平田のような政府の改革論者にとって魅力的であったことは間違いない。報徳運動は一八七五年、報徳社というように「社」を名乗るようになる。報徳社は、複数の地域やあらゆる階層の農民を公的組織に結集させることに専念し、新政府に対抗する自由民権運動のように党派的な政治問題や理念にはかかわらなかった。報徳は新しい議会制度を評価する姿勢を示し、全国組織である立憲農政党への支持を表明した。さらに、国民に新たな産業をうながすために、新鮮な知識を追求することが明治期の目標であることも確認した。しかし、報徳は富国強兵という新国家の建設にとって経済が重要であることは認めた一方で、慈悲と正義をもって他者を救済するという結社の道徳的かつ倫理的な基盤も再確認した。平田らは、このような考え方によって報徳が、合理的な資本主義を広めようという、より基本的な任務から逸れてしまうのではないかと感じた[19]。

この注目すべき運動体を改革して全国的な信用組合制度に合流するよう説得するために、平田は品川の助言にしたがって、静岡県の報徳社をはじめ各地の報徳社を何度も訪問した。かれは講演をおこなう一方、尊徳の直弟子たちから運動の歴史について長い話を聞く。門弟たちは、シュルツェ＝デーリチュが創設した欧州の協同組合と報徳をお世辞まじりにくらべた平田に持ち上げられて、かれが心に描いていたモデルとなる信用組合を結成することに同意すらしている。平田からみれば、多少調整すれば、報徳は地方を近代化する方向に導く用意ができていた[20]。

しかし平田の構想には、報徳に対する多岐にわたる根本的な批判がふくまれていた。それによれば、報徳は若干の調整などでは済まず、道徳と組織に関する基本原則を放棄することが必要であった。すなわち平田は、報徳の中心的な存在理由である道徳的価値の遵守を放棄し、近代資本主義で実践されていた競争や利益追求の原則を採用するよう迫ったのである。かれは、報徳が世俗的な価値よりも道徳的な幸福を重視するのを観察して、主張を組み立てた。報徳は「国家主義」や「個人主義」にもとづくものではなく、貧者や不幸な人びとの救済に専念していた。したがってこれは「一種の社会主義なり」ということになる。しかし、欧州の社会主義とは異なり、報徳が抱きつづけていたのは、道徳を主たる目的とする社会改革の構想であった。報徳がめざしたのは、社会秩序が課した限界を克服するというよりは、人間社会において道徳的な価値を実現することであった。

報徳が創設されたのは封建体制のもとであり、人びとが社会構造に疑問をもっていないころであった。したがって、富や予算を増やす方略は経済を発展させ、その結果それぞれの身分において人びとの道徳的な幸せを増すように構築されており、社会的身分の限界を克服するという目標に取り組むものではなかった。報徳の主目標は道徳的信念の実現であり、経済活動はその道徳的目標に向けた実用的な手段にすぎなかった。このように、封建体制下において報徳が倫理的価値やそれを支える経済手法を発展させたにもかかわらず、明治維新が導入した新秩序とは相容れないものがあった。明治維新は、旧来の封建体制を完全に解体したために、報徳もその手法を変え、道徳を第一とする基準を断念せざるをえなくなったのである。新たな社会では、経済戦略は道徳的目標に向けた単なる手段ではなく、生き残るために不可欠なものとなった。報徳運動は、その道徳的目標を利益追求の経済的目標に置き換えなければ、競争することも全体の強さに貢献することもできなかった。明治の新たな秩序を支配していたのは「自由競争の経済」と「優勝劣敗」の原則である。そのため、報徳は社会改革という精神を維持しつつも、時代錯誤に陥ることなく、新時代における競争の現実に適応しなければならなかった[21]。

旧来の封建体制下では、報徳の貢献は大きかった。平田は新しい国民国家になっても報徳が同様の成果を上げられると確信していた。かれは、報徳が明治期の日本で展開していた経済的近代化に十分適応していると信じて疑わなかったし、その運動を信用貸付組合という新たな全国的制度に合流させるよう説得することはむずかしくないと確信していた。地方へ資本主義を広めることについて話す際には、平田は、地域や村を基盤にした報徳の改革的な扶助組織を念頭において、それを起業家が推進する資本主義の主流にすることを考えていた。さらに、政府がその官僚機構を使ってこの任務を遂行する必要がなくなるであろうとも考えていた。したがって、運動体全体が新たな法律によって「認可」されれば大きな勝利が得られるはずであり、明確に定義された、勢いのある協同組合運動が、新政府の規制のもとにもたらされるはずであった。[22]

平田は報徳社の聴衆に向けて、創設者である尊徳も平田の考えに賛同するにちがいないと述べることで、自分の批判を和らげた。偉大な知恵者であった尊徳なら、旧体制と新体制の経済が大きく異なることを理解し、封建的な過去から近代的な現在へと容易に報徳を導いたであろう。人道的な相互扶助はこれまでは完全に妥当であったが、近代的な競争経済とは相容れないと、尊徳なら認識したであろう。つまり、旧体制下での報徳の実績は正当に評価されるべきであるとしても、尊徳ならば報徳の新国家への貢献をまったく新しいレベルでの歴史的計画として理解したであろう。[23]

他方、官僚政治にかかわりのない部分では、平田は報徳の文化的な貢献を躊躇なく賞賛した。一九一〇年には、つぎのように書き残している。二宮先生は社会的危機や対立の到来を予測し、現在にも通用する主要な鍵概念をつくり上げた。それは「至誠」「勤労」「分度」「推譲」などの倫理概念である。平田はこれらの価値ある概念のうち、当時もっとも重要なのは推譲であるとした。急速な産業化という、一世代前の欧州とよく似た状況にあっては、悲惨な社会的対立を回避するために、同情と推譲の倫理を現代社会に広めなければならなかった。「地主と小作人との関係、資本家と労働者との関係、只自治自助の一方法あるのみ。社会問題の解決は推譲にあり」。[24]

報徳の文化的なイメージを高めるために、平田は尊徳に従四位を追贈した。従四位は近代以前に功績のあった偉大な学者や文化的英雄に贈られる名誉ある位階である。平田はまた、日光と小田原の報徳二宮神社建立を援助した。これは尊徳を怒らせたにちがいない。尊徳は、自分のためにそのような神社は絶対に建立してはならないと弟子に遺言していたからである。[25]

岡田良一郎

平田に対する報徳側の最初の反論は、一八九一年に尊徳の『二宮翁夜話』を編集した福住正兄の代表署名によっておこなわれた。平田とかれの同僚の官僚たちは、報徳側から公式に、かつ丁重につぎのように忠告された。報徳は経済と道徳的価値は不可分であるとする原則にもとづいており、それゆえにこの運動が資本主義が前提とする利益優先に適応することはできない、というものであった。報徳は、地域社会における相互扶助協同組合主義的な価値を基礎としているのであり、お上からの官僚的な指図にもとづいてはいない。その目標は地域住民のために改善をつづけることであって、利益を上げることではない。報徳は構成員のために無限責任を引き受けることはあっても、利益のためということであるならば有限責任であっても引き受けることはない。この文書は、報徳の基本的な構成要素、他者を救うための貯蓄と無利子貸付の実践について説明し、「ドイツ国の経済学者某氏」のモデルにしたがって「改良」することなどできないとした。報徳は社会や国民の福利に尽くすものであるが、それは独自の合意規則にしたがっておこなうと述べた。[26]

成立した法律を手に、平田とかれの同僚たちは、あらためて報徳運動を新しい貯蓄貸付組合制度に統合しようとした。ちょうど二〇世紀になろうかというころであったが、このことはなによりもまず、もっとも明確な考えをもつ指導者であった静岡県掛川の岡田良一郎を説得することを意味していた。岡田が報徳の代弁者と見なされていたために、この働きかけは、その後いっそう物議を醸すことになった。

裕福な農家に生まれた岡田は三つの村に資産があり、故郷の村で田の約半分を所有していたほどだった。さらに、二〇〇人の小規模農家に土地を貸していた。その意味でかれは、地方に資本主義を広める指導者になるであろうと平田が確信していた、裕福で教養のある典型的な地方の資産家《カントリージェントルマン》であった。岡田は、富田高慶、斎藤高行、福住正兄とともに、二宮尊徳門下の「四大門人」の一人として知られる。岡田が報徳運動に参加したのはわずか一六歳のときであったために、ほかの三人とは異なり、尊徳の講義を直接書き残してはいない。それにもかかわらず岡田は明治時代、報徳運動の指導的な知識人であった。(27) 岡田の父、佐平治は一八四〇年代、日光の村再建計画（仕法）に尊徳とともにかかわったのち、尊徳の門弟となった。一八四八年、佐平治は掛川に報徳の協同組合〔報徳連中〕を結成し、良一郎も運動の積極的な参加者に育てられた。岡田は同時に、明治時代の近代化初期の試みにもかかわり、一八七三年には「資産金貸附所」を創設して、改良された肥料や農具、森林再生計画に資金を提供した。また、一八八〇年代には、製糖会社や繊維会社を立ち上げている。かれは、報徳を近代の世界へ導き、封建的な過去の遺物のままにはさせなかった。時代錯誤の慣習はすべて捨て去るべきであるという明治維新の宣言のひとつにしたがい、岡田は報徳運動をそうした慣習から切り離し、近代的な世界に融合させようと努力した。この目的のために、一八七五年には「無尽」の資金をつかって農学社（無尽蔵社とも呼ばれた）という農業研修センターを開設する。この研修センターで、岡田とかれの同僚たちは農業実験を推進し、岡田は報徳の倫理的理想と一致するものとして、近代的でリベラルな功利主義や世俗的なナショナリズムについて語った(28)。

岡田は、明治啓蒙主義の偉大な指導者である福澤諭吉の思想に魅力を感じ、福澤が創立した慶應義塾の学生を招いて静岡で講演してもらったこともある。福澤は、国の将来に貢献する商業の牽引役となるよう市民に働きかけた。市民は国民国家に頼るべきではなく、リスクを負うべきであり、それは結果として全体の富と文明化に貢献するはずだった。

岡田は新国家が導入した定額地租に反対する運動に加わっただけでなく、抗議行動の先頭にも立った。かれはこの地租が米の交換価値を減少させ、その結果、国民の実際の税負担を大幅に増すものだと主張した。そして、新政府の官僚による一般農民のあつかいが「暴虐ノ圧政」である、と公然と批判した。その語調は、強靱かつ恐れを知らない岡田の性格を示していた。新たな地租を狡猾かつ侮蔑的に操る役人は「にくむべき」であると評した岡田は、公正な課税政策がとられるべきであり、さもなければ悲惨な結末を迎えることになると主張した。明らかに農民一揆を示唆したのである。報徳の長期計画〔仕法〕を念頭において、岡田は、四年以上の米の収穫高を平均した上で税率を決めるべきだと提案する。この方針はその後採用されることになった。自由民権の思想が広がりはじめた一八七四年という歴史上の時点において、かれは新政府と国民との関係は抑圧者と被抑圧者としてではなく、具体的な分析にもとづいた相互的関係であるべきだと主張した。人間をはじめとするすべての生物は、育まれるべき自由を有していると確信していたのだ。こうして岡田は、県政に積極的にかかわるようになり、一八七六年には静岡県の最初の県会議員に選出された。この議会は裕福な「カントリージェントルマン」である名望家のみによって構成されていたが、県会は岡田を議長に選出したのである。[29]

県会での演説で、岡田は以下の点を強調した。国家がその拠って立つべき精神を確信したときにはじめて、世界の諸国のなかでみずからを主張できる。同様に、県もその拠って立つべき精神を確信してはじめて、他県とともに国を支えて立ち上がることができる。したがって、各個人も自分の「権」のために立ち上がり、そうした権利を「自由」に行使しなければならない。個人が自立した人間として自由に行動するように、県も自立した組織として立ち上がって啓蒙の理想を実現し(「文明に至る」)、国民と国全体の福利に貢献できるのである。岡田は福澤の言葉を借りて、近代にふさわしい知的基盤としての啓蒙について語った。暴力的な蜂起という従来の方法は、農民の苦況を解決する手段として用いられるべきではない。地方の農民のよりよい将来を実現するためには、「立憲の政体」の原則に明記された非暴力的な手段に則っておこなわれなければならない。静岡県でのそうした努力は、地方における民権拡大の一環であるはずであった。[30]

一八七六年という明治維新のわずか八年後になされたこの演説が印象的なのは、岡田が絶対主義からの自由および立憲政治の重要性のいずれの言葉をも信頼しきっていたことであった。地方の一名望家が県会に対して、明治の啓蒙と個人の権利の思想が、暗黒の封建制の旧体制から、県ひいては国家のための行動に導くことを語ることができたのである。みずからの政治思想全般を構成するにあたっては福澤に依拠したものの、岡田は功利主義についてジェレミー・ベンサムとジョン・スチュアート・ミルの翻訳本を読んでいたと思われる。

岡田は、功利主義思想が報徳運動の思想と相容れないものではないと確信していた。このことについて語ったかれの発言はとりわけ重要である。すなわち、尊徳から受け継いだ基本的な倫理上の遺産を維持したまま報徳を近代の流れに合流させることについて、かれが抱いていた思想的な統合を示しているからである。岡田は、報徳全体を功利主義に降伏させるつもりはまったくなかった。しかし、そのことと、功利主義に沿った近代的概念として報徳を再定義することとは矛盾しないと考えた。報徳は功利主義に合致しないが、逆に功利主義は報徳に合致すると考えたからである。振り返れば、日本の近代化においても明治初期にあっては、岡田の論理は見かけほど突飛なものではなかった。もし、功利主義のもっとも重要な目標が社会全体の幸福であるならば、その目標を達成しうるさまざまな手段は検討する価値があった。岡田は、報徳をこの指針のなかで正当化することは可能であると考えた。というのも、窮状を回避し、圧倒的多数の他者の福利に貢献することは、つねに報徳の基本倫理だったからである。

岡田は、ミルの思想は哲学的に複雑かつ深遠であり、それを要約することは困難であると認めた。しかし、ベンサムの場合は功利主義についての洞察がより明快であったので、岡田はベンサムをとおして、ミルの見解は複雑であったにもかかわらず、功利主義というもっとも進歩した思想が前提としているのは、最大多数の幸福（「最大福祉を以ってす」）という基本的な道徳であるという結論に達した。これは報徳と矛盾する倫理ではなく、岡田はこれが大きな「喜び」の源であると考えた。現実に指導的立場にあるすべての人も、この道徳をみずからの目標とすべきであった。世界から貧困と悲惨な状況を除くために努力することは、報徳の道に一致していたのである（「皆な報徳の道に入るべし」[31]）。

岡田は社会的幸福という功利主義的な目的を、相互に協力して助け合うという報徳の方法論に関連づけたが、個別に利益を獲得するしくみがいかにして功利主義の中心にあるのかということに疑問を感じた。かれは、近代の個人主義的資本主義は、本来報徳が考慮すべきことでも関係することでもないと考えた。地域の農業社会に対する報徳の訴えは、これまでと変わらなかった。すなわち、庶民一人ひとりがみずからの足で立ち、おたがいに助け合い、その結果として全体の福祉に貢献するということである。信用貸付の促進をとおして貧農に貸し付ける資金の流れは「共済事業」と見なされた。すなわち、報徳における近代的啓蒙の実践は、前章で論じたように、データの収集と体系的な仕法計画という長期的な相互扶助契約のままだったのである[32]。

宇宙についての公式な記述——天は普遍的で無限であり、一人ひとりの具体的な我に存在する——は、実践の基盤でありつづけた。善悪という道徳的絶対性は人間の内に存在するものではない。人間の内部は純粋に、生命または生命のエネルギーのための場にすぎないからである。道徳的原理はその基本的な意味を「実践」、つまり報徳の報において獲得する。善悪という呼称が意味をもつのは、生という恵みを養う人間の行為においてのみである。たとえば、他者のために何かをするということであり、他者の生のためのこうした行為は、ひいては行為者の個人としての価値を確認させる。報徳の場合、客観的な実践が明確に形成されるのは「仕法」という契約においてである。人間に内在するものは、自然の生命またはエネルギーである。一方、人間の外にあるものは仕法における実践であり、一貫した指針にしたがった長期的な仕事に対する契約であった[33]。

前述のように、尊徳はこうした行為は労働（「人道」）というかたちをとると考えていた。道徳的な我としての自分自身に内在するものの延長ではないことから、そうした行為は「作為」ではあっても「自然」ではない（「自然にあらず」）。このような徳川時代の倫理に照らせば、評価されるために善行をおこなうのではなく、見返りを期待しない行動をおこなうにすぎなかった。したがって、交換の原則は行動の定式からは除外された。見返りを期待せず、他者の幸せのために行動するということであった。つねに重視されたのは他者を養うために行動するという倫理的実践であり、善の知識をひけらかすことではなかった。これを究極的に表現したのは伊藤仁斎であり、人は本質的に善だから行動するのではないと主張した。「善」や「善性」という言葉は行為そのものと、他者のためにおこなった行為の積み重ねについて当てはまるものだ。忠誠、親孝行、正直、兄弟愛、友情などの道徳規範は自然に存在するものではなく、共同体や社会などにおける人間の行動に見いだすことができる。道徳性は、つねに実践に表れるものである。

岡田は功利主義に満足し、国民の幸福を促進することは前述のような徳川時代の倫理に一致すると考えた。人間の生命を救う基本としての相互信用という倫理は、利益追求に優先し根本的なものとして維持された。功利主義では一貫して相互信用が利益の追求よりも優先される。利益追求の動機は「より広い全体の幸福」の基本ではないからである。交換の過程として利益を見こむことは、ミルやベンサムが詳細に議論したテーマではない。それは西洋資本主義の基本にある文化的な前提ではあるが、岡田が功利を解釈する際にはかならずしも不可欠なものではなかった。岡田の解釈では、功利はそれがどのような倫理的形態であっても、窮状や貧困を避け、幸福を実現するのに役立つものであった。それまでの学者たちと同様に、岡田も報徳の仕事を自由民権運動で明確に述べられていた平等主義の原理を内包していると考えた。つまり、岡田が自分なりの功利主義の解釈にもとづいて表現したとおり、実践の客観的な場で「社会の幸福」という目標を実現することであった。報徳運動は、日本が近代的な世界で社会的な福利の確保を追求するための、ひとつの力強く魅力的な要素だったのである。岡田は、この報徳運動という特別の展望をとおして実利主義を解釈した。その解釈は明らかに、近代における報徳の位置を見いだすことをめざすものであった。

終局的には、報徳が占めるようになる位置は、そうした近代の歴史的展望とはくい違い、近代に抵抗する伝統という枠に、よりなじむものとなる。岡田に対して公正を期すならば、「ともに助け合い、繁栄する（共済）」というかれの理念は、安定した公共空間、つまり明治国家によって提供された新たな空間という前提の上に位置づけられた。かれの運動をこの体制に結びつけることは、功利主義的な啓蒙の理念にはいくぶんそぐわないようではある。しかし、功利主義的自由主義においては、何にもまして社会的相互作用をうながす公共空間が存在することが必要条件だと考えられていた。ベンサムが公的秩序に強い関心を抱いていたことと、インドは自由を享受する段階にいたっていないとミルが考えたことは、かれらの見方にしたがえば、公的秩序が必要であることを示唆している。その公的秩序にあっては、知性が介入して人間の発展に利する場合もあった。ミルの『自由論』を翻訳した中《なか》村敬宇《むらけいう》や、『自由論』の言説に好意的な指導的評論家であった福澤諭吉のような明治初期の知識人は、そうした公共空間は形成されつつあると信じていた。自由の理想を賞賛した岡田や報徳を実践しているそのほかの地方の人びとは、かれらの相互扶助的な実践倫理が新しい近代社会秩序をつくり出す一端をになっていると考えた。新しい公的秩序は、単一の人物や権力者の小集団によってつくり上げられるのではなく、さまざまな方法で「おたがいに助け合う」ために働くすべての人によってつくり上げられるはずであった。

要するに、岡田は報徳運動に、経済的な事業展開のための新たな空間を思い描いていた。また自由主義的な功利主義が、政治のプロセスを法が管理するという立憲的な公的秩序の思想を前提にしていることを、きわめて正確に理解していた。この国家的な公共空間には、既存のリーダーシップや地域社会のやり方にもとづいた地方自治がふくまれるはずである。岡田にとって地方自治とは、村落とその相互扶助組織を意味していた。したがって相互に助け合う人びとを主眼にした実践倫理はそのまま存続し、自由主義的な功利主義という近代化概念の枠内で行動するよう人びとを力づけると思われた。

このように、報徳の指導者たちが「相互扶助的組織」の倫理や組織原理を犠牲にすることなく、近代的な事業活動にたずさわったとしても驚くべきではない。地域社会とは県や国に存在する村のことであるという点を除けば、今やこれまで以上に、信用貸付会社のようなあらゆる計画は、相互扶助の決まりと相互扶助組織の組織原理に収まるものであった。他者救済はつまり、国民救済を意味したのである(34)。

近代日本の将来を楽観視していた岡田は、啓蒙主義を評価し、民権運動を論理的で報徳の倫理にも通じるものであると考えた。かれは、相互信用にもとづく自治と、個人の権利としての自立とのあいだで矛盾が生じる可能性については言及していない。おそらく、個人と地域社会とのあいだのそうした矛盾は、現在もしばしばそうであるように、軽視されたのだろう。ここで思い出されるのは、福澤が自分の父親の死後、家計を維持するために母親が頼母子講をどのように活用したかについて書き記したことだが、かれはその緊急時の相互扶助という手法が時代遅れで、啓蒙主義の思想と矛盾するとは述べていないのである。(35)

一九〇〇年に新たに成立した法律のもとで、信用貸付組合の全国的制度に報徳も加わるよう声が掛かると、岡田は従来の倫理的価値観と経済政策の近代的原理とのあいだで選択を迫られることになった。岡田には選択を避けることはできなかった。かれは、時代遅れの慣習的なやり方を一掃して近代的な資本主義の手法へ組み入れようとする要求に直面していたのである。岡田が静岡県議会で民権と活動の自由について演説したときには、功利主義的な資本主義がいずれ報徳運動の倫理を脅かすかもしれないとは、わずかでもほのめかすことはなかった。「実践」とは、功利主義的思想にしたがえば利益追求を意味すると考えられている、とは指摘しなかったのである。そのかわりに岡田は、中央政府から報徳を擁護し、その自治を守ったのである。かれの擁護は、従来の報徳の倫理的価値観によって表現されたものであり、権利や自由、功利主義などの立場から表明されたものではなかった。それは、当時近代化の主流であると考えられていたものから、遠く離れた位置に報徳を置こうとする戦略であった。

一八九〇年代、ライファイゼンかあるいはシュルツェ゠デーリチュか、欧州のどちらのモデルを採用すべきかについて官僚制の内部でなされた議論と並行して、岡田は、報徳の主要な理念について講義している。かれは、基本的な知識はだれにでも理解できると断言した。「書籍もなく記録もなく師匠もなく、而して人々自得して忘れず。是ぞまことの道の本體なる。……夫れ、我教は書籍を尊まず。

故に天地を以て經文とす。予が歌に「音もなくかもなく常に天地はかゝざる經をくりかへしつゝ」……かゝる尊き天地の經文を外にして書籍の上に道を求る學者輩の論説は取らざるなり」[36]〔句読点は訳者による〕。

普遍的な自然は人知のすべての根底をなす第一原理である。自然の不変の原理（「萬古不易の道理」）は社会的、政治的、経済的なすべてのものに先行する。すべての親の始祖として、自然は人の親よりも先に存在していたのである。また、報徳運動が主張したように、これは、さもなければ知ることのなかった将来について抱いた、ただひとつの確かな真実であった（きのふよりしらぬあしたのなつかしや元の父母ましませばこそ）。自然は、主要な宗教が支持する広大な哲学や言語体系に先立って存在した。尊徳にならって、岡田は徳川時代の儒教について、おそらく荻生徂徠やかれの厳密なスコラ哲学に言及して、それが自然を道徳的な抽象概念や古代哲学研究にしてしまったがゆえに「無用」であると評した。実際は、人間は自然から直接知識を得て、自然がかれらにあたえた生命を維持する。人が農作物を生産する方法は、「人道」と呼ばれた。これは、予測の誤りや過誤を減らすために体系的かつ正確に働くという意味になった。人間がおたがいに合意を形成することは重要であり、それは、個人的な感情を制御し、誠実で、信用され、尊敬し、孝行であるための倫理的基盤として機能するようになった。[37]

岡田は、自然についてもうひとつ別の考え方も示した。それは、明治期の思想における自由というテーマや、第一章で論じた徳川時代後期の海保青陵の思想にも共鳴するものである。自然における生命は基本的な賜物であり自由の源であって、勝手な意味づけをしてはならない。岡田が表現したように「天地間万物皆ナ自由アリ、束縛圧制スヘカラス」であった。[38]

おそらくもっとも重要なことは、支配的な自然についての見解であると同時に近代資本主義の根底にあったイデオロギー、すなわち社会ダーウィン主義とその「生存競争‐優勝劣敗」の理論に岡田が納得していなかったことである。この考えは、加藤弘之を筆頭に、おもだった知識人から広く支持されていた。加藤は『人権新説』(一八八二年)で、歴史上の中心テーマは「適者生存」という自然の法則であり、権利は政治的主権の法的拡張であって自然に由来するものではないと主張した。岡田は明治天皇のもとでの主権国家を否定せず、報徳が基本的に国家に忠誠であることを確認した。しかしかれは「生存競争‐優勝劣敗」という近代理論を批判した。この理論は、平田のような指導者が承認した競争資本主義の基本イデオロギーとしての役割を果たしていた。岡田は、報徳は功利主義と倫理的に共感する関係にあると考えていたが、ダーウィン主義の場合はそうではないと考えた。報徳が強調したのは、余剰の積み上げはみずからを利する(自利)と同時に、他者をも利する(利他)ということである。報徳は、個人の生存競争力、ひいては貸付返済能力で差別することはなかった。また通常は個人よりも、地域社会や村落に貸し付けていた。個人は自分のための投資にしてしまうことがあるからである。優勝劣敗の論理は、大会社が比較的小規模で利潤の少ない会社を食い物にすることの正当性を自然に求めるものだった。一方、報徳はおたがいに助けあい、飢饉や疫病などの際に抑圧された人びとを救済するという相互協力の理念を信じていた。生存競争の現象は自然秩序においては広く観察される運命であるが、岡田は、それが社会的存在の基本的な真実であってはならないと指摘した。そしてかれは、相互扶助組織のように貧者と弱者が力を合わせれば、強者である少数者にかならず勝つことができると考えていた。同様に、貧者が特定の規則によっていっしょに行動すれば、富めるエリートたちに勝るだろうと考えていた。

岡田自身の言葉によれば、つぎのようになる。「生存競争優勝劣敗ハ天地自然ノ数ナリト雖モ其自然ニ任シテ為スコト無レバ弱ノ肉強ノ食ノミ。弱者ト雖モ多数力ヲ合スレバ必ズ少数ノ強者ニ勝ツベク、貧者ト雖モ多数財ヲ合スレバ富者ニ優ルノ業ヲ立ツベシ。況ンヤ貧富相和シ結社シテ以テ富國ノ基礎ヲ立ルニ於テヲヤ」(39)〔句読点は訳者による〕。

岡田は、自由競争資本主義は、弱者や恵まれない人びとを切り捨てるための強者による正当化にすぎないと考え、報徳はそうした実践にはけっして与しないと断言した。こうして、相互扶助と改革という報徳の協同組合的な倫理を再確認したのである。かれは明治国家の官僚たちと対峙した際も、この基本的な教えに忠実でありつづけたが、かれが官僚たちと対立したことなどは、欧米の歴史学ではほとんど議論されることがなかった。

岡田良一郎と柳田國男

政府側のおもな代弁者は、農商務省農務局農政課に勤務していた柳田國男だった。東京帝国大学法科大学を卒業したばかりの柳田は弁舌たくみであり、一九〇二年から一〇年にかけて、合理的な組織原理と近代資本主義の利益という動機づけによって地方を近代化することが賢明であると各地を説明してまわった。かれはのちに民俗学者として有名になり、農村や漁村に口承で伝わる日本人の「本」

質を探し求め、近代の人びとが理解できるように書き残している。

しかし当時の柳田は、報徳運動に対立して平田および農商務省の代弁者の役割を果たす立場にあり、地方の貧しい農民たちの徳について語ることはなかった。むしろ、そうした徳が時代遅れであり、近代国家の要請にそぐわない理由を論じたのである。こうしてかれは、西洋文明に由来する資本主義と合理的な手続きの導入を推進し、それによって地方を変革して、明治立憲体制がその基盤とした近代世界に取りこもうとした。一方で、柳田がこの取り組みにおいて失望を味わったために官職を離れ、近代化に汚されていない、消えつつあった一般農民の声を拾い集める仕事に転じたのだと指摘する学者もいる。これが事実かどうかを断言することはむずかしい。というのも、柳田は報徳関係者に資本主義およびその導入の理由を伝えて説得し、近代化の歴史の流れに加わるよう要請したことについて後悔の念を表明してはいないからである。(40)

柳田は『時代ト農政』(一九一〇年)として出版した講演録で、報徳の講義が「滅多にない経験」だったと告白している。かれのおもな論争相手であった「七十餘齢の老學者岡田良一郎先生」は、ものを知らない「童児」に向かって話すように柳田に応対した(「童児何をか知らん」)。柳田はこれに憤慨し、おなじように対応することすら考えたと記している(「何とか言ひたい位」)。(41)

柳田の主張は、「第一に言つたのは日本の信用組合はまだ決して完全とは云はれぬが、報徳社は此際最も完全な理想的の信用組合に變形して働いては如何といふこと」だった。基本的に、報徳はシュルツェ゠デーリチュ型やライファイゼン型といった欧州の同類組織と大きくは異ならず、実際には非常によく似た日本における変種と見なすことができた。「日本に先例が無いだけで報徳社は一歩進めば最良の信用組合」になるはずであった[42]。

柳田は自分の主張をさらに説得力あるものにするために、近年の歴史に目を転じた。その歴史を理解すれば報徳はその方法を変えるだろうと考えたのである。近年の事件は、語彙や概念と同様に、時代も変わることを示していた。一八六八年の明治維新にいたるまで、およびその後の歴史がそうであったように、基本的な考え方も根本的に転換された。明治維新によって、日本の歴史は西洋文明の歴史的過程に近づいた。日本が直面したおもな問題は、もはや生きるための最低生活しかできない経済状況や飢饉を乗り切るために奮闘することではなかった。新たな輸送制度のおかげで、必要に応じて全国各地に物資を輸送できるようになり、定期的に飢饉が起きるおそれもなくなった。その一方で、世界的な危機に対応し、あらゆる領域で生産効率を高めるために十倍もの資本が必要とされるようになった。欧州全域で、英国のリベラリズムが提唱したような小規模な独立地主モデルが十分であるとは考えられなくなり、新たな近代的課題に対応するために協同信用組合が急増した。この傾向は最近のことであったので、日本の不利益は克服できないものではなかった。「現に西洋でも今の産業組合が起りましたのは僅か五六十年以來のことであります。殊に農業に於て組合の設立が重きを爲しましたのは僅々十年か二十年間のことであります。……製造業界に於ては久しく種々の困難なる問題即ち所謂社會問題が發生して居りましたのが、外國に於ては此産業組合の力によつて頗る圓滿に其大部分の解決をした」のであった[43]。

柳田は、報徳が考慮すべき構造的な環境の変化を示すために日本の歴史に目を向けた。旧い徳川体制は不平等で階層的な関係に依拠しており、相互扶助組織を促進するような国家方針を策定することはなかった。しかし、こうした階層的な関係は着実に解消された。藩は、直接的な人格的支配から非人格的な支配に依拠するようになった。すなわち、武士階級は村に住まず城下町に居を構え、俸給によって生活を維持するようになった。小規模農民に対する大地主の権威は失墜した。目上の人びとを尊敬するという価値観は拘束力を失い、たとえば、本家の分家に対する統制は着実に崩壊している。柳田の言葉を借りれば、「握った手から水が漏れる如く」旧い秩序は容赦なく崩壊していった。(44)

つづいて柳田は、報徳の長所を挙げた。報徳は旧秩序において、ほかの相互扶助組織と同様に民衆のあいだではじまったものであり、封建制の権力者の命令によって創設されたものではない。そのすぐれた資質は明らかであった。すなわち、報徳は組織や手続きに関する明確で厳密な規則にしたがって運営されていた。さらに、そうした規則は合意や契約として文書化され、参加者を結びつけ、村々を連繫してより広い結社にした。結社に参加するにあたって、きびしい必要条件を満たす必要はなかった。実際、報徳は貯蓄貸付基金にもとづいた自助と地方自治を促進していたために、参加者として想定していたのは豊かな人びとではなく、より恵まれない人びとだった。要するに柳田は、急速な産業化という新たな歴史的状況のなかで、報徳は社会改良運動を牽引するのにもっとも「適当である」協同組合だと結論づけたのである。(45)

柳田があらかじめ調査をしていたのは明らかで、かれがまとめた報徳の長所はこれ以上ないほどよくできていた。実際、もし柳田がこの時点で止まっていたら、平穏に終っていたかもしれない。実のところかれは、報徳の短所をいくつか強調しなければならないと感じていた。かれはつづけて、つぎのように論じる。明治維新がすべてを一変させたのだから、報徳が歴史上の近代化の一般原則の例外でありつづけるのは不可能である。それゆえ、報徳は旧体制が命じた権威主義的な条件にとらわれたままではいられず、そうした短所を近代の体制に合うように改めるべきだ、と。岡田やかれの仲間たちは、報徳に対する柳田の姿勢が肯定的なそれから容赦ない否定的なそれへと一変したと受けとめ、不意を突かれた思いであった。柳田は、かれが岡田やその仲間の指導者たちの感情を傷つけた（「気、害したか」）ことを認めた。柳田の同僚のなかにも、柳田が当初は肯定的に評価していたことを考えると、批判が強すぎると感じた者もいた。(46)

柳田の前提は、品川や平田の見解と同様のものであった。資本主義は、地方の「社会問題」を解決するための改革に必須だということであった。貯蓄を増やすために報徳は依然として「骨を折」りつづけていたが、その理由は報徳にしかわからなかった。柳田は、報徳社には一〇万円の貯蓄があるが、なんのための貯蓄なのかを説明できる人はだれもいないと指摘し、「頗る不思議」と考えこんだのである。(47)

柳田はさらに、報徳の入札方法を批判した。これは頼母子講や無尽講で貸付を延長するための一般的なやり方である。この方法で資金を循環させるのは近代以前のやり方で「はなはだ平凡」であり、近代的な信用貸付銀行が用いている合理的な方法にくらべて劣っている。これに関連する欠点は、報徳が貸付金に明確な金利を課さないことであった。報徳の貸付は「無金利」方式でおこなわれ、これは近代経済とは相容れないやり方であった。「謝金」「報酬金」「元恕金《げんじょきん》」という用語をつかうことによって、実際にはある種の金利を課しているという事実を覆い隠しているにすぎなかった。「無金利」貸付という考え方は、外部からは「偽善らしく」みえた。報徳は誤解を避けるために、その用語を徹底的に見直し、近代経済に通用するものにすべきであった。まるで秘密結社のように、報徳は外部者には理解できない用語（「外部の者には分からぬ術語」）をつかっていた。[48]

柳田によれば、報徳にとって最大の問題は、それが経済的な相互扶助組織であるにもかかわらず、なによりもまず慈善団体であると主張し、金融や信用貸しの世界ではもはやつかわれていない倫理的な用語に執着しつづけたことであった。つまり柳田は、報徳が営利本位の「公益法人」として法的に定義しなおすべきだと主張したのである。報徳の限界をあらわにするために、柳田は言葉たくみな質問を突きつけた。すなわち、報徳の主目的は道徳的な教えを授けることなのか？　報徳の社員だけではなく、一般民衆の福祉の要望に応えて行政的なサービスを提供する、公的に指定された行政的な事務局や部署はあるのか？　報徳は、おもに、私的な個人からの寄付に依存した慈善団体なのか？

事実、柳田は報徳が慈善団体であり、社員からの定期的な寄付のみに依存している団体だと記している。利益を得るための貸付はおこなわないと報徳は主張しているが、実際にはその事業は収益性を基盤にしており、名称はともかく実体は事業志向の企業である。報徳は、その主目的を道徳教育であると宣言しつづけてきた。しかし、創設の賢人である尊徳自身が仕法の重要な要素として経済的自立を強調していたことからすれば、論理的帰結として報徳が規定する実践は、もはや歴史的にみて現在にはふさわしくないということでなければならない。柳田自身の品位を下げるようなかれの譬えによれば、仕法はむしろ「小さな短い武器」にすぎなかった。報徳という組織は「保守的」かつ「形式的」で、その手続きは近代立憲的な存在といえたものではなかった。[49]

柳田は近代資本主義の優越性を激賞することによって、日本の農業部門改革という行政上の使命を遂行した。かれは、近代の歴史に乗り遅れないためには、報徳は収益性の合理的原理である資本主義をとり入れなければならないと強く求めたのだった。これは、貸付にともなうリスク、つまり元本と金利が返済されるかどうかによって貸付をするか否かということであった。返済を怠った者には冷徹な法律によって定められた罰金が科されなければならない。柳田は、こうした要件が、地方に資本主義と近代的な理性をもたらす「中産階級農民」の成長をうながすと記した。したがって、既存の伝統的な相互扶助組織のなかでもっとも目立ち、印象の強い存在である報徳は、手続きを改めて新しい法律に順応しなければならなかった。「明治維新前」の歴史に基盤をおいていた報徳は、火事や飢饉など、つねに存在する脅威をおもに懸念していた。しかし、そうした緊急事態はすでに主要な問題ではなく、相互扶助組織は近代経済に対してあまりにも消極的だった。政府が推進した新しい貯蓄貸付組合の目的は、困窮した農民の支援という点で報徳とおなじものだった。しかし、新たな組合の組織制度は異なるものであり、伝統的な相互扶助組織が維持しつづけた道徳的、倫理的な前提は重要でないとして取り去っていた。

柳田の冗長な発言に対する岡田の反論は要点を突いて簡潔であった。岡田は、それ以前の意見交換で平田や品川に伝えていたことを別の表現で言いかえ、なぜ報徳は信用貸付組合のように基金の大部分を貸付にまわすわけにはいかないのかを手短かに説明した。報徳を「営利会社」に改組することは簡単かもしれないが、この上ない誤りをおかすことになるだろう。岡田は、一八九〇年代初期に報徳社が相互扶助的な銀行をモデルとした全国的な制度を設けることに関与し、全体としては支持したことを説明した。その計画は「勧業銀行」や「農工銀行」を設置する動きに変わり、貯蓄貸付協同組合の多くは「銀行」や「会社」へ名称を変更したが、報徳はそうしなかった。一八九八年に民法が成立して、報徳は銀行や会社ではなく「公益法人」として認められた。これは十分な保証であり、報徳は明治憲法制度の上に恒久的な法的基盤を獲得したことになる。いまや、一九〇〇年の新法下での地位を変更する必要性はなく、貯蓄貸付組合と名乗ること、つまり福祉のための結社から営利企業へと内規をつくりなおす必要もなかった。(50)

柳田の賞賛に対し、岡田は皮肉をこめて、「讃め過ぎはせぬか」と述べた。柳田の報徳の短所についての議論は、かれが報徳の倫理や組織の規則を理解していないことを明らかにしていると岡田は指摘した。報徳は貯蓄や余剰分の使い方などの欠点を改め、営利会社に転換すべきであるという柳田の提案はまちがった評価にもとづいており、その評価こそ改める必要があった。さらに、利益を得るための貸付を報徳の柱としてはならなかった。そうなれば、他者救済という基本思想が損なわれ、否定的な結果を招くだけだと岡田は主張した。借り手の資産や職業から判断して貸付をおこなう以上に、問題は複雑だった。この問題はじっくり考えることが必要で、それは組織の規則や用語に反映されていた。その重要性を理解するには、過去五〇年、六〇年で都市や村落が歴史的に経験したことを深く考える必要があった。報徳の基本的な取り組みのごく一部に触れただけのわずか四、五年で、柳田がこの原則をいささかでも理解できたとするのは無理があった。(51)

柳田は、借り手の担保の安全性を基準にした貸付はおこなわないという、報徳の長年の方針の意味を理解していなかった。利潤を増やすために貸付にともなうリスクを減らすことは、報徳の大前提ではなかった。「無利子」貸付の目的は、仕法という長期計画に明記された価値ある目的を達成するために、借り手に五年の猶予をあたえることだった。この五年間は、借り手は貸付に対する金利支払の負担がなく、自分たちの長期計画に集中できた。いったん仕法が終了すると六年目が追加され、貸付金の借り手は謝金と呼ばれるものを払う。柳田はこの六年目の返済を金利と考え、そう呼ばれるべきだと主張したのである。実際には、この六年目の収入は、報徳信用貸付基金に戻されて資金を必要とするほかの世帯を救済していた。

困窮した人びとが破産や死に追いやられないようにするという道徳上の原則は重要であり、必要に迫られた人びとを救うために無利子貸付がおこなわれていた。しかし、これは慈善と混同されてはならない。報徳のおもな目的は、破産寸前ではあるものの、みずからの長期計画について報徳社を納得させ、五年にわたって貸付金を活用できることを証明してみせた人びとに金を貸すことである。「無利子」という言葉はこのように五年の長期計画の正確性と実現可能性に結びついていた。無利子の考え方は計画達成をうながす一種の動機づけであり、岡田はその実践と用語を擁護したのだった。

金利をふくめた貸付金の返済能力しだいで貸付をおこなうのは、明らかに裕福な人びとを優遇するものである。報徳のおもな関心は計画の質と、単独あるいは複数の申請者がその計画によって農業改革を遂行できるか否かにあった。資産を保有しているか、稼ぎのよい仕事による収入があるかどうかは、判断の基準ではなかった。それは利益志向の事業のものだったからである。新たな貯蓄貸付組合の唯一の経済的目的は、金利を稼ぎ利益を積み立てるために貸付をおこなうことであった。したがって、農業改革には関心がなかった。岡田は「當社は道徳を主とし金融の事を客とす……金融の事は信用組合を設くれば善いのであるとは當社の規則には無い事である」と述べた。(52)

岡田がとりわけ強く反発したのは、予期されたとおり、柳田が緊急支援用の基金はもはや必要ないとされているにもかかわらず、報徳が巨額の緊急用貯蓄基金を設けるために「骨を折」りつづけるのは「変わっている」と評した点であった。岡田が指摘したように、報徳は実際に三〇〇以上の町や村に財政支援を広げてきた。その費用は、とりわけ小規模農家や貧農からすれば、けっしてありふれたものでも、「変わっている」ものでもなかった。柳田は、近代においては個々の世帯が家計費を慎重にやりくりすれば緊急事態を乗り切れると考えたが、それはあまりに楽観的で、非現実的であった。かれは、農業の現実にうとい学者の見解をくり返しているにすぎなかった。報徳が基金を支援に振り向けたのは、貧者を取り巻く状況が悪化していたからであった。柳田の見解というものも、「學者の理想は左もあるべきなれども唯理想計り」であると見なされた。実際には、「今日は益々貧民は貧に陥り日に貧富懸隔する趨勢」であった。[53]

岡田はつづけて、柳田が近代的な管理手続きとしては不正確で合理的でなく、外部の者には理解できないと評した報徳の長期計画すなわち仕法、その予算形成すなわち分度を擁護した。仕法と分度の基本的な経済原理は、どちらも効果的で明快である。仕法は長期の改革計画を組み立てるための正確なデータを確定する枠組みである。分度は予算立てに関する経済原理であり、所有しない分は消費しない、あるいは単に、持っているもの以上には消費しないということであった。経済の基礎は収支の関係を調整することである。仕法と分度は道徳計画ではなく経済計画であり、長期にわたって収支を管理するものである。目標を達成する際の正確性が増すほど、各世帯も各個人も自立できるはずである。

したがって岡田の反論においては、道徳原則と経済計画は切り離すことができなかったが、柳田は前者を後者の看板だととらえたのだった。岡田はつぎのようにつづけた。

世人の怪むべき文字なれども依て以て報徳の教は立つ。若し、是等の世に異りたる所を改むれば、報徳の教無きなり。二宮先生を尊信せば、片言半句一字たりとも尊重せねばならぬ。是は、社外人の知らざる所である。……柳田國男氏が各報徳社を調査して其短所とする所を捉へ来て、数千言縦横無盡に攻撃し、報徳社員をして殆んど顔色無からしめたる[54]〔句読点は訳者による〕。

岡田は柳田の勧告を受け入れなかった。勧告は第一に、報徳が国家の新しい信用組合法によって仕事をすべきであり、第二に、報徳の主たる目的を相互扶助から近代的な利益志向の会社の業務に変更すべきだというものであった。近代化に合わせ、報徳は一八七〇年に組織名を結社に変更し、岡田は報徳を社会福祉団体と定義する民法の規定にあらためて言及した。すなわち、報徳は地域農民の福祉のための協同組合でありつづけ、利益志向型の会社にはならない。報徳は、利子から利潤を上げることを追求することなく、改革と改善を促進するために貸付をつづけ、また創立者である尊徳が明確に述べたように、他者に対する慈悲と寛容をもって貯蓄金を使うという推譲の理想を掲げつづけるということであった[55]。

岡田は柳田についてつぎのように述べることで、自身の結論に深みをもたせた。「(柳田は) 我が道を賛成するの人なりと聞く。故に斯道を闡明せんが爲めに疑問を設けて吾輩の説を叩き、以て世の疑を解かんと欲するもののみ……報徳社員宜しく顔色を復すべし」[56]〔句読点は訳者による〕。

報徳を国の新しい信用組合法にとり入れようとする柳田の努力は明らかに失敗した。もし柳田が報徳の道徳的教義についてあまり語らず、経済における肯定的な実践についてより多く語っていたら、かれの試みは成功していたかもしれない。すべての報徳指導者がこのふたつの範疇に同等の価値があると考えていたわけではない。福山滝助（一八一七―一八九三）は静岡県の運動指導者であるが、かれの弟子たちの思想は岡田ほど断固たるものではなかった。福山は、基本的に経済的から道徳的へと運動が転換することは近代的な発展だと述べ、「報徳は道徳の教なりや将た経済の学なりや」と問いかけた。尊徳自身は明らかに、経済という実質的な世界を第一義的なものと考えていた。さらに、報徳の道徳的側面を強調することは、実際には近代的な愛国心を吹きこむことになった。これは、とりわけ尊徳の「四大門人」の一人である福住正兄によって定式化されたものだが、国民国家を道徳面で支えるということは、神道および古代から近代までの万世一系の天皇支配を認定することにもとづいていた。一方、福山とその第一の弟子である金井利太郎（生没年不詳）は、尊徳がこのようなことはまったく論じていなかったとして、福住らによる道徳的国家主義のイデオロギーに反対した。岡田も報徳を国家主義的にとらえなおすことには反対したものの、道徳的目標が運動固有のものであることを維持するよう主張した。

福山は、尊徳の教えの本質は人命を救うための長期的な経済計画という思想にあると確信していた。報徳の主眼は常識としての道徳的な教えではなく、経済的枠組みにおける実践、つまり現実の労働であった。したがって、報徳の究極的な特徴は明らかに実用的あるいは実践的経済であり、物質的な福祉の実現であった。抽象的な道徳的埋念を優先しようとすれば、道徳的な愛国主義と同化してしまうおそれがあった。そもそも、道徳性に依存することは作為的な方策であった。報徳の一部の用語は偉大な宗教の伝統に由来するものであったが、その独自性は本質的に宗教的でも道徳的でもなかった。仕法、つまり長期的経済計画そのものが、福山が評したように報徳であった（「仕法其物が「報徳」である」）。報徳のやり方を理解するには、詳細な記録を見ればよかった（「帳面を開き見よ」）。報徳運動が広まったのはその経済的構想のゆえであり、宗教的思想によってではなかった。経済と道徳はひとつの組織の均等な半分ではなかったのである。[37]

しかし、柳田はかれの長い論文で、報徳のこの経済的立場を認めなかったようである。それゆえ、福山の弟子たちは岡田が全面的に強調したことには同意しなかったが、他者にあたえることが価値ある倫理であることには同意し、また報徳経済についての柳田の理解は表面的にすぎず、注意をはらうに値しないとした。

柳田は、自分のほうが欧州や徳川時代の状況について広く深く知っていたがゆえに、論争では自分が優っていると固く信じていた。かれはまず、欧州の自由主義的な個人主義はもはや十分なものではなくなったので協同組合が必要になったと主張した。しかし岡田の仲間にとっては、かれらが農業世界に立脚していたがゆえに、岡田の発言のほうに説得力があった。岡田の見るところ、柳田が資本主義を支持するのは学者らしい抽象性のゆえであり、地方のきびしい現実や貧困ゆえではなかった。その考えはあまりにも楽観的、理想主義的で、言い方を換えれば「学問的な」作り話だった。貧困の現実は、個々人が資本主義的に家計を管理することによって運命を操作することができるという、柳田の評価とはかけ離れたものであった。しかし柳田はこの批判に答えようとはせず、起業資本主義は個々人の自立をうながし、もし報徳がそれを促進するのであれば、それだけ「利潤獲得」の思想を考慮すべきだと言っただけであった。岡田は一貫して、個人は近代的な資本主義に食い物にされてしまうのだから、報徳が利潤獲得より相互扶助の倫理を優先するという主眼は放棄しないと主張した。

岡田の猛烈な反論にもかかわらず、柳田はそれ以上議論する理由はないとし、いかなる議論も避けようとした。かれは、言うべきことを言って幕を引いたのだった。一九一〇年に書いた後書きで柳田は自分の立場をくり返し、他者の救済より利益を強調したことは倫理に反することではないと述べた。利潤を積み上げることによって、個人はいっそう自立する、ということであった。一九二〇年代半ばに農商務省を代表しておこなった講演で、柳田はあらためて、資本主義は貧農救済のためであることを強調した。ただし柳田は、報徳運動に対してそれまでに指摘した数々の点を再確認しつつも、政府の貯蓄信用計画は完全に「物質本位」になってしまい、その精神は、報徳や感恩講のような仏教信者の集まりに備わっている「人を感激せしむる精神」に欠けていることにも気づいていた。柳田は一九四八年に自身の全集を重版した折には、「民俗学」を学ぶ学生が農業政策史全体を再検討することを歓迎する、という一文をつけ加えたが、それ以外に実質的な意見は加えなかった。(58)

岡田と柳田による以上のような論争が進行する一方で、農商務省は貧しい農家の「負債」について全国調査を実施し、一九一二年に公表した。この調査によって、岡田が把握した地方の現実が確認された。つまり、柳田が見せかけようとした以上に貧困は広がり、深刻化していたのである。調査結果が示したのは、貧者は貯蓄できず、貸付を受けるための担保もないということであった。どうしようもない緊急時には、貧者は高金利の貸金業や質屋から金を借りることを選択した。貸金業者は最高二〇パーセントもの金利を請求したが、貯蓄のない貧者は緊急の必要のためには容易に利用できるこうした貸付に手を出さざるをえなかったのである。これらの高金利の業者に対する負債のレベルは、新たに設立された信用貸付組合に対する負債の三倍にも達した。中央政府の省庁は、信用のおける人びと、つまり利子をつけて元金を遅滞なく返済できる人びとを優遇する貯蓄貸付制度を押しつけているだけであると受けとめられたのである。[59]

貧農に広がった悲惨な貧困のイメージをもっともよくとらえたのは、おそらく石川啄木（一八八五－一九一二）だろう。先の議論がくり広げられていたのとおなじ時期の一九一〇年、飢饉に等しい状況がかれの故郷の東北地方を襲った年に、石川はしばしば引用されるつぎの短歌を詠んでいる。「はたらけどはたらけど猶わが生活楽にならざりぢつと手を見る[60]」。

地方の貯蓄貸付組合のほとんどは、支払能力を維持することができなかった。「社会問題」が地方から都市部の貧困に移るにともない、一九一七年に新たに設けられた規定によって、こうした組合は「市街地」の事業と見なされ、都心部で営業できるようになった。「市街地信用組合」は許可制で、太平洋戦争後に信用金庫となる、質的に異なる企業と見なされた。しかし、ほとんど貯蓄のない人びとにとって、それよりも決定的に魅力的でありつづけたのは、民間で運用されていた相互貸付機関である講であった。一九二〇年代後半には、数百もの貯蓄貸付組合が全国に存在した。相互的な融通機関である講は、大阪だけでも一〇〇〇以上も存在した。明らかに、これは平田や柳田が思い描いた歴史

ではなかった。(61)

第六章　無尽会社

現在、かつての無尽会社を継ぐものとして、福岡県の西日本シティ銀行、大阪の近畿大阪銀行、盛岡の北日本銀行が存在する。太平洋戦争後は、各県のどの市にも同様の「相互」銀行が存在した。地場産業に対する資金提供が相互銀行の主たる構想であり、一〇〇年以上前の明治時代後期に具体化されていた。これらの銀行の系譜をたどると、頼母子講や無尽講から倫理や手法を引き継いだ信用貸付会社である無尽会社に行きつく。したがって、こうした会社は近代に適応した伝統的な相互扶助組織の歴史の一部である。

このような銀行は、日本の銀行業界の主要な部分を占めたわけではなく、通常は複数地域にまたがる大規模な都市銀行の陰で運営されてきた。その一方で、それらは都市部や地方で十分な資金を欠く企業のニーズを満たすという点で重要な役割を果たした。そうした銀行は、地域の人びとから集められた資本は地域に残るべきだと考えていた。これはとくに一八九〇年代から一九三〇年代半ばまでの産業革命の時代に当てはまる。この間、国の財源は徹底して軍事力の確保と維持に注がれていたからだ。無尽会社の重要性は、それらが全国規模で競ったことにではなく、産業の近代化に関心のある人びとからは目をかけられることのない、産業革命の底辺にあった小規模事業のニーズに対応したことにある。

無尽会社についてくり返し語られているのは、太平洋戦争後に連合国最高司令官総司令部が、無尽会社は近代の民主的経済に明らかにふさわしくないという理由でその解散を命じたという話である。実際、無尽の名称や手続きは近代以前の遺物であり、一種の「賭け」のように見える外見は新しい民主主義にふさわしくないと見なされたのである。二人の経済学者がこのできごとについて次のように淡々と語っている。「GHQの役人は……無尽の運営に共感せず、要求払預金を扱わせなかった。かれらは無尽についてよく理解せず、金融の一手段ではなく賭け事だと考えていた。かれらは、米国の状況のように預貯金業務を商業銀行に限定したかった[1]」。

日本の経済学者たちはGHQのこの否定的な見解に抗議し、地域志向型の無尽会社がなければ、とりわけ大都市以外の地域の一般的な事業者が苦しむことは明らかだと指摘した。地域定着型企業が東京に資金を求めるしかなくなれば、これは巡り巡って経済全体の停滞につながる。こうして、無尽会社は「相互銀行」という新たな名前で再登場した。その後は単に「銀行」と呼ばれることが多くなる。「相互」は、徳川時代に広く使われていた伝統的な「相互扶助」に由来する。急速に国際化していく戦後の環境にあって、「相互」は、「限界のない、あるいは尽きることがない慈悲」（無尽）よりも翻訳上好ましい印象をあたえるように思われたからであった[2]。

無尽会社の歴史からわかることは、無尽会社が日本の経済学者から支持されてはいたものの、銀行制度全体のなかでは比較的遅くに、すなわち日本で産業革命がはじまったあとに法律上の地位を認められたことである。無尽会社が急速かつ慌ただしく成長したため、国会は一九一五年になってようやく無尽業法を成立させた。同法は無尽会社を信用貸付機関として法的に位置づけ、日本の銀行制度の一部門として取りこむものであった。無尽会社は銀行ではなく、会社と呼ばれることになった。従来のやり方や伝統に合致する特別な地位をあたえたということである。しかしこれは、近代経済の正式な一部門とするものではない。無尽業界の関係者にとっては、これが偏見にとらわれた見方であることは明らかで、憤りを感じさせた。無尽会社は侮辱的と思われることに抵抗するとともに、次のように主張した。無尽会社は庶民のための資金を庶民のあいだに、庶民のためにつくり出すことによって公の役に立っているのであり、中央政府に優遇されるエリート金融機関の利益を促進しているのではない、自分たちの構想こそ民主的である、と。暴利をむさぼる全国銀行の本性に対して、無尽会社の経済的、イデオロギー的な立場は、その地域で生み出された資金はその地域にとどまるということであった。

無尽会社が本書全体にとってとくに重要なのは、それが伝統的な講が近代の要請に適応した一例であるからだ。この会社は頼母子会社と呼ばれてもよかったが、無尽が選ばれたのはおそらく、言葉が短く音も明瞭で発音しやすかったという些細な理由からだろう。伝統的な相互扶助組織である講の倫理的な理想や慣習を受け継いだことに加え、無尽会社は近代経済の複雑さに適応できなかった中小規模の事業者にとってなじみやすく、すぐに受け入れられた。報徳と同様に、無尽会社は相互扶助や信用という倫理や、緊急時の他者救済という倫理に沿って機能していた。その運用規則は、徳川時代の契約講とおなじように書面にされ、「契約」と呼ばれた。(3)

無尽会社には、農民のために野心的な構想を抱いて運動を起こすような強力な代弁者はいなかった。言いかえれば、二宮尊徳のように聖人とされる人物がつくり上げたものではなかった。無尽講は、一八八〇年代と九〇年代に全国各地で自然発生的に登場し、その源は一つではない。したがって、無尽講は経済的支援を求める一般の事業者の、自発的で絶えざる訴えであったといえるかもしれない。つまり、無尽会社は競争資本主義という新たに導入された手法などではなく、地方の民衆の意識に深く刻みこまれた実践を生かして、今となってはその名を知ることもできない人びとによって社会的にできあがったものであった。報徳運動と同様に、無尽会社は一つあるいは複数の村にまたがって成長し、地域あるいは県全域にゆきわたっていった。重要なことは、無尽会社が異なる場所にあったとしても、場所によって無尽会社に違いがあるということがまったくなかったことである。東北の岩手無尽会社〔現北日本銀行〕と九州の福岡無尽会社〔現西日本シティ銀行〕は社会的におなじ〝布地〟から切り分けられたかのように、近似していた。

報徳が（静岡県にある門柱に刻まれたように）道徳と経済の同等性と不可分性を主張したのとは違い、無尽会社はいうまでもなく経済的なものであり、営利を目的とするものであった。その正当性の源は講に根づいていた相互扶助という倫理だが、焦点は利益を上げることに絞られていた。無尽会社はその当初から、みずからを「営利志向の」会社と呼ぶことをためらわなかったのである。これは、報徳が断固として拒否した名称である。無尽会社は、古代仏教における慈悲の倫理に言及しながらも、明治時代の事業文化に浸っていた。

無尽会社は、資金を集め分配する方法も変わらないという点で無尽講のままであった。つまり、契約にかかわる一人ひとりが債権者であり債務者だった。しかし、三浦梅園の慈悲無尽講や尊徳の報徳、そのほか数千もの緊急時のための同様の相互扶助組織とは異なり、無尽会社は基金が地域社会の信託であり、半永久的にくり越すものとは考えていなかった。報徳の場合は、前述のように「無利子」方針によって得た余剰金は地域社会の貸付基金に預け入れられ、相互扶助組織全体の貯蓄として計算された。一方、無尽会社では、この基金の期間は限られていた。六カ月か一年、あるいはそれ以上であっても、契約期間が満了となれば基金は取り崩されたのである。期間が満了すれば、預け入れと配当はすべて完了することになっていた。契約上の各加入者（口数や地位で特定された）は、合意した額を一定の期間預け入れ、自分の順番がまわってきたらその契約集団における全額を受けとった。加入者全員が基金を受けとれば、その契約は終了である。報徳では、貸付資金は長期の農業改革計画の実施のために用いられた。一方、無尽会社の各契約者は、投資をふくめ、どのような「緊急事態」にでも自由に資金を使うことができた。さらに、報徳が利益という考えに抵抗し、全体を向上させるための余剰金であり積み立てであるとの考えを主張したのに対して、無尽会社は、全体に対する掛金から蓄えた「利益」を、債権者一人ひとりに、今度は債務者として分配した。

このように講が会社として順応したことは、明治初期の社会において民衆が広範な分野で率先したさまざまな取り組みの光景の一側面であった。一般的な歴史記述ではしばしば無視されたものの、相互扶助的な貸付会社の設立は、相互扶助や地域社会の原則を維持しつづけた文化の一部であった。無尽会社の発展は、民衆が新政府によって無理に押しつけられたと思われるものに対して抵抗し、抗議したという明治時代初期の歴史の大きな流れのなかで理解されるべきである。さらに、無尽会社は一八六八年の明治維新につづく多くの抵抗や抗議運動と別個のものだったわけではない。

明治維新は民衆にとって複雑な事件であった。明治維新が意味していたのは、一方では、階層的な徳川時代における制約だらけの制度からの「解放」であった。この「解放」という言葉は無尽業界によって使われた。今や人びとは、法律によって自由に財産を所有、売買し、移動もできるようになった。地域の藩主や、刀を帯びたその家臣たちの支配を受けることはなくなったのである。武士はその尊大な地位を失い、民衆は市民としての法的権利を得た。武士の将来は約束されたものではなくなり、一般庶民と同列におかれることになった。その一方で、全人口の約八五パーセントを占める農民の経済的な暮らしむきは、以下の例が示すように、明治維新によっても改善されることはなかった。

それまでの体制とは劇的に異なり、新国家は網羅的な地租を課した。それまでは、藩主が家臣を養えるように税率を決めていたが、新国家は統治権を盾に個々の世帯に直接課税すると主張し、国家支出の八〇－八五パーセントをまかなった。国は地租を固定すると約束したが、基本年をもとに測られた生産基準を長年にわたって維持することができなかったために、その約束はのちに幻となった。その後、米価が下降しつづけて半減し、一俵一〇円だったものが五円になる。だれもが借金をし、農民は過酷な金利を請求する民間の貸金業者から金を借りるしかなかった。その結果、借金が増えて土地を手放すという連鎖が加速していった。度を超えた新たな地租に対して、全国で自然発生的な一揆が起きる。事実、その税率は旧体制が課したそれよりも高かったのである。

このような状況下で起きた一揆は、確実に記録されている。一八七二年から七五年にかけて激しい一揆が全国各地に広がり、新政府は土地あたりの算定生産価値に対して三パーセントだった税率を〇・五パーセント引き下げて二・五パーセントにするなど大幅に譲歩した。地方税は課税基準が三三パーセントから二〇パーセントに引き下げられた。こうした譲歩は、国民に対する「仁政」ゆえになされたのではない。よく統率された農民一揆によって地方が長期にわたって不穏化するおそれがあり、新国家として容認できなかったために新政府がとった戦略的な対応だった。農民は「正義」は自分たちの側にあると確信し、自分たちの要求は明治維新の倫理観に完全に合致すると考えていた(4)。

新しい租税に反対すると同時に、村は部落の入会地が没収されることについて、県ひいては新政府に抵抗した。行政によって官地民地が新たに区分され、山林原野もふくめた部落有地の管理と運用をだれがおこなうのかで大いにもめたのである。新たな地租導入以後、政府に不信感を抱いた全国の村々は、新政府がドイツにならってすべての森林地の国有化をもくろんで土地収用権を主張したことに対して、慣習的に享受してきた特権を守るために地方議会や国会に請願書を提出した。請願書の陳述は明確であった。すなわち、森林を国有化しようという政府の計画は単に国税の増収をもくろんだものであり、国民の利益を無視していると主張したのである。村人が失おうとしていたのは、薪を集めるための森林であり、魚を採ったり、灌漑用水を得るための川であり、山菜やきのこ、肥料を得るための峡谷であった。粘りづよく働きかけつづけた結果、村人たちは、共有地をこれまでどおり村所有の共有財産とするという譲歩を引き出した。こうして共有地には「共有権」が適用され、慣習にしたがって管理されることになる。一八九八年の民法によって、のちに国会においても、この取り決めが確認された。民衆にとって、地域のこのような利益を国から守ることは、自分たちにとっての維新という新秩序の構想にとって不可欠であった。慣習は今や法律上の共有権となり、自治の基本的な特徴ともなった。こうして、共有地の共同管理は、中央政府による各世帯に対する新しい直接課税と並ぶ、横につながるアイデンティティとして維持された。慣習にもとづいたこの横につながるアイデンティティは講と共鳴した。講もまた、自助や相互保障、地域レベルでの事業という原則が支配する自発的な活動であり、伝統的な相互扶助組織であった。(5)

地域の共有権の防衛とおなじように重要だったのは、村人が政府による貯蓄計画の押しつけに反対したことであった。これは「備荒儲蓄法《びこうちょちくほう》」として知られ、一八七五年と七七年に制定された準備法にもとづいていた。最終的には一八八〇年に、徳川時代の村落の相互保障と貯蓄組合で使われていた用語で表現され(いくつかの地域で使われていた「備荒」が参照された)、飢饉や火事などの危機的状況に対応する貯蓄を別途おこなうために制定された。この法律によれば、農民は地租とともに一定の金を預け入れ、その基金は、人びとが必要に応じて利用する緊急時の保険基金として使われた。この基金は新しい地方政府に預けられ、管理された。この法〔太政官布告であった〕が、〔じつは伝統にもとづくものでありながら〕新しい中央政府によって公布された完全に正規な法のように思われたのは、国家が国民の緊急時の必要性に配慮することを示唆していたからである。

しかし、まもなく、この法律には別の意図が存在することが、地方議会での質問から推測された。もっともはっきりしていたのは、前章で述べた報徳運動の本拠地のひとつである静岡県の例であった。問いただされたのは、民衆の緊急時の必要性に対して政治は何百年も無関心でいたのに、なぜ今になって明治政府は国民のための「緊急」保険を、おもに国民の負担によって設けようとするのか、ということであった。国中に抗議の声が広がっていった。地方議会に提出された請願書では、「強制貯金」を定める法の真の意図は国民の福祉促進とは無関係だという点がくり返された。実は、国が依存している税金を納税者が払えなくなるという起こりうる事態に際して用いるための備蓄基金を設けようとしているのではないか。森林国有化計画とおなじく、「貯蓄」税は国民の必要に応じるためではなく、中央政府の歳入不足を埋めるためのものではないか、と。

この緊急時貯蓄法に対する人びとの反発は断固としていて一貫性があり、明確であった。新政府が地域社会に共有地をどう使うべきかを指示すべきでないのと同様に、緊急時の必要に備えてなぜ、どのように、どれだけの金額を貯蓄しておくべきかを指図すべきではなかった。村の共有地の利用は法で認められた共有権であった。また、地方の現場で緊急時のために積み立てられた余剰金をどう使うかは、相互扶助や地域社会に根ざしたかたちで決定されるべきであった。要するに、新しい明治国家は共有地をどう利用するか、なぜ、どのようにして緊急時に備えておくべきかについて、各村に口出しすべきではなかった。こうした決定は、相互扶助に関する合意というかたちで村の寄合が何百年も担ってきたことであった。粘り強い反対が何年もつづき、強制貯蓄の法律は、それが完全に施行されることがないまま、一八九〇年代にひっそりと廃案になった。こうして、地域社会の共有財産の維持と運用が村レベルで守り抜かれたのと同様に、相互扶助については地域が決定するということが守り抜かれた。(6)

多くの難問に直面した民衆の歴史のなかで決定的な事件は、大蔵大臣であった松方正義（一八三五

—一九二四）のデフレ政策が実施された一八八〇年代初期に起きた。松方のこの政策によって信用資金がまたたく間に民衆全体から流出し、広範な経済的困窮を生み出した。インフレ抑制のためにきびしい金利政策が実施された結果、徳川時代後期から明治維新にかけてつづいたインフレを上まわる利益獲得が突然、終結してしまったのである。この方針によって、新設の日本銀行をとおして政府の歳入は確保されたが、資金不足という新たな状況におかれた民衆の暮らしむきは以前にも増して悪化した。小規模事業者と農民は、裏切られたという思いと憤りを感じたものの、借りられる資金を求めて奔走するしかなかった。明治維新は暮らしを良くしてくれるというかれらが抱いた希望と期待は、新体制を率いる指導者たちに対する幻滅と不信に取ってかわった。維新は迷路へ入りこみ、民衆は見捨てられたのだ。こうして、旧体制とおなじく、政治指導者たちが慈愛に満ちた支援の手を国民に差し伸べるとは信じられなくなった。しかし、社会の一部にとっては惨めな経済様式でしかなかったものを、一般農民や小規模の事業主は受け入れる以外になす術がないわけではなかった。新しい地租や備荒儲蓄計画であれ、村の共有権の防衛であれ、かれらが行動を起こしたのは権力者に対する憤りからであった。一九〇〇年代、無尽会社はこの歴史にもとづいて、国民は松方を忘れることも許すこともないと、機関紙でくり返し明言したのである(7)。

ここでの議論に関して経済学者のジェームズ・ナカムラは、極度な資本欠乏に陥っていた人びとがどうやって一八八〇年代の松方デフレ政策を乗り切ったのか疑問に思った。実際に、一般農民は資金が欠乏した状況を切り抜けることはできなかった。そのためナカムラは、経済以外のなんらかの介入があって、国民は飢饉に打ちのめされなかったのではないかと考えた。ナカムラは、「日本人」は耐えがたい状況を耐えることができるというよく引き合いに出される「文化的」な説明を避け、明快で魅力的な社会心理学的見解を提起した。明治時代初期の農民はおそらく、それ以前の小農と同様に、自分たちの資産について事実を隠蔽したのではないか。つまり、農民たちは実際の収穫高を隠匿したか、税吏にうそをついたと考えたのである。(8)

徳川時代、藩に収穫高を申告していた村々は、その一部を緊急時の備蓄として取り置いていた。このような減額や備蓄は道徳的には正当であり、村人たちによって決定されるべき問題であって、旧藩に許しを得ることではなかった。これらのことは、すでに述べた備荒儲蓄法に対する反対や、村の共有権の防衛を説明するものでもある。かつては武士であり、今や明治政府の官僚となった人びとがそうした村レベルの慣習に疎かったのは、かれらがつねに城下町に住み、村での意思決定にかかわらなかったからである。

民衆が講を利用して相互扶助的な貸付を確保していたことは、このような歴史の織物に編みこまれていた。農民は戦略的に重要な場合に隠匿をおこなったというナカムラの社会心理学的な説明は、したがって民衆は相互扶助的な貸付組合である講に依存し、法外な高金利を課す商業銀行を避けたという本章での検討課題につけ加えられるべきだろう。民衆はこうした貯蓄によって一財産を築いたわけではなかったが、貸付を受けて予防的あるいは積極的な使い道にまわすことができた。したがって、産業革命が轟音をたてて容赦ない勢いで迫りくる状況にあって、こうした契約的な相互扶助は民衆のセーフティ・ネットであったといってよいだろう。民衆が講に注目したのは「常識的な」経済的行為であった。それは社会的想像の問題ではなく、貸し借りのひとつの様式であり、松方の金融制度から自分たちを守るためであった。契約的な相互扶助組織が提供したのは身近な信用の場であり、同時に正確な組織ルールに規制される場でもあった。空間的には地方に存在したものだったが、県や地域という新たな行政体制においては移動し拡大する特性もあった。

事業志向型の講

徳川時代後期の事業志向型の講は、無尽会社の先例および財源としての役割を果たした。歴史学者の森嘉兵衛は、かつての南部藩の城下町、現在は岩手県の県庁所在地である盛岡で、信用貸付と事業的な相互扶助をおこなう無尽会社の例を多数見いだしている。さらに、同様の営利志向の相互扶助組織を広範に調査するうちに、森はそうした相互扶助組織は旧封建体制で一般的だった形態の一部であり、講から企業や銀行へという事業的な相互扶助組織の進化を示すものであるという結論に達した。一九五〇年代後半、森は岩手県の興産相互銀行から設立二〇周年の記念にその歴史的起源の検証を委嘱され、この相互銀行は徳川時代の知識と実践の延長であると記した。「現代の相互銀行の母胎は無尽・頼母子講であった。この無尽・頼母子講を如何に近代化したもの」だったのである。[9]

森によれば、武士による監視をほとんど受けることなく、自治がほぼ自立して営まれていた徳川時代の村落では、地域社会の信用が村の契約集団で培われ、経済的な信用関係に発展していった。これが講という共済の基盤となり、緊急事態に備えると同時に、長期的な事業志向の契約を支えたのである。この道徳的な取り決めは法的あるいは司法上の規則ではなかったが、五年あるいは一〇年、場合によっては五〇年と明記された契約は絶対的で拘束力があった。南部藩の例をみると、一七六四年から一八一五年までつづいた契約扶助組織には四六人が加入して定期的に掛金を払いこみ、年三回、仲間内で基金が分配された。この講には一二の村落から加入者があり、基金は南部藩から江戸に向かう途中の宿場町であった宮守村で管理されていた、と森は記している。分配された基金は各加入者の必要（および希望）によっていたので、住宅の建設、商売の拡大、農作物の生産性向上のためなどに使われた。森によれば、その後幕末期になると、加入者が合意し、加入者すべての相互利益になる計画（「相互之義」）に充てられることもあった。一八六〇年代の採鉱事業はその一例である。こうした講は、ときに「調達講」と呼ばれ、二〇〇名ほどが加入して、相互扶助的な計画のための資金を集めるために期間限定で設けられた[10]。

そのほか、投資を念頭において組織された講もあった。盛岡には、二八人が加入し定期的に払いこむが、二一回目の払いこみが終るまでは分配しないとした例があった。二一回の払いこみのあとに分配すれば、最初から分配する場合よりもそれぞれの取り分がはるかに大きくなる。この講の中心は京都の東に位置する近江の商家の分家であった。近江屋治左衛門と近江商人の仲間たちが盛岡で二〇軒の近隣家族を組織し、契約期間が終りに近づくまで分配を延期するという講を設けたのである。

講を設置してから五年あるいは一〇年経つまで、掛金を引き出さない例もあった。この「遅延法」のおかげで、商人は多額の資金を集め、個人あるいは共同のために使うことができた。明治初期の一八八〇年には二五の商家が集まってこの種の講を組織し、一〇年間は掛金を分配しないことにした。

積み立てられた資金は、利子分もふくめて五つの互恵的な投資のために使われることになった。その順位は、(一) 盛岡銀行、(二) 盛岡電燈会社創立、(三) 多目的倉庫 (盛岡倉庫)、(四) 信用貸付組合 (盛岡貯蓄)、(五) 長期的な産業投資基金 (勧業債務) である。それぞれの事業は共同所有する会社となり、講の加入者によって運営されて「合資会社」と呼ばれた(11)。

こうした相互扶助的事業は、のれん分けによって、盛岡のような地方都市の商家だけでなく全国的な商家のネットワークにもつながった。一八五〇年代後半、近江屋や井筒屋が盛岡で組織した講は、京都にあるそれぞれの本家グループにつながっていた。歴史学者がよくとりあげるのは小野組で、近江・京都の小野善助家を総本家としていた。明治維新当時、小野組は盛岡の近江屋と井筒屋もふくめて、三一の藩に四〇の分家を擁していた。こうした複合体は地方に根づいた講を越えて、多地域にまたがる「組」をふくむものになっていった。講から組へ、相互扶助組織から多地域にまたがる組合へという適応力のある動きは、小野のような商家が活用した分家の重要性を示している。一八七〇年、小野組は組に所属するすべての商家の合意を得て、その共有資産で全国規模の民間銀行を設立することを提案する。結果として、明治政府は小野組ではなく三井組を選んで、銀行を設立した。その理由は複雑で、完全に理解することはむずかしい。一般的には、小野組の中心的な参加メンバーのうちのいくつかの商家が、戊辰戦争に際して幕府を強力に支援した根拠地であった盛岡などの東北地方に位置していたからだと説明されている。三井は明治維新当初、明治政府でおもに経済問題を担当することになった長州藩の井上馨をとおして、西日本の反幕府勢力に財政的な支援をおこなっていた。この説明が十分か否かの検討はここでは省くが、それ以上に留意すべきは、小野組と三井組の分家構造と資本形成の方法が実質的におなじであり、その下部組織が契約講だったということである。[12]

小野組に参加していた商人は、盛岡無尽会社と岩手無尽会社を創設したコミュニティに属していた。それほど詳細ではなかったものの、無尽会社は講の運営規則と同様の規則に沿って運営されていた。加入者は地域出身であることが多く、資金不足の状況に取り組んでいた。このようにして、社会保険制度としての講は大小の事業計画とともに存続した。森は、育児、小学校、衛生に取り組む講をとりあげ、多様な講が同時に存在していたことを解説した。「栄生講」にはおよそ四〇〇人が加入し、それぞれが毎月一円五〇銭を預け入れて、飢饉などの緊急医療を支えた。「公衆衛生」とは、コレラ、結核、天然痘、そのほか徳川時代後期や明治時代に多く発生した伝染病への近代的な対応である。事業志向の講は社会福祉的な講と並行して存在したのであり、したがって基本的な倫理水準において、「公衆衛生」と「信用事業」はおなじ文化に属していた。このように、信用貸付相互扶助組織は伝統と近代とが合流したことをはっきりと物語っている。「和合講無尽（調和を促進するための無尽）」は実のところ、新規事業とくに海外貿易を促進するための投資会社であった。[13]

明治政府は当初、理由は完全には明らかでないが、地方や村でおこなわれていた契約講に介入しなかった。課税や共有財産をめぐって、各地方で一揆が起きたことが原因かもしれない。明治政府は講を認可制にすることも、違法であるとして解散させることもなかった。一方、〔賭博の性格がつよい〕富くじを違法としたのは、徳川時代の秩序でもそうしていたからである。しかし契約講という広大な分野は、途中で頓挫した備荒儲蓄政策は別にして、地方行政についての中央政府の構想には入っていなかった。このように、契約講は日本の産業転換期における民衆の社会史に、とりわけ新たな経済政策の悪影響から民衆を守る安全基盤として組みこまれた。資本欠乏という環境にあって、講は庶民のあいだでまたたく間に広まった。実際、無尽講や頼母子講に積極的に加入したおかげで、多数の人びとが急激な産業革命期を生き延びることができたといっても過言ではない。そう考えると、日本における産業革命は、社会の下層における自助的な信用貸付の取り組みがなければ不可能であったともいえる。

講の倫理的なアイデンティティは明らかであったが、無尽会社は利益獲得を目的とする事業志向の組織であるという点で、その他の信用貸付組合とは異なっていた。無尽会社の目的は、近代経済において事業志向の会社として機能し、小規模事業者向けの信用貸付銀行として役立つことだった。相互貸付組織であった講が公的な秩序を超え、政治の統制を受けることなく歴史的な機能を果たしたように、無尽会社は国による規制の範囲外で運営されていた。事業志向の信用貸付会社や銀行がしかるべき政府機関の認可のような承認を得ずに運営されていたことについて、国はほとんど気にかけていなかったようである。その根底には、政府が小規模事業者に信用貸付資金を提供せず、また提供する気もなかったという独善的な前提が存在した。その代わりに無尽会社が、伝統的な講の順番制かつ相互扶助的な実践という低リスク高利潤の原則にもとづいて経済上の責任を肩代わりしたのである。

こうした行為は伝統的な相互扶助組織を近代経済へと導き、「会社」という名称を得た講は、名称と正当性において大きな価値を手に入れた。「会社」の漢字は、「社会」のそれと逆の組み合わせである。この名称は明治時代の造語で、明治時代初期の翻訳文化に登場した、広範囲におよぶ自由な言葉の遊びを反映している。「社会」とは伝統的に、村の中心にある集会場所を指す言葉だったが、あらゆる人びとを包みこんで構成されるもの――社会――という、近代以前の日本語には存在しなかった新しい概念に当てはめられたのだという指摘もある。おなじことは「会社」にもいえる。会社とは、おなじような考え方をする人たちが利益を求めて参加する集団であるという考え方は、日本語にはわかに馴染むものではなかった。「社会」は、ときにこの意味で使われることもあったが、一八八〇年代になると、逆に「会社」が、「近代的な」事業志向の仲間を意味するようになった。会社は、信用貸付の相互扶助組織である講と区別されたからである。こうして、手続き的な原則は講の流れを汲むものの、会社は近代的な金儲けの事業体としての明確な独自性をもつようになった。

講から会社へ

講から会社へという基本的な移行の例は、ふたたび盛岡に見いだすことができる。一八八〇年代はじめの松方デフレ以降、福祉や相互貸付の扶助組織はすべて「一心講」と呼ばれる相互扶助組織に合流した。国家的な課題を掲げた政府系商業銀行にすべての資金を預けるのではなく、地元志向のさまざまな相互扶助組織がそれぞれの信用機関を設立したのである。一心講に統合された資本は、銀行に代わって相互扶助組織の掛金を引き受ける組織として、また貸付資金として機能した。こうして一心講は事業型無尽になることを宣言し、相互貸付扶助組織（契約講）の基本原則にしたがって貸付をおこない、政府に依存する銀行とは一線を画すようになった。さらに、地方の契約講を集約し、その運営を有料で引き受けるようになる。こうした変化にもかかわらず、それぞれの講は昔ながらのやり方で機能しつづけていた。すなわち、加入者はその契約講のなかでおたがいに貸付をおこない（決められた日に一定の掛金を払いこみ）、借りた（決められた日に分配金を受けとった）のである。おたがいが債権者でもあり債務者でもあることに変わりはなかった。危機や緊急事態の際は助け合うという、道徳上の約束あるいは契約として拘束力をもつ点も変わりはなかった。危機は今や経済的なものであった。国は国民から資金を調達し、返済しなかった。事業志向の相互扶助組織である無尽講は、無尽会社として創造的な反応を示したのである。盛岡では一九〇〇年代はじめ、いくつかの無尽会社が統合して盛岡無尽合資会社と岩手無尽合資会社という二つの無尽会社となった[14]〔ともに現在の北日本銀行〕。

盛岡の無尽合資会社は、全国的な展開を示す一例である。明治政府は宝くじの企画は違法としたものの、契約講は禁止せず、中央金融体制のもとに国有化をはかることもなかった。法的制約も、上からの行政的指導もなく、無尽は融合的な形態で、庶民向けの銀行貸付業務をはじめるべく適合した。個人の貯金を預かることは本来の目的ではなかったが、その役割を果たすこともできた。しかし最終的にめざしたのは、債務者と債権者を同格とする原則にしたがって、個人事業主の資本蓄積を後押しすることであった。報徳は慈善組織や福祉組織と混同されることが多かったが、無尽会社はそうした誤解はうけなかった。相互扶助の倫理は維持されたが、主要な目的はもはや緊急時のための備えではなく、個人や集団の資金需要を満たし、相互の経済的福祉を生み出すことにあった。さらに、契約によって結びついた集団である「団」も、伝統的な無尽という精神的なつながりによる結社ではなく経済的な相互関係であり、個別の投資目的を実現するためのものとなった。盛岡の例のように、無尽会社がこうして新たな組織として時代に適応していったことについては、その背景に、銀行制度が地方から資金を集め、国内外への投資計画にまわしていたことに対する抵抗、あるいは反発があった。国立銀行に預けられた資金は地域社会に再投資されることはなく、それについて地域や地方が口を差し挟むこともできなかった。盛岡のように、新しい無尽会社は地域や地方の参加者を対象とし、かれらの資金をかれらに戻すことを目的としていた。その目的は、対象区域の範囲を限定し、新たに設立された日本銀行によって強化された全国銀行と競うのではなく、地元の資金を集約することにあった[15]。

最初の無尽会社がいつ、どこで組織されたのかを正確に知ることは困難であろう。アイデアそのものは、すでに論じたとおり、多くの地域で同時に検討されていたようである。一八七〇年代初期の例は、岡山県の恵忠会融通講という商事運送会社と、萩の頼母子会社という相互貸付会社であった。一八九〇年代までには、そうした会社のいくつかが目立った金融機関として頭角を現す。それぞれの経済的方向づけが異なっていたことは社名からわかる。たとえば、「株式会社」「合資会社」「貯蓄奨励社」「殖産」「勧業」「家屋新築」などである[16]。

その一般的な組織としての特徴は、典型的な無尽会社の例にみることができる。大和合資会社は複数の契約団によって構成され、それぞれの団には一五〇人が加入していた。担保として不動産か価値のある有形財産が必要であった。加入できるのはその地域、この場合は東京の住民に限られた。契約者一人ひとりが五年間、決められた額を二〇日ごとに預け入れ、それぞれが利用料として二五円を支払う。この利用料のおもな内訳は登録料、法的に定められた費用、それに保険料であった。その残り、すなわち利用料の約三分の一にあたる八円は経営者の利益とすることが合意されていた。最初の三回の順番は決まっていたが、それ以降は抽選か入札によって決められた。順番はほかの契約者とくらべてその加入者がどのくらい資金を必要としているかによって、売ったり、交換したりしてもよいことになっていた。(17)

無尽会社は、契約団全体の「親」の地位を引き受けた。伝統的な講の場合は、最初に分配を受けるのは「親」であったが、会社の場合は契約出資金から最初の分配を受けることはなかった。伝統的な講は「助け無尽」と呼ばれることが多く、このことからこの相互扶助組織の元来の動機が組織者、すなわち一定の理由のために資金を必要とする「親」を支援することにあったことがわかる。これとは対照的に、無尽会社は「親なし無尽」と自称していた。無尽会社は加入者からの「支援」を求めるわけではなく、加入者の資金需要を満たすことを目的とすることを明らかにする一方で、管理を引き受けることによって妥当な利益を得ることを十分意図していることを明らかにしていた。無尽会社は、掛金を払う加入者に保障も提供した。その主張するところは、多数の契約団をひとつの組織に集約することで会社資本から生じた余剰資金を利用し、個々の団の順番を維持して資本金を流通させつづけることができるのだから、それらの団が破産する可能性を低くできるということであった。団の加入者がおたがいに自分たちのニーズや希望について話し合っていたために、無尽会社の内部においても外部の経済界においても、明らかに対話が継続していた。無尽会社は、近代経済に位置づけられることを要求していたが、確固として依拠していたのは伝統的な講という社会だった。

無尽会社は契約団を積極的に勧誘したが、その際には契約期間、掛金の額とタイミング、そしてもっとも重要な点として分配についてのさまざまな選択肢を提案した。各社は契約のすみずみまで監視する代わりに手数料を徴収した。通常は分配額の一パーセントか、最初から一定額にして変更を求めないかであった。そのようにして、加入者への配当が一巡するあいだの合計額が確保された。民衆は、一般銀行が自分たちの助けにならないことを忘れていなかった。銀行は個々人の担保資産を査定し、ほぼまちがいなく貸付の申しこみを却下するからである。近代経済理論としては正当だが、こうした銀行は庶民の生活にはなんら貢献するところがなかった。一方、契約講には無尽講や頼母子講としての長い歴史があり、そして今や会社としてそのときどきに一人ひとりを支えることに専念していた。無尽会社は、おたがいに貸し借りする、したがって参加者は債権者であると同時に債務者でもあるという、あらゆる人になじみのある金融の原則にもとづいて事業をおこなうと宣伝した。民衆が道徳的な取り決めや相互信用という拘束力のある倫理的価値を教示されることがなかったのは、そのような説明は不要とされていたからである。この十分に確立したやり方は、人びとに資金を循環させる手法として、規模の大きな都市銀行の融通の利かないしくみよりもはるかにすぐれていた(18)。

無尽会社が提供する契約には、「大阪式」と「東京式」という二つの基本形があった。経営者は自分たちにとって好ましい方を提示したが、加入者はどちらでも選ぶことができた。東京式には二つの原則があった。第一に、加入者は契約期間をつうじて決まった日に一定の掛金を払いこむことになっていた。第二に、掛金総額を加入者への分配額以上にすることがあった。その結果、つねに余剰金が生じ、それは契約期間の最後または一巡ごとに加入者に均等に分配された。一巡するごとに分配する場合、その回の基金の分配を受けとった人は余剰金の分配は受けとらないことになっていた。無尽会社の経営者が余剰金の一定割合を受けとることはなく、利子であるかのように加入者の利益を確保したのである。余剰金は入札によって確保された。分配の巡回ごとに、最低額で入札した者が分配金の総額を受けとり、入札額を超えた分は受けとらずに残した。資金を緊急に必要とする者は、適切だと思う程度に低い額で入札して資金を確実に手に入れ、他方余剰金は残すことによって、その契約団の加入者の利益とする。東京式の魅力は、契約期間中の掛込額は変わらないが、余剰金による利益が変動して儲けとなることであり、これは一種の賭けあるいはリスク負担になる。[19]

東京式は入札と抽選を併用することもできた。たとえば「千円会」では、各加入者が九一回にわたって一二円ずつ預け入れ、その総額は一〇九二円になる。その際、一円につき一銭つまり約一パーセントの手数料を支払う。このやり方の場合、最初の引き出しは入札によっておこなう。資金をとにかく必要とする人は入札額を低くし、大きな資金を調達しようとする。落札者は「増掛金」を払う。千円会の場合は五〇銭であった。また、それ以降の掛金に五〇銭を上乗せした。毎回、この上乗せした金額が落札者以外の加入者に分配される。二回目は抽選で決めるが、引き当てた者は、より資金を必要とする別の加入者と交換するか、「譲る」ことができた。それ以降の回は、入札または抽選で決めることができる。資金をより必要とする別の加入者に地位を譲る場合、そうした「権利金」の譲渡または売却には手数料がつけられる。この譲渡が抽選の最中におこなわれる場合には、その手数料が決められている。抽選順の「買い手」が現れなければ、管理者は自分が買うか、その順番を手じまいする（済み口）か、そのいずれかを選ぶことができる。手数料の決定方法は決まっていない。分配額の一パーセントの場合もあれば、各回の増掛金の一パーセントということもあった。[20]

さまざまな変種はあるものの、東京式を支持する人びとは掛金による利益が大阪式など別の方式よりも大きいと主張した。そのおもな根拠は、入札のほうが通常の利子率よりも分配される余剰金が大きくなることにあった。

東京式とは異なり、大阪式に参加する人の掛金はさまざまである。基金の総額が決められ、掛金は一巡する際の順番によって異なるからである。この一巡での順番は引き出す人数のあいだで抽選によって決められた。この順番は、より都合のよい順番や、もっと後の引き出しのためにそれ以降の順番と交換することができた。順番が決定すると、契約期間中はその順番が維持される。そのため、リスクがどのくらいなのかを最初に正確に知ることができる。先に引き出せば、かなりの額の資金をより早く受けとることになる。このように先に利益を得ることに対するペナルティは、後の順番の人にくらべて高い掛金を払いつづけることである。多額の資金を即座に必要とする人びとにとって、このペナルティには支払うだけの価値がある。すなわち、かれらが自分たちの貯金だけでそれほどの大金をつくることはおそらく不可能だからである。利益は、受けとることになる分配金の総額と掛金の差額によって決まる。一般的な基準として、千円会では毎月三〇日に掛金を払いこむため、各加入者は最終的に総額八六〇円あるいは総額の八六パーセントを掛けこんで、千円を受けとる。これで平均一四パーセントの利子を得ることになる。毎回の掛金額はこの平均値を維持するように算出される。前述のとおり、先に分配金を受けとる人は多く掛けこみ、最後に受けとる人の掛金は額が少ない。資金をすぐには必要としない人や、契約期間の終りごろに番がまわってくる人は、最後の一回分の掛金の負担なしで全額を得るほどの大きな利益を得る。(21)

加入者の多くにとっては、一定の割合で掛金額が下がり、さらに残りの契約期間は横ばい状態になる。各加入者の順番が最初に決まるので、利益も同時に確定する。契約無尽はこうして資金が欠乏している人に資金を提供し、引き出しの順番が後になってもかまわないという余裕のある人には投資手段として役立つ。後者にとって、掛金と受けとる分配金との差額は「利子収入」と呼ばれる。そのような利益配当を得るために、同一の無尽会社内の複数の契約団に投資することもできた。[22]

無尽会社は東京式と大阪式のほかにも、さまざまな変種や大蔵省が「類似無尽」と呼んだ改造型をとり入れた。このようにしたのは、契約団が解散を余儀なくされるリスクを減らそうとする会社側の防衛策でもあった。「類似」という言葉からは、大蔵省がこうした会社を標準的な無尽の営業から逸脱したものと見なしていたことがわかる。しかし業界にとっては、無尽会社の営業の一つとして数えることが可能なほど「十分に近い」という意味であり、無尽講の適応能力の一つのあらわれでもあった。[23]

「類似無尽」の形態は多様だった。一つは、契約期間中の分配の回数を決めないというものである。すなわち、契約した個人は会社からの分配金の総額に合意し、分配回数は決めずにおく。そうすると契約団は継続し、終りは決まっていないが、一定の総額を約束する契約という考えは維持される。しかし契約団に終着点がないことになるために、無尽会社にすれば、募集をつづけて契約団の加入者を増やすことができる。無期限の団は九州で広くおこなわれたが、明らかに利潤志向の会社の利益を促進することをめざしていた。二つ目の選択肢は、それぞれの契約団で倍の加入者を募集し、毎回二人に分配する可能性を開くものである。三つ目は、毎回の掛金を決めずにおくものだ。一度規則どおりに分配したのちに、次回に必要な掛金額が決められる。総額を分配するという考え方は維持されるが、掛金とその後の分配額は契約継続中に変わる場合がある。大蔵省は、契約が途中で変わることを違法としたが、経済動向にともなう変更を容認する慣例は維持された。四つ目は、もっとも早く資金を必要とする人が無尽の親に指名されるという伝統的な慣例を変えるものである。資金を必要とするから契約団に加入しているという人物がいるのであれば、会社はそうした人のニーズを満たすために分配の順番を取り除けておくことができた。こうして抽選や入札に頼ることなく、総額が特定の順番で配分された。この特別扱いには当然それなりの費用が必要だった。五つ目は、「会社」の宣伝のために、分配金を得た人は別の人をその契約団に勧誘するというものである。新しく加入した人は、早い順番を割り当てられ優遇された。最後に、類似無尽会社は上限以上の加入者を契約団に勧誘する傾向があった。たとえば、一〇〇の分配しかない契約で一二〇人を募集するというように、である。これは、契約期間中に掛金が支払われない回数を予測して、決められた。もし、掛金を支払わない人がいなければ、集まった掛金は追加の加入者に分配された。しかし支払わない人がいれば、その分の掛金は無尽会社が自前の資金で補塡すればよかった。(24)

東京式と大阪式には変種が多く複雑であった。リスクと賭けの別の側面をつけ加えるような取引も同時にあつかっていたからである。しかし基本的には契約期間内に「遊び」を設けることが、無尽会社には認められていた。相互扶助と繁栄の倫理は変わらないままだったから、その点では近代的銀行が、貯金をするように個人を勧誘し、その個人貯蓄をあてにして利子を稼ぐのとは正反対であった。無尽会社が提供するのは、投資の思惑や入札、偶然によって決まる順番にもとづく一時所得であったが、資金は個人の貯蓄にもとづくものではなかった。むしろ、団が資金を提供し、それがまとまった金となって分配される。個人はこの契約団に掛金を払ったり、順番を売ったり、別の順位と交換したりする。しかし、資金は個人頼みの所有ではなく、従来からある銀行、すなわち貯蓄貸付組合のもとにあった。

東京式を承認する以下の文章は、無尽業のはたらきを網羅している。

由来無盡は何式たるとを問はず、約束の金を給付する、即ち金融をする而かも長期金融で、少額づゝの済し崩し返済である處に非常なる特長があります。今日銀行の制度は十二分の發達を遂げて、中産以上、社會の上層階級に對する所謂多額金融には、洵に完備し盡して居りますけれども、中産以下、所謂庶民階級に對するそれは、甚だ不備と申さねばなりません。庶民大衆の金融は、借り入れが容易で、返へすのに樂な方法でなければなりません。無盡は成立と同時に金を貸す、即ち給付が約束づけられて、金融が主眼であるのですから、趣旨から云へば、金を欲する加入者にはどしどし給付してやるべきでありますから、全く庶民金融には、無盡に越した良いものは、何處にもないと断言して憚らないのです[25]。

この説明から、事業志向の無尽会社の方針は明らかに従来の無尽講を超えたものになっていたことがわかる。無尽講は法律の枠外で機能していたが、無尽会社は依然として地域の人びとによく知られた倫理的な言いまわしにもとづいていた。「相互扶助」「共存共栄」「相互依存」「利他自利」などである。庶民にとってそうした表現には説得力があっただけではなく、まちがいなく「相互」は国の銀行制度から排除された人びとのために、債権者すなわち債務者を基盤にして投資資金を集めることを意味していた。また、そうした努力が「社会のため」に役立つはずであった[26]。

無尽会社の合法化

二〇世紀に入るころ、無尽会社のあいだで相互貸付業務がにわかにブームとなり、大蔵省の注目を免れなくなる。無尽会社による相互貸付や銀行業務を法秩序が届かないところで続けさせてよいものだろうか。あるいは単純に、こうした会社は違法であるとして、今後の営業活動から締め出せば、それで済むだろうか。はたまた、無尽会社の相互貸付手続きを「近代化」させて、西洋にならった銀行制度の手法に合わせるようにすべきだろうか。さらに、無尽会社を銀行と呼び、大蔵省銀行局の管轄下におくべきだろうか。それとも、大蔵省であっても銀行局以外の管轄下におくべきだろうか。

「社会問題」の性格が変化してきたことを考慮すると、右のような問題の解決の必要は差し迫っているように思われ、報道機関や学界、社会運動においても広く議論された。約三〇年前に品川と平田がこの「社会問題」という言葉をつかった際には、かれらが言及したのは地方の農民であった。しかしそれ以後、焦点は都市に移っていた。日本の人口分布は地方から都市へと劇的に移動し、貧困は地方特有のままであったものの、「社会問題」は都市の危機になっていた。

「下層社会」は、こうした議論のなかで広くつかわれた表現であり、毎日新聞社記者で社会調査報告の手法を開拓した横山源之助の造語である。都市の貧困に人間として向き合い、それが「社会問題」の中心的課題であると主張したのも横山であった。一九一六年には河上肇（一八七九－一九四六）が、『大阪朝日新聞』に連載した有名な「貧乏物語」でこのイメージをふくらませた。『時事新報』や『日本』などの日刊紙もすべて、このテーマをめぐる論議を掲載した。労働組合によるストライキが頻繁に起き、とくに一九〇五年の日露戦争後は、憤慨した大規模な怒れる群衆が街頭へくり出し、利己的な政治家に対して暴動を起こし、自分たちの近隣地域で国家のもっとも身近な出先機関であった交番に火を放った。(27)

無尽会社をどう扱うかという問題は、展開しつつあった社会変動の歴史のごく一部でしかない。無尽会社の本部は札幌、盛岡、福岡のような県庁所在地や東京、大阪などの大都市部にあった。無尽会社は、支店を開設することで都市から小さな町へと資金を拡散し、社会の下層レベルまで資金の循環をうながすことによって「社会問題」の解決に一役買った。そうなると次の問題は、伝統的な相互扶助組織の規則にしたがって運営していた無尽会社が、高利貸や全国的な都市銀行に代わる役目を果たすのだろうかということだった。明治国家は伝統的な相互扶助組織にかかわろうとせず、法的な監視もしなかった。しかし大蔵省にしてみれば、無尽会社をつうじて伝統的および新しい中小規模の商業、製造業に低金利の資金を提供することは道理にかなっていた。

大蔵省は、差し迫った問題の規模を数量的に把握するために、伝統的な相互貸付協同組合について、包括的な全国調査をおこなうことを決めた。こうした調査は新政府が社会現象を解明するための手法で、一九〇〇年代はじめから目立って使われるようになった。講に関する調査は一九一〇年にはじまり、その後数年間つづいた。一九一五年に発表された「無尽ニ関スル調査」では、日本全国に三三万三六三四という驚くべき数の無尽講が存在することが報告された。この数は、相当の貨幣が流通していることを物語っていた。このうち八三一の無尽は「会社」の名を掲げて成功をおさめ、もはや単なる講ではなかった。この調査から伝わってくるのは、国民の大部分が相互貸付の目的で少額の金を投資しているという構図であった。その総額はけっして無視することができないものであった。さらに明らかになったことは、無尽会社へと形態を変えた事業的な講は、みずからを社会の下層に位置する人びとのための相互貸付銀行だと考えていたことである。大蔵省は、総数を確認し、誤差の余地を小さくするために、日本銀行から提供されたデータを使って調査結果を再確認した。この総計調査が全体として重要であることは疑いようもなかった(28)。

この調査結果は日本社会における相互扶助活動が広範かつ密度が高いことを強調しており、大蔵省にすれば法制度が必要なことは明らかであった。また、そうした法律は、その時点で無尽の手中にあった金額はすべて無尽に残しておくべきこと、また地方や地域の事業者のあいだで循環しつづけることを保証すべきであった。一方、政府はことを肯定的に受け入れるべきであり、すべての相互扶助組織を管理統制すべきではなかった。その代わりに政府が力を入れるべきことは、無尽会社の認可手続きを整備し、とくに資本総額の下限を決めることであった。もっとも重要な点は、無尽会社を大蔵省銀行局の管轄下に編入し、法律で規制するとともに、法制度によって保護することであった。

大蔵省は指針を作成し、無尽会社を法制度へ組みこもうとした。しかし同省は、無尽内部の機能を「近代化」「民主化」しようとはしなかった。伝統的な活動をそのまま継続することを認め、無尽会社が近代資本主義の利点についての説教を聴かなくてもよいようにした。信用貸付組合についての大蔵省の立場は、内務省や農商務省、平田や柳田のような人びとの姿勢とは対照的であった。国家のもっと差し迫った関心は、資金に欠乏している事業者に法的に基金を分配し、社会の安定につながるようにすることであった。法的正当化の対象を無尽会社にも広げれば、近代の銀行部門が業務を展開しておらず、いまだ展開できていないような経済の一部に貴重な資金を提供することになる。こうして、順番制や入札によって資金を分配していた伝統的な契約相互扶助は、最上のかたちでそのまま「近代」銀行制度に組みこまれることになったのである。(29)

調査対象となった多数の相互貸付協同組合のうち大蔵省の目を引いたのは八三一の無尽会社であった。そのほとんどは株式会社（三三六社）、合資会社（二八一社）、個人会社（一三六社）であった。東京式と大阪式が主流であったことから、ほとんどはどちらかの都市にあった。こうした会社は契約資金として約一億三七〇〇万円を運用し、加入者は当時設立されたばかりだった貯蓄貸付組合の約三倍もいた。(30)

大蔵省の改革論者が到達した結論は、無尽会社の長所は組織原理やイデオロギーが近代的だということではなく、まさにそうではないことにあった。掛金の額と期日は書面による合意であらかじめ決められ、引き出す期日と方法も同様で、入札または麦わらを引く抽選によることとなっていた。各回に集まる金額は契約者による掛金の総額であり、利子を獲得するための貯蓄として積み立てることは認められていなかった。基金は全額が引き出されなければならなかった。このような手続き上の方針は、明らかに古典的な講と同一のものであった。加入者は自分の掛け金の全額を受けとろうとすると「契約」に縛られるため、批判的な人びとはこれをもって、個人による貯蓄管理を制限するものであり、近代的な資本主義とは基本的に相容れないとした。

しかし、若槻禮次郎（一八六六－一九四九）や濱口雄幸（一八七〇－一九三一）など大蔵省の改革派は、無尽会社のおもな特徴は利益そのものではなく、加入者一人ひとりが資金を積み立てることにあると考えた。というのも、無尽会社の設立者は、契約によって、各加入者に掛金全額を一括払いの資金としてしかるべき順番で貸し出さなければならなかったからである。このようにして巨額の資金を個人に分配することは「強制貯金」の一種であり、投資という点では、個人が貯金をするよりもはるかに得るものは多かった。こうして、倫理的規則や手続き上の規則は近代以前、資本主義以前ではあったが、近代資本主義の要請には応えており、法制度上も「近代」組織として組みこむ価値はあった。少なくとも、無尽会社が規制を受けないまま、法制度の枠外にありつづけることは認められるべきではなかった。すでに述べたとおり、この見解の根底には、国家方針として大型産業投資を優遇した銀行制度では、無尽会社が担ったとおなじだけの資金を集めることはできない、という認識が当然あった。[31]

無尽会社を規制する法案の起草にあたり、大蔵省はすでに挙げたような点を無尽会社の長所、短所のリストにまとめあげた。評価の結果、二つの弱点分野に注目が集まった。第一は、無尽会社の資産基盤が銀行業としては不十分な場合が多いこと、第二は、経営の質にバラつきがあり、制度の悪用につながりかねないことであった。これらの弱点は相互に関連していることが多かった。脆弱な資本基盤を補うため、無尽会社は実現しそうもない無責任な約束をして、手当たりしだいに加入者を勧誘することがあった。そうした約束が、貧しい人びとや、信用貸付を必要とする騙されやすい人びとに損をさせ、悲嘆に暮れさせることになっていた。資本基盤が脆弱であることは、経営者が規律を欠いていることを反映していた。かれらはあまりに多くの関連性のない会社にかかわり、当面の業務に手がまわらなかったのである。さらに、前近代のそれとは異なり、契約団の加入者は遠くの村や町からってきたためにおたがいに顔見知りではなく、公的な機関による保護がないこともあって、騙されやすかった。また、分配の順番や割り当てられた順番で投じた入札によって、契約団の加入者たちが受けとる分配金に大きな差が生じた。しかし、差が生じた事情については、加入者に十分に伝えられなかった。金融の条件として明記されていたのは信用取引のタイミングと受けとる金額であり、それらは緊急事態になっても変更できなかった。無尽会社のこうしたさまざまな欠点は、法的手段によって是正できると考えられた(32)。

しかし、無尽会社の長所と強みは、以上のような弱点を補って余りあるものであった。無尽会社の資金は生産資金であり、「下層」の人びとには信頼性が高く、大蔵省による完全な認可を得て合法化された信用貸付制度にすることが必要であった。社会の下層に属するこうした人びとは、近代的な銀行制度を利用することには気が進まなかった。なじみも資金もなかったこと、そもそも近代的、官僚的な仕事を信用していなかったことがその理由であろう。貸付を必要とする人びとは往々にして、質屋や人びとの困窮を食い物にする高金利の金貸業に頼りがちだった。無尽契約の場合はこれとは対照的に、債権者と債務者が同一であった。個人は貸付会社や銀行に金利を支払う義務がない。この手段は便利な上に利用しやすく、緊急時や事業計画のために必要な資金、投資費用などを満たすことができた。「無盡ノ方法ハ久シク吾国下層社會ニ行ハレタル所ナルヲ以テ、如何ナル貯蓄方法ヨリモ周知的ナリ。コレ産業組合ナトヨリモ其加入ニ便ナル所以ナリ。而シテ普通ノ貯金ノ如ク何時ニテモ引出シ得ヘキモノニアラサルヲ以テ、實際上强制貯金ノ如キ効用ヲナス」[33]〔句読点は訳者による〕。

分配がなされるまで積み立てられた掛金は貴重な「産業資金」と見なされた。人びとが講を支持しつづけたのは、講が信用という倫理を保持しつづけたからである。それゆえに大蔵省は、この伝統を法制度の金融構造の一環として合法化すべきであると推奨したのである。組織の不安定な財政基盤や管理上の濫用など遺憾な面もあったが、無尽の契約的な相互扶助組織は庶民が利用できるように維持されるべきであった[34]。

しかし、伝統的な無尽業を表現するために近代的な「会社」という用語を認めることには若干のねじれがあった。こうした相互扶助的な会社が銀行を名乗ることは認められず、明治時代にあたえられた名前――「相互銀行」よりは「無尽会社」――を使いつづけていたからであり、無尽業界もそちらのほうを好んでいた。こうして名称に関しては認められなかったものの、無尽会社は実際には近代的な法制度に受け入れられ、相互貸付銀行として機能することになった。しかし、組織や運営は徳川時代からの伝統的な契約講の規則にしたがっていた。同時に、伝統的な講はそれまでと同様に機能することが認められ、ほとんど規制されなかった。ただし、講が営利企業を示唆するような名称を用いることは許されなかった。同様に、業種にかかわらず、営利企業が「無尽」を使うことはできなかった。こうして無尽会社は、日本の財政制度のなかで特殊な法的地位をあたえられたのである[35]。

大蔵省はようやく、相互貸付協同組織全体についての結論に達した。広範囲に多数存在した相互扶助組織のほとんどはそのまま、慣行にしたがって機能することが認められたのである。きびしく限定されてはいたが重要な部分は銀行制度に編入され、それまでの慣行的な規則や用語にしたがって営業することが認められた。こうした相互扶助組織は経済の一定の部門において相互貸付銀行として営業するものと理解され、法的には「無尽会社」として認知された。主要政党であった政友会と民政党の賛成を得た決議が無尽業法にとり入れられて、一九一五年に衆議院と貴族院を通過した。[36]

この法律は一九一五年二月、若槻禮次郎大蔵大臣の指揮のもと国会で審議された。若槻は、まず無尽調査の具体的なデータを引用した。「近頃無盡講又は頼母子講に類似致しました方法を以て、金銭の融通を爲す營業者が大變に増加致しまして、最近の統計に依つて見ますれば、其營業者の數が八百三十一、其會社の資本金が二千三十萬圓餘、契約金の總高が一億三千七百六十三萬餘圓と云ふやうになりまして、既に抽籤入札に依て給付を終りました高が、三千六百七十九萬餘圓に達して居るやうな状況であるのであります」。調査委員会が提供した分析にもとづき、若槻は、無尽会社は精力的な発展を遂げているものの、安定した資本基盤を欠くために濫用されやすいという大蔵省の姿勢をあらためて表明した。管理者の行動は、かれらが公正性の基準を適用するにあたって一貫性を欠いていることを反映しており、複雑なしくみの細部をたくみに操って一般の掛金者に損失を負わせていた。検討中の法律は、そうした問題を矯正するために慎重に言葉を選んで認可を付与するものであった。若槻が強調した最終的な目的は、「掛金者の權利を保障（す）」ることであった。若槻は「其長を取り弊を矯めて相當の監督を加へましたならば小商工業者の金融機関として相當の効果を擧げることが出來るであらうと思ひます」と締めくくった。[37]

濱口雄幸はこの法律を支持した委員会の中心メンバーであり、何点かの指摘をおこなって若槻の説明を補った。無尽会社は運用規則において無尽講や頼母子講とまったくちがわない。伝統的には加入者の相互的な関係を重視していたが、現在は各加入者が会社とのあいだで契約的な関係を結ぶようになっている。それゆえに、おたがいに知り合いでなくても貸付基金の順番による分配に参加できる。会社のかたちをとった講は、無尽と頼母子という、長くつづいてきた伝統を活性化し、維持するものとなる。「無盡の方法に依りまして資金を融通すると云ふことは、我國民の習俗の上に於きまして深い所の根底を有つて居りまして、今日に於て一概に之を撲滅する理由が無いと考へますのみならず、營業の自由を認められて居る今日に於ては」と濱口は発言した。法制化されれば濫用事例を法で規制することができ、社会の下層階級における資金循環を促進するはずである。貯蓄銀行や郵便貯金制度とは異なり、無尽会社は信用貸付機関である。もっぱら資金の循環をおこなうものであって、利子を得るために貯蓄する組織とは異なる、とも述べた。この組織のとくに重要な点が引き続き維持されるためには、無尽会社の管理者や職員がその会社の契約団に参加することは認められず、また基金の分配は掛金者の利益を保護するためにきびしく監視されることになるだろう(38)。

国会議員のなかには、無尽業法が資金調達をおこなう会社を優遇し、企業のニーズに対応するようになるように思われ、懸念を口にする者もいた――緊急支援を必要とする貧者のためでないのではないか、あるいは、わずかな会社を改革することによって、政府はゆくゆくは講が社会で果たしているあらゆる役割を根絶しようとしているのではないか、などである。若槻は、無尽業法は一般的に講をその対象にするものではないと確固たる対応をした。新しい法律は実際に下層階級に資金が循環するようにうながし、地域の頼母子講や無尽講はこれまでどおり機能しつづけるとかれは主張した。講は非営利で民間が運営し、相互扶助の信用貸付協同組織でありつづけなければならず、会社や法人といった営利企業の名称を用いて活動することはできなかった。これにくらべて、無尽会社は信用貸付を専らとし、それと同時にそのほかの投資的事業をおこなうことはできなかった。(39)

国会が直面した次なる問題は、無尽会社の活動範囲であった。衆議院議員は、このような会社が複数地域あるいは全国規模で展開するかもしれないという可能性を真剣に考慮しなかった。無尽会社のおもな対象は地域であり、広がったとしても道府県内の住民までだったからである。しかし、県境は恣意的に決められたものが多く、かつては親戚関係や友人関係、あるいは経済的な結びつきでつながっていた村落を分断していた。そのため衆議院は、この点について裁量の余地ありとした。すなわち、無尽会社が隣県からの参加者を積極的に勧誘することは禁じたものの、隣県の住民が心から希望した場合には加入を認めるという譲歩をしたのである。無尽会社の多くがこの抜け穴を望んだのは、それをつうじて県境によって仕切られた地元地域の範囲を超えて活動範囲を広げ、拠点とする県の外に支店を設けることも可能になるからであった。それゆえ、かれらは県境という厳密な限界を緩和することに賛成した。(40)

一方、貴族院は、もともと課されていた県境による制限に例外を設けるべきだとする衆議院に同意しなかった。例外を設ければ、無尽会社が県知事の管轄を超えて広がり、都市銀行と競うようになることが確実だったからである。そのために貴族院議員は越境の提案を拒否し、無尽会社が領域的に広がることを認めなかった。

貴族院はまた、無尽という古風な呼び方を使うことを疑問視し、無尽会社の活動を容認するような経済に適した、近代的でよりふさわしい名称はないものかと考えた。延々と議論をつづけることなく、特別委員会はあっさりと「言い習わし」だから無尽が適切と思われると返答した。無尽という名称は多くの候補の一つでしかなかったが、社会全体に浸透しており、新しい法律によって裏づけられた一連の規則と手続きにも当てはまっていたので、くわしい説明や指示は必要なかったのである。[41]

新しい法律がまず確認しているのは大蔵省の立場であった。第一条はこう定めている。「（本法ニ於テ無尽ト称スルハ）一定ノ口数ト給付金額トヲ定メ定期ニ掛金ヲ払込マシメ一口毎ニ抽籤入札其ノ他類似ノ方法ニ依リ掛金者ニ対シ金銭ノ給付ヲ為スヲ謂フ」。掛金者は指定された順番がまわってくるまでは掛金を引き出すことができない。また、掛金を受けとることができるのは一回につき一人の掛金者だけである。無尽会社の各契約団は、掛金者全員に引き出しの順番がまわるまで、通常は五年ないし一〇年という一定の期間中は掛金の払いこみをつづけなくてはならない。そのあと、この契約は終了し、加入者は新しい契約を結ぶかどうかを決めることができる。掛金は貨幣か債券とされ、伝統的に認められていたような物品は受け入れられなかった。最後に、管理者はどの契約団であれ、直接加入することを禁じられた。[42]

こうした細かな点が、講の慣習的な実践方法を法的に承認するために書き記された。とくに、参加者はおたがいに債権者であると同時に債務者でもあり、引き出しの権利をもつ個別の預金者ではないという原則が明確に示された。こうして、相互扶助の原則は正当かつ合法的な強制貯金の一形態として是認され、一括した分配は投資目的や「一種の生命保険」として貴重な資金源となった。[43]

報徳とは異なり、無尽会社の明確な目的は管理者が利益を得ることであり、特別手数料あるいは掛金の一パーセントは合意の一部であると理解された。他方、その信条は明らかに維持された。すなわち、会社が存在するのはその地域社会における下層階級の経済的な目標を支援するためである。そのために、県境内に限られてはいたが、都市から地方の小さな町へと拡大することが奨励された。

無尽業法の可決には大きな期待が寄せられていた。無尽会社は一九一〇年の約八〇〇社から増加して、一九一五年には二三六三社までになった。その多くは、まちがいなく認可されるものと期待していた。しかし、若槻の説明やそのほかの発言から、大蔵省は正規の会社と見なすものを限定するつもりであることが示された。大蔵省は法案文言に忠実に、この法律で定義する銀行制度には新法の条項を満たさない企業はいっさいふくめないつもりであった。実際に申請したのはわずか二〇〇社であり、新たな認可条件によって、会社の数は一九一五年の二三六三社から一九一六年には一三六社にまで減った。「株式会社」「合資会社」「合名会社」「個人営業」はすべて、法的には無尽会社と位置づけられた。法律上の認識によって、無尽会社は倫理的規則を共有していた伝統的な講とは区別された。無尽会社は銀行としての範疇にふくめられたものの、銀行を名乗ることはできなかった。無尽会社は相互銀行として機能していると自負していたため、これは無尽業界で論争の焦点となる。(44)

一九一五年の無尽業法の目的は無尽会社の指針を作成し、公的な規則に沿って、認可条件を満たしている会社のために業界のいっそうの発展をうながすことであった。また、同法は大蔵省が規制できるようにするために無尽会社の数を制限することもめざしていた。大蔵省は、申請したものの認可の指針を満たさなかった会社や、認可申請をしなかったその他の無尽会社に対してはなんの責任も負わなかった。認可を得られなかった会社と申請しなかった会社は、それ以降、「会社」を名乗ることはできなくなる。民間で運営していたかなりの数の相互扶助組織としての講は、明らかに大蔵省の法的保護を受けなかったのである。しかし、大蔵省が未認可の信用協同組合の活動を制約したり、違法であると宣言したりすることはなかった。このような組織の資本金額は認可を受けた会社よりも少なかったが、これらの組織が相互貸付協同組合として運用をつづけることに法的な制約は課されなかった。こうして、伝統的な無尽が地下に追いやられることはなく、かなりの数が機能しつづけた。その数があまりに多かったため、ロンドン大学で行政学を教えていたシドニー・ウェブ教授の目に留まったほどだ。若干誇張ではあるが、教授はこう記している。

考えてもみたまえ……ヨーロッパのどの国よりもまさる規模で、米国をはるかに上回る規模で、日本人がさまざまな経済目的を有する任意の自発的な社会組織で連携しているかを。ヨーロッパあるいは米国の誰が、日本の成人男性のほぼ全員が、おそらく数万の富裕層は省かれるだろうが、なんらかの経済的目的をもった一七五万もの異なる相互扶助組織の一つ二つに参加しているという事実について、十分理解しているだろうか？(45)

無尽業法の成立から一五年以上経った一九三三年、農林省はひとつの調査をおこなった。村落だけを対象に、合計二九万八六九六ある無尽講（頼母子講、そのほかの講の総称である）の一覧を作成したのである。その翌年、大蔵省は都市を対象に独自調査をおこなった結果、そうした民間による契約相互扶助組織は一六万五〇〇〇存在し、契約口数は五〇〇万以上、契約金額は三〇〇〇万円以上であることがわかった。相互扶助組織である無尽講と頼母子講の数は合わせて四五万以上であった。(46)

著名な人道主義的社会改良家でキリスト教社会主義者であった賀川豊彦(一八八八−一九六〇)が相互扶助活動に言及したことから、これらのデータの信頼性が高まる。一九三七年、かれは神戸の貧民街で四人に一人の成人が相互貸付の講に参加していることに気づいた。賀川は、ためらうことなく講に参加するよう貧しい市民に勧めた。理由は、とりわけ加入するのに特別な教育を受けていなくてもよかったからである。講の理論を知らなくても、千年以上も前から講に参加してきた日本人なら無尽講や頼母子講の規則や倫理に精通しているとかれは述べた。賀川は、神戸や大阪の貧民街で輪番制の貯蓄組合を広める取り組みをおこなうなかで、相互扶助組織への参加と近代以前から存在した講の長い歴史を意識的に結びつけるよう、当時の下層階級に呼びかけた。ライファイゼンに代表されるキリスト教人道主義の倫理に訴える一方で、賀川は近代的な相互扶助組織の中心に伝統的な講が存在することを人びとに気づいてもらいたいと思っていたのである。(47)

無尽会社の数も、その契約掛金額も増加した。一九一六年に一三六社、掛金額四二〇〇万円だったのが、一九二五年には二四三社(掛金額七億四六〇〇万円)、一九三五年には二五九社(一三億九〇〇〇万円)になった。無尽に集まった投資の多く、ほぼ半分は営利企業へ向けられ、それに製造業、農業がつづいた。流通した総額は、一九三〇年代後半の太平洋戦争前夜まで劇的に増えていった。(48)

無尽会社の挑戦的な姿勢は戦時期も継続した。法制度上の地位を確保したことによって、無尽相互扶助組織全般のために声をあげることができるようになった。かれらの姿勢は、業界誌『無尽之研究』に毎号掲載された宣言にあらわれている。宣言が明確に示していたのは、庶民にとって明治維新後の近代の歴史は満たされなかった期待の歴史だったということである。宣言はまた、「大正デモクラシー」における批判的運動の歴史的前提として示されることが多かった見解を反映していた。

　現代は民衆の時代だと云ふ。果たしてその通りか、言まことに壮んなものがある。さり乍ら静かに現代の實相を検討せよ。政治に經濟に民衆を標榜するものは多い。しかも民衆政治は腐敗政治の別名となつてはゐないか。經濟界を見よ、益々金融寡頭政治に移り行きつゝはないか。資本主義文明の足は高速度を以て伸びつゝある。何物の力も、この文明の前には首うなだれ、去勢されずには居らぬ。何處に民衆の時代の影がある。
　中小商工業者は、何づこに資金をもとめるか。民衆の時代とは誰れが云ひ出したか。觀念錯誤も甚しい。だが事物には表現の反對性と云ふことがある。非自由拘束的な封建制度のもとにあるものは、強く自由解放に憧れる明治維新はさうした時代の民衆の總意が反映した大きな轉回であつた。現代は民衆の時代だ、と叫ぶことは、それだけ非民衆の時代であると思つて差支へない。
　我はら〔ママ〕は民衆に呼びかけよう。現代は無盡の時代だ、と云ふことを強く高く。(49)

　こうした大胆な文言は業界「機関紙」である『無盡通信』でもくり返された。『無盡通信』の論説は社会の大半を無産階級と呼んだが、政府はその無産階級のための効果的な政策を講じていない。無尽の取り組みは「合理的」で「デモクラチック」であると述べられた。政府が「社会政策」や「労働立法」について型どおりに発言したとしても、それは実質的にはなにも意味していなかった。言行不一致の「著しい矛盾」が存在した。巨額の財が山東出兵や国営銀行の救済に確保されたが、そうした政策による恩恵は「一部少数の者」だけが享受している。統治とは党派的な政策に反対する人びとを弾圧することだけを意味するのではない。よき統治とは、国民を支える政策を形成することであり、そうすることによって権力の座にあることにともなう「契約」を実行することであるべきだ。ある論説はこう結んでいた。「萬言の巧辞を連ぬると雖も、それが数字に具体化せなければ傾城の言と何等異つた所がない。民衆は何時迄も、吳下の舊阿蒙でない。國家の美名の下に隱れ、一部少數の權利利益を保護するに、吸々たる舊式政治家は、飽く迄も彈劾し、之を葬らなければならぬ。而して國民生活に嚴も緊要なる民衆金融に理解ある爲政者を得たい事は、我等、否國民の等しく願望する所であらう(50)」。

『無盡通信』の別の論説では、政治的状況についてよりいっそう批判的な見解を述べている。

吾人は、敢てパーリヤメンタリズムそのものを否認する譯では無いが、現在の状態を見れば之に決して信を置く事が出來ないのである。

帝國憲法上議會政治を認めたるは、決して少數の爲めの幸福を望み、或は一部階級の權利を擁護せんが爲ではない。是れ幾百年來の專制政治より、民衆を解放せんが爲であつた。廣く會議を起し萬機公論に決すべしと云ふ　明治大帝の聖旨を忝なく拜するとき、我々は肅然として襟を正しうせなければならない。

然るに現在の政治家は如何？　民衆の爲めと云ふ美名の下に隱れ、一部資本家の傀儡となつて働いて居るのでは無いか？　富める者に輕く、貧しきものに重き税金を課し、之を富める者に重く、貧しき者に輕く分配する。則ち富めるものは愈々富み、貧しき者は愈々貧し、これをこの儘に放任すれば何時かは重大なる結果に蓬着しやう。

吾人は一部少數の者の爲の政治が恐ろしいと同時に、一部少數の者の爲の金融を排除せなければならぬ。而して眞に「民衆の金は民衆へ」てふモツトーの下に進まなければならぬのである。(51)

太平洋戦争中、無尽会社の数は激減し、もっとも多かった一九三五年の二五九社から一九四二年には一三六社になった。しかし、このような数字は無尽業界の金融能力の衰退を示しているかのような誤解を生む。実際、おなじ期間の契約掛金額は一三億八〇〇〇万円から四三億円に増加しているのである。無尽会社の減少はむしろ、戦費をまかなうために地方銀行の資産を統合しようとする政府方針を反映していた。「統制経済」と呼ばれる包括体制のなかに位置づけられた無尽会社に期待されたのは、余剰資金のすべてを中央に送ることだった。「一県一社」と呼ばれた政策において、無尽会社は、地域から中央へと余剰資金の移動を促進するべく協力することが求められた。予想どおり、無尽会社が愛国主義的な情熱をもって呼びかけに応じることはなかった。東京の軍部や政治的な会議が膨張戦争をどれほど正当化したとしても、結局のところ無尽会社の存在意義は地元企業の発展のために地元で資金を集めることであって、他国との戦争のために資金をかき集めることではなかった。無尽会社の指導者たちは、無尽会社を統合して操ろうとする国家の企てに強く憤った。かれらは、その動きを受け入れがたいものと考えた。とりわけ、それが無尽の資金を三井や住友、安田などの財閥系の全国銀行の管理下におくことだったために、業界を代表する人びとにとっては、とうてい受け入れられない状況であった。全国的都市銀行はその資金を事実上、国内外のどこにでも移転することができたのであり、地域経済に向けることはなかった。結局、無尽会社は四三ある県を上まわる一三六社も存在したのであり、「一県一行」方針は実現しなかった。無尽会社の資金は地域に根ざす会社に留まり、その資金が戦争のために効果的に動員されるようなことはなかった。[52]

　九州では、福岡無尽株式会社（戦後は福岡相互銀行、福岡シティ銀行を経て、現在の西日本シティ銀行）が「統制経済」政策に断固反対した。最高責任者であった四島《ししま》一二三《ひふみ》は、無尽業界を近代的な大正デモクラシーと同一のものであると見なした。つまり、無尽会社は特権的なエリート層の権力ではなく、恵まれない階級のニーズに応えているのであり、この方針は民主主義的な理想に適っていた。四島は、無尽の思想はかれが米国留学中に出会ったものとよく似ていると記している。当時の米国は一九一〇年代の進歩主義時代のただなかにあり、草の根デモクラシーが地元近隣地域に相互扶助的な支援を広めていた。米国でかれが目にしたのは、相互扶助的な理想主義が地域社会におけるコミュニティによる実践の長い歴史を基盤としており、その実践が独占的な業界や銀行の利益に対する明らかな抵抗運動をうながしていた状況であった。かれは、こうした理想が無尽運動に通じるところがあることに気づいた。四島は、民主主義とは普通の人間を気遣うということだと考えた。かれのこの主張は、日本における経済発展は原則として少数者を利するものであるべきではなく、多数者とりわけ日本全国の小さな地域社会で生活する庶民の福祉を充実させるべきものだという見解を反映するものであった。四島が率いた福岡無尽は、「統制経済」の「一県一社」方針に協力しないことを表明した。(53)

戦後、認可を受けた無尽会社の数はさらに減少し、一九四二年の一三六社から、一九五〇年には六六社になり、このころに「相互銀行」と名称を変更した。この商号変更の理由の一部は、戦後の状況を反映した合併にあった。しかし、その間に契約掛金の額は劇的に増加し、合計二六三〇億円を記録する。これは、戦後の急激なインフレを勘案しても無尽会社の力強さを示していた。

無尽会社の新しい名称は好意的に受けとめられた。経営者たちはそもそものはじめから、無尽と「会社」という名称を使用することは、無尽会社をそのほかの既存の銀行機関にくらべて第二級に位置づけることを意図したものであり、その業務を制限し統制する策略の一環ではないかと疑っていた。「無尽会社」に代わる名称としてかれらが好んだのは「相互銀行」であった。これは、「相互」の概念が伝統的な講の歴史に共鳴するという意味で良い名称であった。「銀行」も近代的な響きをもち、戦後民主主義にふさわしいと思われた。相互銀行は、貯蓄契約団や輪番に基金を分配するという従来のやり方を維持することが認められる一方で、貯蓄銀行とおなじく個人貯金を引き受けるという新たな能力を獲得した。それ以外に、決められた日時にではなく、「毎日」あるいは都合のよいときに掛金を払いこむ方法も認められた。これは、個人の契約金額に早く到達するようにうながし、加入者それぞれが日々、少額を積み立てることができるようにするためであった。無尽会社はまた滞納者や退会者が生じるのに備えて、契約上の上限以上に、加入する可能性のある掛金者を募ることも認められた。

加入者は受けとった基金を、より規模が大きく多様な契約団や投資団に「再投資」することもできた。かつての無尽は、このように貯蓄投資銀行として機能するようになったのである。[54]

近代的な「銀行」という名称を獲得することは、危険な両刃の剣であった。しかし、今や無尽業界の多くが実質的な銀行になることを望んでいた。無尽会社は最初から利益を上げることをめざしていたが、主要な目的は個人の掛金者に一括で積立金を分配することであり、大口の独立した投資家になることではなかった。銀行はまさに後者のためにあるものだったが、相互銀行は状況に応じて方針を決定して国内外の市場に投資し、その結果として市場の変動や複雑な連携をしていた大規模な商業銀行の成功と失敗に身をさらすことになった。実際に、高度成長経済が加速するにつれて、多くの会社が「相互」を名乗らなくなり、ほかの銀行と同様に、貨幣や銀行業務の不安定な動きの影響を受けるようになった。無尽会社の近年の沿革は、このように「普通銀行」への転換によって形づくられている。西日本相互銀行は西日本シティ銀行になり、近畿相互銀行は近畿大阪銀行、北日本相互銀行は北日本銀行になった。相互銀行になった無尽会社は、今や普通の「近代的な」銀行となったのである。

六八の地域銀行はもっぱら「相互貸付」をおこない、引き続き「地域社会」の小規模事業や個人貯蓄をあつかっている。地域銀行としては、「それぞれの地域の中小企業や個人顧客に力を注いでいくであろう。さらに、かれらは今（一九九一年）や、通常の地方銀行とおなじく、その他の銀行業務も進めている。そのため、ほかの金融機関との競争は激化するが、新たな事業のチャンスともなるはずだ」。[55] それにもかかわらず、こうした地域銀行はその他の銀行とは別物である。「新しい地域銀行と従来の地域銀行は、営業条件がおなじだとしても、その歴史は大きく異なる」のである。無尽会社とし

てのそれまでの歴史を有する姿を振り返るまでもなく、かれらは独立した協会をつくり上げ、単に「業界」と自称した。(56)

終章　断片的な言説

本書は歴史的観察から書きはじめたが、それはこの終章でも再度役立つと思う。過去からの言説は、一八六八年の革命的な明治維新や、さらには太平洋戦争を一九四五年の苦い終結に導いた無条件降伏のような重要な転換による衝撃のために、単純に消滅していくものではない。言説が消滅するものではないといっても、不変のまま存続するものでないことも、また事実である。断片として散在するこうした言説は容易には注目されないことが多く、時として視界から消えて痕跡としてのみ現れる。というのも、喧伝されることのなかった慣習が、「真の」近代性や、新たな言葉をともなう世界主義および国際主義などの考え方によって弱められてしまうからである。都市や産業の再建が絶え間なく押し寄せたり再生されたりすることが、そうした過程をいっそう強め、外観が変わりつづけるがゆえに、現在は過去の延長であるとは考えられなくなる。それにもかかわらず、過去は劣性遺伝子のようにとらえにくく複雑で、あまりに容易にあからさまになることがはばかられるかのように、ないまぜにされ、今や「普通の」銀行になってしまったものの、どこか「異なる」無尽会社を思い起こさせる。その痕跡を取り除くことはできないがゆえに、日本の現代史においてまだ実現されるにいたっていないが、新たな可能性を示唆するものでもある。本書の序論で試みたように、終章では、長期にわたる複雑な社会史の断片として、これまではその表面をすくい取ったにすぎない戦後日本の近年の状況に目を向けよう。

現在ではほとんど記憶されていないが、敗戦直後は相互扶助活動が活発な時期であった。日本の国土の多くはまだ復興しておらず、地方の資源はきわめて限られていた。それゆえ、人びとは自分たちの地域社会を立てなおすために相互扶助を求めて向き合い、小規模で「水平な」組織に頼った。一九四六年春、内務省は町や村の相互扶助組織について調査をおこない、二〇万以上の組織を表にまとめた。調査の一環として、無作為に選ばれた二五〇〇人に対し、新しい民主主義という状況において伝統的な相互扶助組織である講の廃止を支持するかどうかが問われた。その結果、八〇パーセントが廃止に反対し、新しい憲法制度のなかに講をとり入れるよう求めた(1)。

大阪のような大都市の中心部の小さな地域社会が復興されはじめた当時に生活していた人びとは、「みな頼母子でやりましたね」と振り返る。こうしたことは大阪と東京の話だと思われるかもしれない。というのも、近代には講を組織する基本的な決まりが、これらの都市にちなんで名づけられたのだから。

だがその一方で、とりわけ悲惨な戦争の被害をこうむった沖縄のような、遠く離れた地方の諸県も同様だった。沖縄では米国占領軍が枠組みをつくり、長期的な資金投資をする人びとは県庁所在地である那覇に事業所を置くよう求められた。沖縄県の公的な銀行であった琉球銀行は、東京の日本銀行と直接に業務提携してこの方針を推進した。しかし沖縄市民の目が向けられたのは、この地域で舫《もやい》あるいは模合《もあい》と呼ばれていた伝統的な相互扶助組織である講であった。模合の呼称は九州でもおなじようにつかわれていた。この名称の歴史的語源は明らかでなく、厳密な意味も一様ではないが、了解されていた一連の規則にもとづいて同志が寄り合うという「合い」を意味すると思われる。「模」は、模範のように「模型」を意味する言葉の一部で、だれもが知っている一定の枠組みや運用規則を指している。これに代わる文字として、「集い、おなじ計画に取り組む」意味の「舫《もや》う」がある。これは模合の実際の取り組みに近いが、文字そのものは一般的にはつかわれていない。重要なのは、その規則が本土などでおこなわれていた頼母子や無尽とおなじであり、沖縄の相互扶助組織の呼び名は、おなじ現象を指す方言にすぎないということである。

もっとも一般的な模合は、医療や予測不可能な緊急事態に備える相互保険に特化していた。趣意書でもっとも多くつかわれた言葉は、伝統的な講と同様に「相互扶助」である。第一章で多賀大社や日本生命に関連してつかわれていたものとおなじである。こうした相互扶助組織である模合は四五口で構成されるほど規模が大きく、一口が二人あるいはそれ以上の名前からなっていた。署名の多くが女性のものだったことは、戦争のために男性の人口が減っていた事実を反映している。共明社相互扶助会は明るい未来をめざした相互扶助組織としての模合のひとつで、二三人の加入者は女性であった。相互扶助を財政的に担保するために、資力のある人物が代表者となる傾向があった。そうした代表者の財産は不動産や会社のようなその他の資産で計測された。東陽バス会社が、「隣保《りんぽう》友人」全体をふ

くめた医療相互扶助組織を支える保障の基盤を支えていたのはその一例である。(2)

すべての模合に共通していた特徴は趣意書と契約の特定条件である。加入者数や集会場所が各人の名前と住所などとともに詳細にわたって記載され、一定の日に必要となる掛金額も記載された。最後に、加入者は、契約の条件と規則にしたがう旨の簡潔な誓約に署名することを求められた。通常は、「私は先の通り、実行することを誓約いたします」というもので、各自が署名、捺印した。契約には地図が添えられ、模合の集会場所と記録の正確な保管場所が示された。

模合の多くは保険の需要を、「相互扶助の精神」に則り「相互の金融」を促進する計画と組み合わせていた。一方で、加入者による基金の使い途を特定しない模合もあった。戦後復興の時期には、明らかに新たな事業を支援する模合が設けられることがあった。そうした相互扶助組織の加入者は少なく、わずか一二人ほどだったために掛金は高くなった。会合は、たとえば一五カ月など定められた期間にわたって毎月おなじ日に開かれた。医療保険の模合は無期限のものが多かったが、契約模合はそれとは異なり、合意された期限になると解散した。それ以外の模合は、「勧業殖産」や「農業の生産」というように、促進する事業の種類を特定するものであった。

貧窮し、資金に不足していたという点で、沖縄は日本のほかの地域となんら変わらなかった。この島の中心的な銀行だった琉球銀行は日本銀行から資金を得ており、したがって資本集約的な計画を促進していたために、中小企業に貸付をおこなうことはほとんどなかった。また、貸付要件がきびしかったので、庶民はどのような目的であれ、琉球銀行に貸付を求めることはなかった。ある人物は、琉球銀行はほとんど貸付をおこなわなかったうえ、米国占領軍との財政的なつながりがあったため、好ましいものと受けとめられていなかった(「あまりなじめない銀行なんですね」)と回顧している。

こうした状況にあって、貸付を必要とする人びとの目が向いたのは、戦争で破壊された戦前の会社の廃墟から興された無尽会社だった。それらのうち、沖縄無尽と那覇無尽の二社が再生や再建においてめざましい役割を果たした。沖縄無尽はその後沖縄相互銀行となり、那覇無尽は第一相互銀行となった〔両行は合併などをくり返し、現在は沖縄海邦銀行〕。おもに占領軍の権限が及ばない範囲で機能し、琉球銀行のレセフェール(自由放任)の是認もあって、こうした無尽会社は個人事業者だけでなく既存の企業も加えた契約団を組織した。企業は契約団に参加するため、定期的な掛金(送り)を予算計上した(3)。

一九八〇年代までには、沖縄の相互銀行は日本のその他の地域と同様に「普通」銀行になった。しかしそれらは、無尽会社の本来の構想とおなじように、みずからの基盤は模合つまり相互扶助の契約組織にあり、地元や地域のコミュニティに資金を循環させることが目的で、ほかの銀行とは違うのだという意識をもちつづけていた。無尽会社は戦後の沖縄において、戦争で壊滅した経済の下層部門に資金を提供するという重要な役割を果たす。大量の資金が中央政治および銀行制度の庇護を受けて地域や国の境界を越えるようになる一方で、沖縄の無尽会社は資金循環のための別の手段を提供した。加入者には低リスクで高い利回りという相互貸付の原則にもとづいて地域に根づいたネットワークを提供し、沖縄復興の基本的な枠組みのひとつとなった。地域社会の自立と大量の資金循環が競合する戦後をうまく乗り切ったささやかな一例である。

今日でも、模合は沖縄社会全体で一般的である。実際に全世帯の約六〇パーセントがさまざまな目的のために模合に加入している。目的は、医療保険や家庭の緊急事態への備え、教育、娯楽、一つ二つの特別な計画のためのこともある。模合へ加入することは、平等主義の重要性や「横の社会」すなわち対等な社会の理想を肯定する民主主義の実践のひとつと考えられている。また、地域や地元の経済と中央集権的な国家経済とが乖離している社会経済に問題があることを想起させるものでもある。(4)

戦後の相互扶助活動のなかには、「平等」原則を民主主義理論に統合し、この理論を政治的に表現しようとする動きがあった。占領軍が土地改革政策を遂行して大地主の所有地を解体したために、個人農家は一定の土地を所有できるようになり、経済的、政治的に自立した。しかし日本では、こうしたジェファソン流の民主主義概念を明確に支持する説得力のある声は多くなかった。経済的な個人主義は貴重な原理だったかもしれないが、大半の日本人は相互扶助的な民主主義という深く根を張った理想を信じていたために、平等という価値の上に相互扶助的な人間関係を構築することがかれらの社会にとって重要であった。

協同民主主義は戦後初期に議論された理論のひとつで、もっとも知られている丸山眞男のラディカル・デモクラシー理論と比較された。丸山は戦前の超国家主義と権威主義国家に対する批判と徳川時代の政治思想の歴史的な分析を組み合わせ、国家主義とイデオロギー的な順応主義に徹底して抵抗するよう呼びかけていた多くの知識人を代表して発言した。おなじく、この時代に顕著だったのは個人的主体性という理論であり、あらゆる社会的慣習を経験的、現実的な「主体性」に還元した。主だった知的刊行物にとりあげられたことから、壊滅的な戦争の影響が残るなかで独創的な個人を表現する新たな方法を求めていた知識人層にとりわけ強い影響をあたえることになった。

協同民主主義は、知名度こそ低かったものの発行部数の多い雑誌に掲載された。この刊行物は社会的テーマおよび生命と存在の相互依存性を強く主張していた。こうした雑誌は占領軍の監視下におかれたが、占領軍は協同民主主義について漠然としか理解していなかった。社会主義の一形態でなにやら疑わしいものか、あるいは、自由主義という西洋の政治理論とくらべればたいしたものではない土着文化の遺物と考えたのである。(5)

協同民主主義を明確に主張したのは雑誌『地上』であった。この雑誌の英語のサブタイトルはGood Earth（良き土地）である。一九四七年に創刊され、一九五〇年代をつうじて相互扶助を主張した。『地上』は、『家の光』という農民向けの実用的な「家庭」雑誌の理論的、概念的な部門の役割を果たし、「自由」と「協同主義」の政治的価値を不可分のものとして結びつけた。けっして破壊活動的なものでなかったにもかかわらず、『地上』が占領軍から定期的に検閲を受けたのは、おそらく「社会民主主義」の思想を部分的にとり入れていたからであろう。たとえば、一九二〇年代はじめに著名な作家、有島武郎（一八七八－一九二三）が北海道の農業コミューン、狩太《かりぶと》共生農団を開設したことについて、好意的な解説を特集している。有島が相続した父親の農場を地域の農民に提供し、農民は相互信頼と助け合いという共同体的な環境で「共生」できるようになったことが読者に伝えられた。特集では明らかに共感を示す言葉で、有島がハバフォード大学に留学していたころ、ウォルト・ホイットマン（とくにかれの『草の葉』）から影響を受けたことと、有島が無政府主義者であり社会理論家でもあったピョートル・クロポトキンに欧州で出会ったことにページが割かれていた。同様に、有島が武者小路実篤とともに『白樺』の文学運動にかかわっていたことや、カール・マルクスの主要作品を翻訳した河上肇と交流したことも詳しくとりあげられた。さらに『地上』は、相互扶助の知的先駆者として、サン＝シモンやロバート・オーウェン、シャルル・フーリエ、ルイ・ブランなど、社会主義の伝統に連なる人びとを挙げていた。さらに、本書でも述べたドイツ協同組合の著名な指導者、フリードリヒ・ライファイゼンもくり返しとりあげている。こうした人物はすべて、『地上』の編集方針、すなわち新生日本にとって協同民主主義が望ましいという方針に結びつけられていた。このテーマは、矢内原忠雄や丸山眞男など主要な知識人による自由主義と民主主義に関する論文にも合致していた。また、明治時代の自由民権運動についての論文を特集し、そうした思想を代表する人物伝もとりあげた。たとえば明治啓蒙運動を率いた福澤諭吉、キリスト教平和主義者の内村鑑三、環境汚染に反対した有名な活動家の田中正造、政治批評家でジャン＝ジャック・ルソーを翻訳した中江兆民、作家で相互扶助コミューンを創設した徳冨蘆花などである。民主主義に関する座談会では農業や商業における相互扶助について議論され、そのなかには報徳運動の重要性もふくまれていた(6)。

協同民主主義支持論としてよく知られていたのは賀川豊彦の意見である。賀川はキリスト教社会運動家で、貧民窟の社会改革をめざして『日本再建』を執筆し、その過程で相互扶助が果たす特別の意義について検討した人物である。一九二三年の関東大震災のあと、それまで神戸と大阪を中心に改革をおこなっていた賀川は、東京の本所近辺で協同組合的な貯蓄貸付運動を展開した。この運動は戦後期に急速に広がり、中ノ郷質庫信用組合として知られるようになる。賀川はこうした近代的な取り組みを頼母子や無尽講の長い歴史に結びつけるとともに、ライファイゼンのキリスト教人道主義の再認識をも訴えた。日本が協同民主主義をとおしてその歴史の方向性を変え、スウェーデンやデンマークのような小さいながらも安定した社会民主的な国家になれると確信していたのである。賀川は一九三九年、日本軍の悪行について、善良な日本国民を代表して謝罪するために中国におもむいた平和主義者であった。また、「物質主義的」「国家主義的」な社会主義に対して痛烈な警告を発し、何をおいても避けるべきモデルとしてスターリンやヒットラーの体制を挙げた。かれが一九四六年にはじめた運動は一年もたたないうちに急速に広がり、東京だけで四〇〇以上の協同組合が誕生する。賀川は、それらの組合が民主主義的であることを請け合い、国や国内外の政治機関の支援を求めることも期待することもない、民間の自主的な組織であると指摘した。それらは自治的な協同組合であり、相互扶助を提供し、慈悲の精神から人びとを救済する。賀川は、この協同組合が育むのは民主国家の形成に不可欠な平等の価値であると断言した。(7)

近代日本の民主主義にとって協同民主主義は重要だと説明したのは、政治学者の矢部貞治(一九〇二―一九六七)である。矢部は東京帝国大学法学部を卒業(のちに同教授に就任)した卓越した学者である。戦時中の首相だった近衛文麿の顧問グループ、昭和研究会に加わっていたために、その名声がいくぶんか陰ったとしても、矢部は戦後の政治的言説において重要な立場を保った。

矢部は、民主主義を構成するのは、自由と平等という相互に関連してはいるものの別個の異なる価値であると論じた。いずれも日本の新しい民主主義が健全であるために不可欠なものである。協同民主主義においては、個々の自由は平等の理論および実践とバランスを保っていなくてはならない。当時いわれたように、一方の伝統に根づいた協同民主主義が他方の自由民主主義に進化したり変容したりするということではない。民主主義社会では、いずれの価値も必要なものだ。矢部は、「民主主義」が外国から押しつけられ、勝者の正義というイデオロギーの一部をなすものであるがゆえに、日本にとって異質なものと誤解されるおそれがあると論じた。だがこの考えは、民主主義は実は日本にとって異質ではなく、重要な価値だという事実を無視している。また、自由主義は望ましく必要な思想であったが、矢部はその限界にも注目した。すなわち、エリート支配が最優先されるということである。つまり、主要国立大学で教育を受け、政府や民間企業に安泰に身をおいている専門家エリートによる支配である。これとは対照的に、協同民主主義は相互扶助や他者への支援という倫理で表現される、社会における平等の側面であり、平等の価値や平等主義をもたらすものであった。

矢部はこのように、社会民主主義や協同民主主義の歴史、実践、価値が民主主義的な未来を創造するために重要な出発点であるとして支持した。協同民主主義は社会全体の意識や具体的な実践に埋めこまれており、この社会的経験をともなわない民主主義的市民社会など日本にとって考えられなかった。民衆が実践する行動倫理とは、相互扶助の実践、慈悲による他者救済、その過程における組織秩序の維持であり、この「協同主義」は最終的に平等につながるがゆえに民主主義の政治理論から排除されるべきではなく、民主主義的な未来を構築するためにとり入れられるべきであった。(8)

カナダ人の学者で外交官でもあったF・H・ノーマンは、日本の思想史において平等はまさに重要な内容であると論じた数少ない人びとの一人であった。土着の関係にもとづかなければ民主主義は完全に異国のものであり、結局のところ日本には合わないものだと思われるだろう。しかしノーマンは、平等こそが、経済的な個人や国家の生産性という概念以上に、一般的な公的概念として民主主義に欠かせないと強調した。この確信から、かれは一八世紀初期の農民共同体の思想家でもあった安藤昌益を研究するようになる。昌益が論じた地域社会の平等理論は、すべての知の第一原理としての自然に依拠した相互作用的なはたらきにもとづいていた。この理論にしたがって昌益は、政治を上から「垂直に」押しつけることは「作為」であり、権力の座にあるエリート、すなわち徳川の武家支配を存続させるために考え出されたものであるとして拒否した。昌益の理論とノーマンの解釈は、日本の知識人の琴線に触れた。かれらのあいだでは、『忘れられた思想家――安藤昌益のこと』(岩波書店、一九五〇年)というノーマンの著作は今でもひそかな古典である(9)。

影響力のある人びとには、平等という社会的価値は新たな民主主義と合致させるべきものと映り、そのために相互扶助活動を全国政党に結集しようという努力がなされた。太平洋戦争直後の一九四五年八月に日本協同党が結成される。その後、一九四六年五月には協同民主党、その翌年には国民協同党と党名を変更した。この政党はほかの政党と連携したものの、その後、戦前から存在した二大保守政党が高度経済成長を政策に掲げて合同した影響を受け、その他の小政党とともに吸収され、解散に追いこまれた。

このように、平等と相互扶助という協同組合イデオロギーは、戦後日本で支配的になった経済成長と開発のために組織化された寡頭政治の邁進に対抗することはできなかった。それにもかかわらず相互扶助的な政治運動は、代表者で中心になって発言していた山本実彦(一八八五―一九五二)によって、一九四〇年代後半に大きな注目を集める。山本は進歩主義的な雑誌『改造』の主任編集者であった。『改造』は一九一九年に創刊され、谷崎潤一郎や志賀直哉、社会主義的な評論家の賀川豊彦、山川均（一八八〇－一九五八）、河上肇のような、若く知的で創造性あふれた作家を売り出したことで知られた。混乱した資本主義国家であった日本の「社会問題」に関する言説に、主要な急進的人物が加わっていたにもかかわらず、『改造』は戦前の知的雑誌のなかでは、由緒ある『中央公論』以上に、もっとも広く読まれた。しかし軍国主義によってつねに監視され、さらには検閲を受けて、一九四四年には廃刊に追いこまれる。一方、山本が率いた協同組合主義政党の運動は、以下のような卓越した人物に支援されながらも頓挫した。すなわち、協同組合を基盤にした乳業最大手の雪印乳業株式会社社長であった黒澤酉蔵《くろさわとりぞう》（一八八五－一九八二）や、農業協同組合運動を率い農商務省で影響力をふるった千石興太郎、三木武夫（のちに自由民主党の中道左派を代表して首相に就任）のような前途有望な若手政治家たちである。

占領軍が撤退した（そして無尽会社が正式に相互銀行になった）一九五〇年代はじめまでに、国会支配を狙う政治闘争がその他の政治的考慮よりも優先された。よく知られているように、戦前の二つの保守政党である政友会と民政党は合同し、一九五五年に自由民主党となった。この合同によって、一九一〇年代以降の議会政治における主要な遺産の一つが確認された。すなわち、国会の一党支配のほうが二つの政党が対抗しつづける体制よりも効率的であり、したがって好ましいという考え方である。こうした政治的連携が固定したため、協同組合運動は二つに分裂した。一つは野党であった社会党の側につき、他方は新たに確立した自由民主党の「左派」に加わったのである。[10]

協同組合からすれば、戦後の年月は、地方の農民と都市の労働者が統一したイデオロギーを示し、ひいては新たな政治的勢いを示す好機であるように思われた。協同組合主義にとっては追い風であるようにみえたこの時期は、重要だったにもかかわらず短期間で終り、中央の政治的舞台での声を失った。戦前、この立場をとった代表的な理論家である山川均は、「労働者」と「農民」（労農）が統一した国民政党へ結集することを呼びかけた。当初は戦争や組合に対する反発があり、進展しなかった。とくに、都会の労働者が政治的未来を先導していると考えた人びとの抵抗が強かった。これとは対照的に、農民は組織された都会の労働者と連帯することを想像できず、隔たりは戦後期までつづいた。社会主義政党は都市の労働者を主たる支持層と考えていたために、農民だけのための政党を結成することにはほとんど思いいたらなかった。その結果、「協同民主主義」や「協同社会主義」という思想は一般庶民の思想と実践に共鳴したものの、全国政党の政治イデオロギーへとは発展しなかった。つまり、地方と都会の分裂が効果的に埋められることはなかったのである。

こうして協同党は短命に終った。協同党は「協同社会と友愛精神」を基盤にし、「相互扶助と他者救済（相扶共助）」という理想を掲げて、農村や漁村におけるコミュニティにはたらきかけることをイデオロギー的な目的としていたが、政党運動に民衆を結集することができなかった。そうした運動につながる実質的な連携を築こうと試みてはみたものの、異なる傾向の中央集権的な政治連合へと容赦なく舵を切らせることになった急速な復興が一気に展開するという事態についていけなかったのである。

地方と都市の統合は持続的な協同党運動に結びつかなかったが、山川が打ち出した思想は、市民や市民社会による抵抗運動の批判的な政治思想に生き残った。とくに、一九二〇年代はじめの山川の主張は、戦後の高度成長経済という状況下で理論的な意義があった。すなわち、近代資本主義はあらゆる人を包みこむ広範なシステムであるので、プロレタリアートとは都市を拠点とする階級であるという一般的な認識は見直されるべきだという主張である。しばしば理論化が試みられてきたものの、都市をベースとする壮大な弁証は、近代国家の複雑な機能を考えれば実を結びにくいし、実際に実を結ばないことが多かった。すべての個人は職業や地位、居住地にかかわりなく、社会全体のなかでは、それぞれが「プロレタリアート」であることを自覚しなければならなかった。個人と協同組合、個人と階級は結局のところ、ともに社会全体のシステムのなかに存在するという意味で、おなじ構造を共有していた。一人ひとりが自己を超えた存在として相互の意識によって他者とつながっていると自己をとらえるべきであり、批判的な抗議行動をとおして歴史の流れに抵抗しなければならなかった。この理論的な枠組みにおいて、市民全体が都市の労働者と農民、さらには知識人と労働者、専門職業者と自営業者、教師と保護者との違いを超えるのである。(11)

政治学者の高畠通敏は、戦後の市民運動についての論述に山川の著作を引用した。こうした運動に参加するのはあらゆる階層、あらゆる職業の人びとであり、男性も女性も、学生も教員も、専門職業者も地方の農民もいる。参加者は、完全に職業的に組織にかかわらなくてもよかった。空間的には狭まることも広がることもあったが、参加者がたがいに尊重しあう平等主義、すなわち「水平」原則が特徴であった。特定の個人や永続的な知的指導者による中央統制がなかったおかげで、ヒエラルキーが強調されることはなかったのである。その代わり、各個人はみずからの内面に「政治的自己」を見いだし、政治腐敗や環境破壊、そのほか生活の質にかかわる問題について他者と協力して取り組んだ。さまざまな職業、あらゆる階層の人びとがみずから協力的に運動にかかわり、正義だと思われる目標、つまり個人と協同組合がひとつになる枠組みを実現すべく取り組んだ。抗議運動の組織は継続的な中央専制に向かうべきではない、という理論にしたがって、高畠は一九五五年のスターリン批判に端を発した当時の報道で明らかにされた驚くべき新事実に注目した。[12]

市民運動は、一九六〇年に日本政府が米国とのあいだに新しい安全保障条約を締結しようとしたことに反対する大衆の抗議行動に結びつけられることが多いが、そのほかにも企業の汚職や政治腐敗、環境破壊などもっと広範囲にわたる関心や不満もふくまれていた。水俣の水銀中毒や原子力発電所からの放射能漏れ、成田空港建設のための土地収用などがよく知られている。経済成長だけに心を奪われ、道徳心が欠如していることが多くの不正行為の根底にあるという批判がくり返された。県すなわち「地方」に居住していた経済史研究者が指摘したように、近代と戦後に一貫している問題は「富」と「徳」、つまり経済と道徳の関係が対等でないことであった。かれの見解によれば、「済民」という「徳」は近代化のなかで経済成長の積み上げという単一の目標に取ってかわられたのである。[13]

国会中心の政治における日本協同党の行く末以上に重要だったのは、地域社会に根ざした市民による抗議運動の根底にある倫理的な理念、すなわち命と人間の存在そのものの相関関係（「共生共存」）が持続したことであった。この考え方は、生きとし生ける者と物はすべてたがいに関連しているという点で、本書で強調しているとおり、民衆による助け合いの歴史に深く結びついている。

報徳は期待どおり、岡田良一郎らが明治時代後期に固く守っていた道徳と経済の不可分性という遺産を維持していた。競争経済という近代的な概念を、旧態依然とした道徳的概念より優先するべきだと説かれたにもかかわらず、岡田は、報徳が「適者生存」という近代社会のダーヴィニズムの考えを認めないという考えを堅持した。不運な者や弱者を助けることは、報徳の揺らぐことのない道徳的価値であった。報徳の主要な代弁者の一人は、相互扶助の思想と急成長した戦後の「危機」についてこう述べている。「今日の日本は、道徳と経済とがアンバランスとなり、物質経済一辺倒となって、道徳を忘れている。すべては金、すべては経済という考え方が国民を支配し、政治は金なり、金は政治なりという思想が政治家を支配している」。さらに言葉をつづけて、こう締めくくった。「道徳・経済一元論」という二宮尊徳の教えでは、人は相互に必要としあっている。道徳なき経済は道徳的に受け入れられない行為につながり、経済なき道徳は信じがたいものである。[14]

年に一度の全国報徳大会では、今でも運営方法に関する尊徳の考えについて話し合われている。農業の指導者や小都市の指導者だけでなく、技術系企業の代表者もその会議に参加している。会議では、競争の激しい経済状況にあって、ひたすらな利益追求の動きから距離をおいて会社を経営するために、自然に関する尊徳の考え方の意義が議論されている。参加者は「尊徳を念頭において」、環境危機に思いをめぐらし、近代産業がもたらした環境破壊を強く批判し、「自然と共におこなう」倫理を取り戻す方法を探っていく。かれらは敬虔さの原点が、自然という、すべての人にとっての「元の父母」に対する深い畏敬の念にあると信じている。[15]

二〇〇〇年および二〇〇二年の雪印乳業株式会社による不正行為〔二〇〇〇年には雪印乳業の乳製品による集団食中毒事件、二〇〇二年には子会社の雪印食品による牛肉産地偽装事件が起きた〕は、どの事例にもまして経済的ビジョンの歪みを深く懸念する声に説得力をあたえた。雪印乳業は、乳製品および食品加工、食品輸入業界における最大手企業のひとつで、遠隔地にいる個人としての顔が見えない株主よりも製品の製造業者に貢献するという企業の理念に力をそそいだ近代企業の模範であった。急成長が頂点に達したのち、雪印乳業は戦略追求の結果、経済的な利益が会社の最重要目的となった場合にどのような事態を招くのかを多くの人びとに知らしめた。雪印乳業としては高度経済成長に適合したほかの企業に追随しただけであったが、結果として当初の理念からかけ離れ、企業として全国を驚愕させる不正行為をなすにいたったのである。(16)

この事件は雪印乳業にとっては不幸な結果になったが、創業者である黒澤酉蔵は会社の歴史において今でも重要な人物である。黒澤は協同党の思想を支持したが、一九二〇年代はじめには北海道で仲間の酪農家たちとともに、地元の個々の生産者の福利を増進するという協同組合的な原理を基盤にして雪印乳業を創業した。その優先順位は、会社全体の利益を増進するという資本主義の目的に取ってかわるものであった。かれが酪農協同組合の着想を得たのはデンマークからであったが、発端は、ウィスコンシン大学から戻ってきた同僚がデンマークの協同組合の長所を賞賛する報告をたずさえていたことにあった。黒澤はデンマークの協同組合が日本の酪農業にふさわしいモデルであると確信し、仲間の酪農家たちとともに、日本に五年間滞在して助言してくれる人物をデンマークから招いた。黒澤自身、一九二〇年代はじめにデンマークを訪問しており、講演や自作の詩のなかでこの国を褒めたたえている。かれがデンマークこそ近代社会のモデルだと信じたのは、この国が協同組合式の農業によって変身を遂げたからであった。

黒澤は二宮尊徳の影響も受けていた。一九二〇年代には雪印乳業で、尊徳の教えについての講義やセミナーをみずからおこなっている。さらに、尊徳の伝記執筆者として第一人者である佐々井信太郎による定期的な講義は、経済計画は道徳的価値への関与および、すべてを包含する普遍的なものとしての自然への畏敬にもとづかなくてはならないという考えを強調した。黒澤は、こうした考えが欧州でかれが直接見聞した協同組合の体系的な実践や、かれがしばしばキリスト教と同一であると考えていたかれ自身の倫理的理想主義とも、完全に一致すると考えた。かれがキリスト教へ改宗したのは、日本が急速に近代化し混乱した状況にあった青年時代である。

一八九〇年代に近代日本で環境汚染に先駆的に取り組んだ田中正造（一八四一－一九一三）は、黒澤の思想的な信念の形成に影響をあたえた卓越した人物であった。一九〇〇年当時、黒澤は東京で数学を専攻する学生であったが、政治的な不正に対して行動した徳川時代末期の理想に感化を受けた。この理想とは、徳川体制に対する変革の活動をはじめた藩のひとつである水戸藩の教育文化の特徴である。水戸藩の理想主義には、知ることは行動すること（「知行合一」）という行動重視の原理が内包されていた。知識と行動の合体という理想主義に影響されて、黒澤は数学の勉強を突然中断し、古河鉱山を所有する財閥に対する田中の抗議行動に加わった。古河財閥は、栃木県をはじめとする一帯の田畑を足尾銅山の鉱毒で汚染した加害企業である。絶え間ない警察の監視から黒澤をまもるため、かれを生活の不安定な東京から安全な北海道へ避難させたのは田中であった。黒澤は足尾鉱毒事件に関わったとして投獄されたが、田中が弁護士を雇って奔走したおかげで釈放された。それゆえ黒澤は終生、田中を「先生」と仰いだ。とりわけ、自然を生命と道徳知識の根源とした田中の姿勢を尊敬していたからでもある。黒澤はまた生涯をとおして、自然は普遍的かつ無限であり、一見不動である地球もふくめて自然の内に存在する万物は「生き物」であり、汚してはならないとした田中の信念を守りとおした。酪農家としての経歴をとおして、黒澤はキリスト教の信仰と二宮尊徳の思想、とりわけ田中正造の知恵はすべて調和すると考えた。それゆえにかれは、一九三三年に創設した酪農学園で、こうした考えを定期的かつ熱心に教えた。(17)

田中正造は、一八九〇年代に青年だった黒澤に感銘をあたえた人物であるとともに、環境破壊に対する地域社会の抗議運動を切り拓いた人物として、戦後、その名を広く知られるようになった。かれは、市民運動の批判精神にとっても重要な人物である。田中が明治時代後期に栃木県で抗議運動をはじめたころ、のちに伝記を執筆したケネス・ストロングが「嵐に立ち向かう雄牛」と表現したように、かれは強い意志をもって単独で行動し、先見の明をもっていた。田中は一九一三年、足尾の鉱毒に汚染された水田地帯で殉教者としての死を遂げた。かれが仲間の村人たちと率いた運動は、日本が軍国、膨張国家として歩み出した主流の歴史に押し流されてしまった。かれは、戦間期に「社会問題」にかかわった人びとにとっては英雄でありつづけたが、かれが取り組んだ破滅的な環境破壊の危機を一般市民が認識するようになるのは戦後になってからである。実際、足尾銅山鉱毒問題は完全に解決してはいない。時折、取り組みがおこなわれたものの、欠陥のある工事と周期的に起こる洪水によって、良質の稲田に有毒な銅の沈殿物が流入したからである。田中が七〇年前に注意を喚起したこの問題は、一九五〇年代の終りに注目されるようになる。太平洋戦争後かなり経ってから複数の学者が田中の集大成として全集を編集したことで、ようやくかれの評価は定まった。出版されることのなかった個人的な著作は、黒澤酉蔵が北海道の自宅の屋根裏に保管していたものを提供した。(18)

田中正造は明らかに安藤昌益と共通点があり、それが道徳的・認識論的原理としての自然という徳川時代の遺産に焦点を当てることになった。ふたりを結びつけたのは江渡《えと（えど）》狄嶺《てきれい》（一八八〇－一九四九）という一風変わった思想家であった。江渡は東京帝国大学を中退し、一九二〇年代に転心会という農業コミューンを結成し、自然に関する昌益の思想をとり入れた。江渡のコミューンは自由奔放な青年たちの保護施設となった。かれはまた、服従と愛国主義を強調した国家の公教育制度に不満をもち、自分の子供たちに在宅教育をおこなった。江渡は、近年再評価された昌益がおなじ東北の出身であることを歓迎し、近代化の行く末を深く懸念しているがゆえに安藤昌益のような知的な財産を得たことは「うれしい」ことだと述べ、自分の著作を昌益に献呈したほどであった。その後、江渡は昌益を田中正造と結びつけ、田中を徳川時代の傑出した自然主義思想家の延長であると見なした。江渡は自然主義思想家として三浦梅園や貝原益軒、徳川時代の医師らをふくむ多くの名前を挙げることもできたであろうが、最終的には安藤昌益、佐藤信淵《さとうのぶひろ》、二宮尊徳、田中正造という四人の農業思想家に落ち着いた(19)。

昌益はこのなかでもっとも急進的な考え方をする人物であった。かれは、社会的な病には政治的な原因があり、道徳的な言葉は権威主義体制の思想を伝える手段であり、権力がもつ軍事力よりも自然の「力」のほうがはるかに重要であると語った。また、二元論についで哲学的につぎのように論じた。すなわち、二元論は精神と物質、善と悪、明と暗、男と女を区別するとともに、一人の人間を他者と区別し、身分で分け、男女を離し、人間とそれ以外の自然の事象を分けるという狡猾な認識論的手段である、と。昌益が提言したのは、階層的な権力がなく、直接的な農業耕作のみにもとづく自然なコミュニティであった。

これはユートピア的な構想であり、昌益の思想の多くを共有していた三浦梅園や二宮尊徳でさえも、解決策として同意しなかったものである。その代わりに、梅園と尊徳は契約的な相互扶助組織を提唱した。地域社会のメンバーがおたがいに助け合い、商業経済への関与もふくめて計画を立てるという合意である。とりわけ尊徳にとって人間の労働という大前提を強調することは、道徳的目的を掲げ体系的かつ組織的に農業を長期にわたって実践する際に決定的な要因であった。しかし、これら徳川時代の思想家すべてにとって、自然という前提は第一の原理であった（「自然第一義」）。この見解は、自然は無限であり、個々の事物や人（昌益の言葉でいえば、「ひとり」）は無限であり、すべてが普遍的な天つまり自然から、分け隔てもなく、他者とのあいだに優劣をつけられることもなく、恵みを受けるというものであった。これは、前近代の時代にしばしば述べられていた楽観的な自然のとらえ方である。この主張は、たとえ、王国（したがって国家も同様）が傾き、崩壊したとしても、山も川もそのまま残るということだった（「国滅びて山河あり」）。科学的な響きをともなう宗教的な文脈でいえば、この見解が強調したのは自然に存在する大小の事物一つひとつが無限のつながりを有し、その全体において、あらゆる自然の事物は究極の全体、つまり尊徳が仏教から引いた言葉によれば、「一円」において相互に関連していたことだった。尊徳にすれば、農業はこの広く普遍的な自然全体という枠内でおこなわれるべきものだった。

日本やその他の社会も、いまや自然は実のところ無限ではなく限りがあるようだと認識しはじめている。人類史において、かつて栄えた文明がその後衰退し消滅したように、自然史における惑星としての地球もそのような運命の例外ではない。自然は不可譲の権利の源であり、国家主権を構成するものと考えられるかもしれないが、実際には自然は権利をもたないのである。戦線は意図なく引かれることが往々にしてあるが、生態系破壊に対する戦いは市民と地域社会に根づいた抗議運動として続くものであり、続かなければならない。それゆえ、黒澤や田中、および昌益や尊徳のような徳川時代の先人たちの思想がこうした運動の声にそれとなく織りこまれ続けているのである。歴史学者に求められるそうした運動に対する評価は、何が伝統的なもので何が近代的なものか、どのように近代化が登場したかなどの視点からのものではない。産業や技術革新という現実や、それらが自然環境におよぼす影響を踏まえて、批判的に考える人間が現在利用できる資源にはどのようなものがあるか、という視点からのものである。[20]

行動倫理としての抵抗は、経済的な選択肢を比較考察して綿密に組み立てた計画を実践する庶民についてのわれわれの認識の根底に、一貫して存在しつづける主題である。こうした抵抗が英雄的にあらわれることはない。安藤昌益や田中正造、さらに徳川時代や明治時代初期に反抗した小作農や農民がよい例である。むしろ、それは村人の主張を三浦梅園が擁護したことによくあらわれている。村人は、自分たちの収穫した米は、武士に得になるように仕組まれた貨幣価値で取引きされるが、米の実際の価値はその取引額をかなり上まわっているはずだと主張したのである。おなじように二宮尊徳は大名に対し、一〇年間は増税しないことで、村人が合意した契約のしくみに介入しないように主張した。岡田良一郎は、道徳が近代経済の核心にかかわると主張して、平田東助や柳田國男ら政府の代表者の提案を突っぱねた。かれらは岡田に対し、近代資本主義を選択して、恵まれない者を救済するという時代遅れの考えを捨てるよう求めたのである。福岡無尽株式会社の代表であった四島一二三は、戦争遂行のために地方の資金をかき集めるという政府方針に反対して、無尽会社の目的はその地方で集めた資金はその地域で流通させることだと主張した。

この抵抗というテーマは、「根性」とも呼ばれる気骨ある気性についても物語っている。根性は、たがいを助けるためにはものごとを自分の手の内に掌握すべきだという、民衆に広く受け入れられた理解に拠るものである。したがって、この終章では二つの例を挙げて、民衆経済の歴史のなかの断片化された言説が物語ることを描くことにする。この二つの例は現代のものだが、その大半は隠されたままで、より大きな言説の断片のようにその裏に埋もれている。人里離れた場所にある古代遺跡のように、技術がつくり出した雑踏や騒音の澱んだ環境におかれているものである。一つは北海道の自治的な報徳村における協同組合という地方の例であり、もう一つは東京の下町にある民間の協同組合の例である。

北海道はかつて、「報徳の天下」として知られていた。そもそものつながりは徳川時代後期にさかのぼる。明治維新前夜の一八六六年、尊徳の門下生で小田原近くの村の出身である大友亀太郎（一八三四－一八九七）は、報徳の名を知らしめていた高度な農業技術を生かして灌漑用の水路を設計した。札幌市はその後、この水路の上に建設された。この水路は現在も札幌に残っており、大友堀として親しまれている。(21)

太平洋戦争の直後、報徳「学習会」が北海道で組織された。参加者は緊急時の物入りをまかなうために、毎月の給料のうち一日分に相当する額（約十円）を地域の基金に掛けこんだ。その後、こうした基金は小田原にある報徳センターで開かれる学習会にメンバーが交代で参加するための旅費の補助としても使われるようになった。さらにメンバー一人ひとりが入会地の森林を手入れするために、年に一日の労働日を充てた。

北海道における報徳の存在は広く伝えられたものの、報徳支社として統一した組織が道内におかれているわけではない。町や村では、報徳と公的な行政指導を混同することが少なくない。住民は、現在の農林水産省の傘下にある農業組合は村の実質経済にかかわるニーズに対応し、「伝統的な」報徳協同組合は教育セミナーの責任を負うものだと考えている。

例外は、日本最大のジャガイモ生産地である上士幌（帯広の北方）にあるジャガイモの協同組合農場である。外見上は近代的な農業協同組合で、最新の機械やコンピュータ制御の設備を備えている。しかし、その内部の規則は報徳のそれである。一九三〇年代はじめから、組合員は計画を作成するための会議を「芋こじ」と呼んだ。同様に、余剰分を倹約（「分度」）するために正確な計算をおこなうという報徳の原則も色濃く残っている。貯蓄貸付基金は、緊急の目的や設備購入など農業を向上させる必要のある地域の農民に五年間の「無利子」貸付をおこなう。また、他者にあたえるという倫理的精神（「推譲」または「他譲」）にしたがって、協同組合は農学を学ぶ学生向けの奨学基金に一〇年間で四億円以上を気前よく寄付している。この奨学金は、外国語を学んで海外の農業コミュニティを訪ね、そこで生活し、その地で見知らぬ人の「食事」と文化を味わう（「他人の飯を食う」）費用に充てられる。

しかし、さらに興味深いのは、牛首別《うししゅべつ》の報徳協同組合である。札幌から南東へ列車で数時間のところにある牛首別には法人化されていない協同組合があり、したがって自立した自治の村である。多くの村落は、報徳と農林水産省の役割分担を受け入れた。とりわけ、都会の給与所得者層にくらべて村の人口が全体的に減少するという流れのなかにあったからである。牛首別もまた、この流れを逃れることができなかった。しかしこの村は、農業生産と取引とを支援する政府の補助金を頑なに拒否した。その代わりに、徳川時代後期から明治時代初期までつづいた、外部の行政介入を受けることなく長期計画を独自に立てるという報徳の遺産をそのままのかたちで維持している。そして、はるかに潤沢な資金、という権力を振りまわす農水省とその構成部門とは距離をおいている。

牛首別が報徳入植地として開拓されたのは、報徳運動の支持者が福島県相馬市から移住した一八九七年である。依田勉三はこの地域を開拓した最初の人物で、今でも創始者として敬われている。移住者の大半は、尊徳の教えのいくつかをまとめた尊徳の義理の息子である富田高慶と、尊徳の孫である二宮尊親にしたがってやってきた。ふたりとも報徳の系譜ではよく知られた人物である。一八九七年から一九〇〇年にかけて、一七〇〇人からなる一団が二宮尊親に率いられて相馬から牛首別に移住した。入植の目的を述べた宣言のなかで、かれらは相馬では極度の貧困を避けることができなかったために、遠く離れた北海道で自立し「自治」開拓者となることにしたと述べている。(22) かれらは、幕末期から明治初期にかけて苛酷な収奪と苦難を経験した相馬で学んだ思想と戦略を携えていた。富田は、相馬で二宮の村落再建の手法を適用していた。これは、詳細な調査結果と体系的な予算立てにもとづく長期計画で、すでに説明したとおり「仕法」と「分度」を指している。こうした戦略にともなう思想は、自然法則は普遍的であって恣意的なものではない、それゆえに人が仕事や生存、余剰の蓄積にまわせるような利用可能な資源の条件を定める、というものだった。したがって、貧農がみずからを救い、貧しく悲惨な生活に屈しないだけでなく、援助を必要とする人びとを支援するための資金を生み出せるようにもなったのである。農民は、たとえ政治権力からどれだけの慈悲が得られようとも、それに頼ることなく自立して、みずからの力でそれを成し遂げなければならなかった。契約団としての加入者の自立性こそがもっとも重要であった。徳川時代後期から明治はじめ——報徳計画がはじめて相馬でおこなわれた一八四五年ごろから一八七五年まで——一〇〇以上の村落が報徳協同組合契約にしたがって再建された(23)。

牛首別に開拓移民した人びとは、この相馬における報徳の歴史の記憶を持ちこんだ。岡田良一郎が静岡の報徳グループを農商務省の組織や政策に縛られない私的な結社と定義したように、牛首別の人びともおなじように行動した。公的には一八九八年の民法にもとづいて組織を設置し、独立した福祉法人「社団法人牛首別報徳会」として内務省に認可を求めた。こうして、牛首別は自治的な法人格を得て、利益志向の協同組合にはならなかった。強い自尊心によってみずからを維持したという評価は戦後もつづいた。

牛首別報徳会の法的な位置づけは今もおなじ定款に拠っているが、これは地元の指導者が起草し、最終的に内務省が確認したものである。一見すると、手書きの謄写版で印刷された粗末な書類である。この定款は、会の目的や役員、選任手続き、共有資産の利用など、この協同組合のおもな項目を定めている。この定款で使われている語句からは、牛首別報徳会が徳川時代末期の流れを汲んでいることがわかるが、しかしそれは近代史の上にも位置づけられるものだ。役員の資格や在職年限、選任手続き、役員の審査職務、「理事会」の役割などのすべては牛首別報徳会を明治以後の近代日本に位置づけている組織的指針である。この協同組合全体の目的は、「当会ハ二宮尊徳先生ノ遺教ヲ遵奉シ報徳ノ事業ヲ行フヲ以テ目的トス」と記されている。報徳の思想を学び、促進するほかに、この組織の具体的な目的は「地方自治ノ改善発達ノ援助ヲナスコト」「防貧救貧其ノ他社会事業ノ施設若クハ其ノ援助ヲ為スコト」「……福利増進ニ関スル事業ノ実施若クハ其ノ援助ヲ為スコト」であり、「仕法ヲ講ジ貧困ヲ根絶スルコト」であった。基本財産は、土台金、善行をうながすための善種金、共済貸付金として記載された。報徳の伝統に忠実に、こうした基金は金銭的に恵まれない個人を援助し、負債によって失った土地を取り戻すことを支援し、自然災害やそのほか不測の不幸な事態の際に提供するために利用された。

思い出されるのは、尊徳が報徳の貯蓄を使って市場での収入を保証することにより、農業生産を促進したことである。尊徳は商売を嫌ったわけではなく、報徳は農業を基礎にした製造業を支援するという立場をとっており、この姿勢は明治時代までつづいた。牛首別報徳会の定款には、余剰資金を不動産や有価証券の購入、公益のための貸付、農業および商業にたずさわる有益企業の支援に充てることがふくまれている。組合の役員は総会出席会員の有効投票の過半数を得て選出され、任期は、理事は四年、参事および監事は三年である。役員は、理事会長一名、理事副会長二名、参事八名、監事二名である。参事は相談役で、監事は役員の業務を審査する〔渡辺利春『二宮尊親の北海道開拓』一一二－一二〇頁によって修正した」)。理事会は役員で構成され、協同組合にかかわる決定を下す。結社全体でおこなう二度の総会もふくめた常会についても定められている。こうした会合では、「公務」の執行について合意がなされる。これには、共有森林地（約九九町）を半年毎に手入れ（伐採、同時に採取）することもふくまれる。「社団法人」牛首別報徳会は近代的な法的組織であり、一八九八年民法にもとづいて村落と見なされ、森林地を共有し、長年の「慣習」にしたがって管理する権利を有している。(24)

牛首別報徳会の自立を定着させるために「博物館」が建てられ、二宮尊親に率いられた移住当初の事情を伝えている。実際には、そこは波型の鉄製屋根となんの飾りもない木材による簡素な建物で、遠くの地平線上にみえるコンクリートと鉄でできた近代的な建物とまったく対照的に立っている。わずかな説明文と写真、道具、織物などの展示物によって、牛首別報徳運動初期の苦難の記憶がまざまざと浮かんでくる。

なつかしい記憶のほかに、牛首別報徳会の独立精神の根底にあると思われるのは、周辺一帯の経済について完全な決定権を確保しておくべきだという強い信念である。この管理権限は中央政府やその地方機関、さまざまな組織形態を有する農商務省による行政干渉を受けて手放すようなものではなかった。牛首別にとって重要なのは、報徳的な手法である。長期計画や独特な予算立て、無利子貸付の拡大、それになによりも、より恵まれない他者に与え救うことである。この慣習について政府の代表者は、時代遅れであると表現し、柳田國男曰く近代経済に慣れ親しんだ者からすれば「頗る不思議」なものだった。岡田良一郎は、政府の貯蓄貸付制度に公的に統合されることに対して、「それは以っての外の事だ」と応えた。こうして報徳は、利益志向の会社になることを避け、他者救済という道徳的原理をつらぬいた。岡田は報徳のために社会福祉の相互扶助組織、すなわち社団法人を報徳の定義として選んだ。牛首別報徳もこの名称を用いた。

しかし牛首別は、経済的に自立することもおなじように重要だととらえている。報徳が、道徳と経済のあいだで取ったバランスはきわめて重要である。すでに述べたように、道徳なき経済は非道徳的な結果を招く可能性があり、経済なき道徳は幻想である。そのため、報徳は経済的な組織と折り合いをつけて経済を「専門家」に任せる一方で、道徳や精神の教化をおこなうことが多かったが、牛首別の姿勢は報徳の歴史において古典的であった。すなわち、道徳的教化の管理と経済の自主的管理はバランスがとれていなければならなかった。牛首別報徳会による抵抗の要点のひとつは、経済方針にかかわる事項を外部の行政機関に委ねないことにあった。道徳と経済にかかわる事項は分けてしまうのではなくて、自治的な報徳協同組合が担いつづけるべきだったのであり、それが牛首別報徳会の定款にまとめられている報徳の姿勢である。

人口が密集した東京下町の目黒区と接する世田谷区側に下馬生協がある。この組合は両区の境をまたいで一〇の支部をもち、愛情をこめて「ママさん生協」と呼ばれている。この協同組合が成長した背景には、指導的人物として竹井二三子の存在があった。敗戦直後、竹井は戦争で荒廃した東京に食糧と医薬品が欠乏していたために二人の子供を失った。この悲劇に見舞われたものの、彼女は自分が当然やるべきだと思うことを実行した。それは、相互扶助の健康協同組合を設立し、食糧と医薬品を提供することによって幼い子供たちを救うことであった。竹井は奈良女子高等師範学校を卒業したが、この学校で、太平洋戦争前の高校がごく少数の選ばれた学生のみにおこなっていた模範教育を受けている。「リベラルな」環境で書物を読み知識を求めることが許され、彼女は一九二〇年代の大正デモクラシーの理想を吸収していった。それは彼女や級友たちにとって、日本が急速に工業化するなかで、より恵まれない人びとを助けるために、志をおなじくする人びとがともに働き、当時の「社会問題」に取り組むことであった。戦後デモクラシー――および日本の民主主義的な将来の構想――は、大正デモクラシーの延長線上にあり、個人が豊かさを追い求めて得られる自立とは別物であった。西洋の歴史学の多くは大正デモクラシーを戦後のリベラルデモクラシーの先駆けととらえる傾向があるが、その場合、「協同組合」民主主義あるいは「社会」民主主義を指すことが多い。一九一〇年代から二〇年代の「社会問題」を論じた文献を一読すれば、この点が豊富に説明されており、すでに述べたように一九四六年に協同党が結成された動きの裏にあった知識人の勢いが強調されている。竹井の考えでは、もしデモクラシーが今もなお他者を助けることを意味しているならば、子供を支援するために独力で自発的に協同組合を結成することは、彼女にとって思い切ったことでも変わったことでもなかった。

戦後復興が高度経済成長へと転換した一九五〇年代、社会における家庭の需要は急速に変化していった。援助志向の協同組合に類似するものは戦後一〇年の時点で東京に四〇〇ほどあったが、その多くはこの時期に解散した。下馬生協が目標を再設定し実行力を維持するためには、「第二の風」が必要であった。下馬生協は管理職を見直し、女性だけ、とりわけ主婦によって組織することにした。生協活動の目標も改めて、家庭の生活の質にかかわる健康や栄養学の問題に設定した。生協が取り組む範囲は広がり、国内外の新製品や食事の規定量、物価動向もふくむようになった。経済学者を招いて、こうした課題に関する専門知識を教わった。そのうちにデータ収集は徐々にコンピュータ化され、情報が毎日入るようになって、プリントアウトされた大量の紙が、事務所にしていた日本家屋の畳の上に散らばるようになった。

組織の構成も若干変化した。女性に焦点を当てるだけでなく、生協内部の社会的な核を伝統的な「無尽講」に改めた。この変化の背景にあったのは、女性が彼女たち自身や自分たちの家庭に必要な資金を集める手段として講が魅力的であることを見いだしたからである。この間、家事の技術が大きく進歩したために、資金を得ることが重要になっていた。まとまった資金を受けとることが、日常の生活費をまかなうために欠かせなくなった。当時の女性は都市銀行に単独あるいは共同の口座をもたなかった。竹井によれば、こうした銀行が女性に貸付をおこなうかどうかなどは訊いてみるまでもなかった。竹井のリーダーシップのもと、下馬生協は一九五七年に無尽を組織内部の統合的な構成体とすることにしたのである。一口は五〇〇〇円とされ、一括金の分配は入札によることにした。竹井は無尽についてこう述べている。

これも現在つづいているもので、開催日は毎月第一金曜日、時間も午後一時からと決められているので、組合員にはもうすっかりおなじみです。その仕組みは、一般によく知られている「無尽」と基本的にはまったく同じです。ふつう、まず入会者を決め、集まる回数と一口あたりの金額を決めたうえ、毎回集まるときに、入会者が口数に応じた現金を持ち寄ります。そして、そこで集まった総額を上限として入会者がそれをセリ落とす。(たとえば、総額が五〇万円として四五万円なり、四〇万円なりで落札を競うわけですが、そのさい、) 差額が大きいほうに落ちます。さらに、その差額は、〝花くじ〟と呼ばれ、それは入会者の拠出金に比例して分配されます。……下馬生協の場合、現在、これに五〇〜六〇人が参加、一口五〇〇〇円で、ざっと二一〇〇口を数えます。したがって一回の「無尽」で集まる総額は一〇五万円。しかし、落とせる金額は自分の持ち口の一〇倍までと、無尽のサイクルを一〇か月と決めてすすめています。……「無尽」は、わが国では昔から庶民のあいだでおこなわれていた相互扶助の金融方法であることはいうまでもありませんが、それが生協の組合員によって始められ、いまもなおそれが健在であるということが、じつは私たち生協の組織の拡充と強化にどれほど役立っているかわかりません。(25)

無尽の掛金は、商業銀行とおなじ金利を設定している地元の「労働金庫」に預け入れられている。労働金庫は無尽の集まりに職員を派遣して掛金を集め、分配をしてくれる。竹井の言葉によれば、「大いにメリット」の多いサービスを提供してくれている。こうしたサービスは、戦前から戦後にかけて無尽会社がおこなっていたものを思い起こさせる。(26)

下馬生協の新規入会者用のチラシは、個人のみならず地元の商店に対して、次回第四四回目の無尽に参加するよう呼びかけている。この無尽は一〇カ月間つづき、毎月第一金曜日の午後一時にはじまる。このチラシは、近代協同組合に直接つながる歴史的先駆者として大原幽学の名をあげている。大原は一八三八年に千葉で「協同社会」を設立し、農民は土地の一部を信用基金に提供した。また、二宮尊徳もとりあげている。尊徳はほぼおなじころに小田原で「無利子」貸付を広めた。チラシにはこうある。「農村の百姓や都市の町人の間に自発的に頼母子講が出来、鎌倉時代からあったが幕末明治初期に非常に普及した。協同組合の日本に於ける前身である[27]」。

下馬生協は「勉強会」をつうじて交友関係を強め、食品や漢方、健康調査などの最新の傾向に関する新たな知識を得るためにエコロジー運動に通じる理想を基盤としている。すなわちそれは生命、ありとあらゆる存在は相互に関連している（「共生共存」）ということである。具体的にいえば、データを集め、中間業者を入れることなく消費者と生産者を直接つなぐ戦略を追求して、高品質で汚染されていない商品によって生活の質を高めることである。これは独占的な大企業による侵略への対抗戦略でもある。そうした大企業は地元商店の利益を踏みにじって地元にチェーン店を展開し、その近辺の物価を吊り上げるからである。別れぎわに竹井はわたしにこういった。「負けませんよ！[28]」

下馬生協のパンフレットは、本書で論じてきた解釈についても強調している。徳川時代の旧体制や、強兵と国際競争力のある国づくりをめざしていた近代明治国家によって押しつけられた困難な状況下で、下層階級の人びとは「民衆経済」の世界で生き抜いた。自分自身と自分の知恵、手段についての判断に頼るしかないということが、民衆の常識の一部になったのだ。こうした人びとは中央からの慈善など期待していなかった。実際、一八世紀に民衆が日常的な言葉でほかの民衆のために書き残したのは、政治的な施しや天の介入を期待するのは愚かであると納得させるためであった。綿密に考え抜いた行動によって、一般の人びとはみずからを救い、貧困や困窮を避けることができた。天は選り好みなく、すべての人に恵みをあたえる。しかし人間は、病気や火災、洪水、また天災として極めつきの事態である飢饉など避けることのできない困難を緩和するために、きっかけをとらえ行動すべきであった。近代になってからは飢饉が広がることこそなかったが、経済的な困窮はとりわけ地方と都会の下町で続いていた。実際、経済的には劇的に近代化したものの、一八〇〇年から一九四〇年までの平均寿命は延びていない。四〇歳を少し上まわる程度の近代以前のレベルをさまよっていたのである。

長年、みずからを救う行為は、同時に他者を救うことも必要としてきた。これがまわりまわって、行動を支える道徳的な原則となった。自己とともに他者をも救うという伝統には、相互保険という思想もふくまれていた。三浦梅園が明確に述べ、また報徳運動の重要な核として、それは生きつづけたのである。徳川時代の時代背景にあっては、安藤昌益が「ひとり」という言葉で表現した思想は生命を体現するものであった。これは自然の恵みであり、そこには、耕作や仕事という行為をつうじて一人ひとりが他者にかかわるという考えがともなっていた。安藤昌益や二宮尊徳はこの考えに注目した。個別の事象や生命は相互に結びつき、相互に関連した全体を形づくっている。これを説明するために尊徳が用いたのが、すべてをふくむ普遍的な円（「一円」）という仏教のイメージであった。「一円」はどんな微小なものでも排除しない。近代になり、とくにエコロジー運動において、「一円」はあらゆる生命体、つまり、ありとあらゆる存在の相互依存性や相関性を意味するようになった（「共生共存」）。竹井もまたこの言葉をつかっている。

われわれがくり返し強調してきた「相互扶助」という言葉は、人びとの道徳意識の根底にある強力な規範でありつづけている。一八世紀はじめに伊藤仁斎が哲学的に表現したように、「善」や「慈悲」

は抽象的な概念ではない。人が他者を救い、苦痛や不幸を和らげるために社会的な場でなされる行為である。社会的概念としての他者救済は「済民」と表現されることが多い。これは「経済」という近代の複合語の基本要素である。「済」は、「救う」を意味し、「経」は「整える」の意味で、国民が救済されるために、混乱と混同を避けるような社会的行為の規則を設定することである。

経済の語にこめられていた力強く倫理的な規範は、明治時代に「経済」の概念を近代的なものに翻訳した過程で失われた。経済は「資本主義」を意味するようになり、強い国民国家をつくり出し、また柳田國男が論じたような「自立した」個人をつくり出すために必要な方法論を意味するようになったのである。柳田が「経済」という言葉を用いた一九〇〇年代はじめには、「民を救済する」という理想はすでに消し去られていた。経済はこうして、国民総生産という点で近代化を補強することを意味するようになったのである。これは、近代的知識人としての柳田が、職業官僚である平田東助と共有していた見解である。近代化に不可欠な資本主義としての経済は、明治政府の基本的イデオロギーであった。そして、この資本主義というイデオロギーにおいては、経済とは他者救済ではなく収益をあげる近代的方法を意味する言葉になった。岡田良一郎が近代経済のこのような認識を認めないと主張したのは、それが収益性という名のもとに弱者を押しつぶす強者の無慈悲な認識だったからである。これとは反対に、報徳において貯蓄が積み立てられたのは、終局的には他者救済のためであり、利益を確保するためではなかった。報徳は、相互扶助の考えを放棄しなかったのである。柳田は、昔ながらの道徳的な思考にしがみついていると岡田をなじった。資本主義によって収益をあげることは近代的な方法であり、報徳はこの新しい歴史と調和しなかったからである。

相互扶助と救済に関する思想は、どうしたら民衆が自分たちの経済活動をやり遂げることができるかという課題について長期にわたって影響をおよぼした。他者救済には、救済するために「整える」という意味もあった。徳川時代の民衆にとって、整えるとは正確な詳細について合意し、これを合意書あるいは契約書に書きこむことを意味した。徳川時代後期から明治期にかけてさかんになった契約にもとづく相互扶助組織によって、銀行制度がなくても庶民がおたがいに貸し借りをする制度ができあがった。そうした契約にもとづく相互扶助組織は村落や町で実践され、二〇世紀になると事業志向の会社となり、産業革命や戦後初期の荒廃した時期に、庶民がどのように奮闘し、精を出したかを伝える歴史の一部となったのである。

この点に関して、伝統と近代をはっきり区別することは、つねにとはいわないまでも、往々にして誤解を招くものである。わたしは、しばしば用いられるそうした便宜的な区別についてよりも、歴史について語るほうが有意義だという観点で論じてきた。日本の近代は「おなじだが、まったくおなじというわけではない」ではなく、ある歴史においてはどうだったかという視点で評価されるべきだといえるだろう。歴史上のこうした現実が明らかにするのは、地域の経済政策における庶民の思想と実践に溶けこんだこれまでの言説のかけらや断片である。われわれが目にしているのは、まったく変わらないままの伝統ではなく、むしろ、適応性という重要な性格を獲得した広範囲にわたる要素である。社会ダーウィン主義に対して、報徳を代表した岡田がとった姿勢とその道徳的原則は、近代そのものの意味を問う近代史における議論の一部となっている。岡田が近代経済は問題が多いとして疑問視したのは、それが大規模な独占組織の利益を優先して、弱者や不幸な人びとの破滅を助長したからである。

このように「伝統的な」テクストをオープンな状態にしておき、現在進行形の歴史に関連性をもたせつづけるべきである、とする人間中心主義的な主張をおこなうことによって、思想史研究者は正当化される。他者を助け、あるいは「おたがい」に助け合い（「共済」）、他者に提供するための貯蓄、「推譲」）、長期間にわたる道徳的契約に合意するという道徳的な思想は、日本の過去から思い起こされるべきテーマである。

日本の長い歴史が示しているのは、「民衆経済」が、不可避な事態に備えるセーフティ・ネットになっているということである。自助と相互扶助の取り組みは、こうした関連を裏づける十分な証拠である。われわれは、地域に密着した医療援助を提供する宗像定礼や、三浦梅園の無限の慈悲としての慈悲無尽講、縄講を検討するなかで、こうした事例のいくつかを見てきた。報徳運動は、極貧に陥らないようにし、飢饉という現実に備える人びとの心がけそのものである。こうしたことのすべては、公的秩序の範囲外で、つまり行政機関の政策決定がおよばず、政治的なできごとがおこなわれる中央舞台から遠く離れたところで起きた。したがって、こうした歴史の解釈の見直しが公的な国史の編纂に見いだせないのは、それが社会的慣習であって、「立派な」歴史の解明ではないからである。これは、長い期間にわたって社会を動かす潜在的な精神の一端だということもできるだろう。あるいは、日本の歴史研究者がこの種の思想史をそう呼ぶように、「精神史」と呼ぶこともできよう。

この歴史は、もしこうした「民衆経済」がなかったならば、一九世紀後半の近代産業革命はどうなっていただろうか、という問いを投げかける。おそらく、日本の近代化に関するほとんどの解説で述べられている成功物語にはならなかっただろう。われわれは、庶民の困難がどのようなものだったかを知っているが、耐えがたい苦難がつづいた状況で実際にどう対応しただろうかということについては、ほとんど知らない。

この歴史は、高度経済成長とそれが現代に生み出した広範囲におよぶ消費文化のなかで、ほぼ消滅してしまったといえるかもしれない。しかし、生態系被害や政治家や企業家たちの道徳の退廃に抗議する市民運動は、これとは異なることを示唆しているように思われる。近代経済と消費者運動という目に見える現実の底には、理想主義的な倫理の力が生きつづけており、これまで概説してきた歴史に接続するようにして多くの人を突き動かしているのである。

その例としてもっとも鮮やかに記憶されているのは、六四〇〇人が犠牲になった一九九五年一月一七日の阪神淡路大震災のあと、神戸と淡路島の住民を支援するために、若者のあいだで自然発生的に起きた運動である。(29) その多くが大学生や高校生であり、会社員、主婦をふくむボランティアたちはみずから小さなグループをつくり、「友好」や「ボランティア」のバス、電車に乗って神戸に集まり、復興の取り組みに協力した。仏教徒やキリスト教信者のグループ、大企業の労働組合なども積極的にかかわった。こうした取り組み全体は上から指示されたものでも、組織されたものでもなかった。実際、かれらの動機のひとつは、この危機に対する中央政府の対応が遅く、緊急支援計画の立ち上げに時間がかかっていると思ったことである。そのように非公式に組織された一三〇万人以上のボランティアが復興を支援したといわれている。

広い社会において、かならずしも隣近所の住民ではない市民を支援することは協同組合的な自治のあらわれである。ほかの市民運動とおなじく、上下関係も永続的な権威をふりかざす指導者もなく、職員や永久会員も、決まった政治的イデオロギーもないことがその特徴である。そこに満ちているのは、緊急時に他者に手を差し伸べるという根本的な原則と、共生あるいは共存という、よく知られた思想、生命と存在、つまりすべての人間の相互関係性である。

解説

本書は、Tetsuo Najita, *Ordinary Economies in Japan: A Historical Perspective, 1750-1950*, The Regents of the University of California, 2009 の全訳である。

著者のテツオ・ナジタ（一九三六－二〇二一）は、米国における日本政治思想史研究の第一人者であり、近世から現代まで幅広く、鋭い批判的視点から、また斬新な方法論によって、つねに注目を集めてきた。翻訳されたかれの主要著作を次に掲げる。

Hara Kei in the Politics of Compromise: 1905-1915, Harvard University Press, 1967（『原敬――政治技術の巨匠』佐藤誠三郎監訳、読売新聞社、一九七四年）

Japan: The Intellectual Foundations of Modern Japanese Politics, Prentice-Hall, Inc., 1974（『明治維新の遺産』坂野潤治訳、中央公論社、一九七四年。二〇一三年に講談社学術文庫として再刊）

Visions of Virtue in Tokugawa Japan: The Kaitokudo Merchant Academy of Osaka, The University of Chicago Press, 1987（『懐徳堂――18世紀日本の徳の諸相』子安宣邦訳、岩波書店、一九九二年）

『Doing 思想史』平野克弥編訳、三橋修・笠井昭文・澤田博訳、みすず書房、二〇〇八年

ナジタは長くシカゴ大学歴史学部および東アジア言語文明学部の教授をつとめ、多くの優れた研究者を育成した。研究と教育の功績によって、シカゴ大学名誉教授およびロバート・S・インガソル記念殊勲教授（歴史学・東アジア言語文明研究）の称号を授与された。また、アジア学会会長にも選ばれた。ハワイ生まれの日系人二世であり、その生い立ちについては、親交のあった大江健三郎による『鎖国してはならない』（講談社文庫、二〇一四年、一八八頁ほか）での紹介が、短いながら印象的なので参照されたい。

本書執筆の動機について、著者は第一章の冒頭で、『懐徳堂』の研究をおこなっていた際に、大坂のこのユニークな町人学問所の外でも、民衆が商業活動や議論、さらに著述や出版さえも活発におこなっていたことに気づき、関心を抱くようになったと述べている。そしてまた、懐徳堂の学問所跡地の表示が近代的なビルの壁面に描かれていることに気づいてはいたのだが、この研究をはじめることによって、そのビルが日本生命保険相互会社、現在のニッセイ本社であり、その創設者の弘世助三郎こそ、近世の典型的な商人である近江商人の代表的人物であることが明らかになった。創業一二〇年を記念するニッセイのホームページには、創業の理念として本書のテーマでもある「相互扶助」が紹介されている。

本書には、このように「断片的」な記憶がつなぎ合わされて「相互扶助」の全体像が明らかになっていくという、スリリングかつエキサイティングな場面がたびたび登場する。そのことは言いかえれば、著者の歴史学者としての鋭い推理が随所に示されているということでもある。本書は、著者にとってはじめての本格的な民衆思想史である。それゆえに、通常の思想史研究のように資料を、刊行された思想家の著作や公文書館の公式文書に求めるわけにはいかなかった。民衆による断片的な言説を歴史学者の分析と想像力によってつなぎ合わせていくしかなかったのであるが、そのようにして著者によって再生された歴史の織物を前にして、読者は少なからず驚嘆するであろう。

以下に、本書の内容のあらましを「見取り図」として示しておきたい。ただし、あくまでも私の理解にもとづくことをご承知おき願いたい。その上で読者の参考になれば幸いである。

著者はまず、本書のテーマが、民衆にとって不確定な要素が多かった時代状況——封建制下における貧困、飢饉、疾病や近代の資本主義化における資金不足——において、かれらがどのようにして生活をやりくりしたのか、その社会的実践と、その間に民衆に内在化した思考の社会史であると述べている（第一章）。そうした実践と思考を表現しているのが、のちに近代になって「通俗経済」のタイトルの下に編集された多くの小冊子である。これらは、著者が訪れた愛知県知多半島の半田の資料館にも集められている。かつて海上交易によって栄えた半田の町人は、江戸や大坂との往来の際に、これらの小冊子を買い求め、一日の仕事のあとでその内容について話し合って知識を共有した。半田だけでなく、全国各地の商人によっておなじような実践がおこなわれていたことが推測されるのである。

著者は、こうした実践の背景にある思想史の文脈を明らかにすることによって、民衆経済の実践の理解を深めている。貨幣を溜めこむのではなく流通させることが社会を動かすのだという民衆経済の考えは、懐徳堂の山片蟠桃や草間直方の思想と共通していた。貨幣の流通が社会を動かし、それを担う商人の積極的な活動こそが社会的な意味をもつのである。つねにリスクと背中合わせの商売の場での判断についても、民衆経済の世界では興味深い議論を展開していた。すなわち、「中《ちゅう》」という相対的な正確性によってリスクを最小限にとどめる知恵を働かせるべきであり、リスクがあるからと言って躊躇すべきではないという考え方である。こうした考え方は、民衆とともに生活し、民衆経済に積極的な知性を見出した海保青陵の思想に共通している。青陵によれば、人の内なる自然である生命が積極的な知性として働き、それが労働と結びついて社会的な福利を生み出すのである（第二章）。

このような思想は、「講」（「頼母子講」「無尽講」「もやい」などと呼ばれる）の枠組みによって社会的実践として展開した。講には長い歴史があり、日本国内だけでなく、アジアやハワイ、北米など、アジア人の移民先にも広がった。講は広範に普及するとともに、民衆の生活、意識に深く浸透して生活の一部になった。青陵は、リスクを冒し賭けることは人間の本性に根差しており、それに生活向上への心意気のような建設的な方向づけをおこなうべきだと考えたが、リスクや賭けの度合いを減らし、信用によって利益を確保する講は、その意味で格好の投資であった。著者は、講が信用されたのは、それを利用する民衆が契約をつくり守ることができるほど識字率が高かったからだと述べている。

著者はまた、契約や信用の根底には、「生－生のみ」という自然概念にもとづく実践倫理が存在したという。朱子学や荻生徂徠は、宇宙にはその原理である「理」と、それによって形づくられる「気」が存在し、人間社会も理の道徳規範や、それを学んだ人びとによって支配されるべきであると考えた。これに対して、伊藤仁斎や安藤昌益、貝原益軒、三浦梅園などの思想家は、宇宙には「生だけ」、気のエネルギーの展開だけがあり、道徳規範も自然のエネルギーの展開として積み重ねられた実践、他者のための実践に存在すると考えた。こうした信念にもとづき、梅園によって一八世紀半ばに、かれが住んでいた村のために書かれた無尽講の合意文書は、二〇世紀になっても維持され機能していた（第三章）。

講を村の境界を越えて結びつけ、講にダイナミズムをあたえたのが、二宮尊徳によってはじめられた報徳運動であった。仁斎、昌益、益軒、梅園とおなじように、尊徳も自然の気一元論を信奉していた。かれにとって人間の道徳的な責務は、生命という天の恵みを養うこと、具体的には相互扶助的なコミュニティにおいて農業を実践することであった。天はわが身にそれぞれ内在するがゆえに人は平等であり、また、天によってあたえられた知性を自然に対して組織的に投入することによってみずからを助け、その労働を通じて徳を実現することができる。

農業の実践計画である「仕法」とその理論である「分度」、そして相互扶助のための分かち合いである「推譲」が報徳運動を構成している。報徳運動によって、尊徳は村々の生産と生活、ひいては藩の財政を再建した。のちに近代の国家主義思想によって、尊徳は勤勉な愛国主義者として利用されたが、本来の尊徳は自然に学び自然に帰ることを人生の目標とした、相互扶助コミュニティのリーダーであった（第四章）。

維新後、明治国家において地方社会が社会的・政治的に不安定なことが問題になると、政府は相互扶助組織を利用しようとした。それも、相互扶助ではなく競争的資本主義の導入による「安定」を目論んだのである。全国的な影響力をもっていた報徳運動は、その最大のターゲットになった。報徳運動を資本主義的な協同信用貸付組合に改編しようとしたのは、ヨーロッパでその例を視察してきた品川弥二郎と平田東助であり、かれらの代弁者として報徳運動のメンバーの説得に当たったのは、当時農商務省の官僚だった柳田國男であった。柳田は、報徳運動が相互扶助の倫理性に執着し前近代的であるときびしく批判した。

かれらに対して報徳運動を代表して応答したのは岡田良一郎だった。岡田は一方で、報徳運動が近代化に取り残されないように、西洋近代において社会の幸福実現を追求する功利主義思想に調和させようとつとめた。しかし、資本主義的近代化をめざす政府の官僚たちが優勝劣敗を掲げる社会ダーウィン主義を信奉し押しつけることに我慢できなかった。弱者救済をめざす相互扶助を基本思想とする報徳運動にとって、強者による支配の正当化をゆるすことはできなかったのである（第五章）。

報徳運動とは別に、講の枠組みは民間の投資や下層民衆の資金づくり、福祉のために利用された。政府や都市銀行の関心は国家経営に追随し、資力がない民衆は相手にしなかったのである。こうして、全国に多数の無尽会社が設立されて産業化時代の民衆を支え、地域内に資金を循環させて相互扶助の役割を果たしたのである。政府は、無尽会社に対して、その濫用をふせぐ規制をする以外に干渉しようとはしなかった。法の対象外に置かれることによって、無尽会社は民間の講として存続し、機能した。戦後、無尽会社は「相互銀行」へ、そして普通の銀行へと移行したが、国内外の金融マーケットにリンクすることによって危機にさらされた（第六章）。

相互扶助の伝統は、その形は変えても戦後社会において存続した。講は戦後復興を資金的に、また生活面で支えた。今もなお、相互扶助を実行している報徳運動が自立した「仕法」を実践している例がある。戦後における政党政治の再出発に際して、相互扶助の主張は協同民主主義にその表現を見いだし、日本協同党などが結成されたが、保守党の合同によって吸収され、短命に終わった。しかし、その平等の主張や自然を重視する思想は、市民運動やエコロジー運動として新たに展開した。東京の下町の生協運動は、無尽に注目し、それをとり入れることによって、高度経済成長期を生き抜いた。阪神淡路大震災に際しては、相互扶助の思想や実践の伝統が多数の人びとによるボランティア活動への参加となって、その存在を示した（終章）。

なお、前掲のテツオ・ナジタ『Doing 思想史』には、本書が書かれるに至るまでの文章が集められている。いわば本書の研究の「序曲」であり、エッセンスでもある。講演の記録なので読みやすく、本書とあわせて読まれることをお薦めする。

ナジタのこの研究は、私たちが注目してこなかった、「忘れられた」歴史を思い起こさせてくれる。講と報徳の思想は、本書で明らかにされているように、近代化と資本主義の圧倒的な影響力に押され、また国家主義的な思惑によってねじ曲げられたことにより、記憶のかなたに遠ざかろうとしている。

しかし、そこには相互扶助的なコミュニティと、そこで共有されていた民衆の思想がまぎれもなく存在していた。幕藩体制や明治国家の権力を巧妙にかいくぐって、民衆はみずからの生活を守り発展させるための仕組みを考案し、相互扶助におけるたがいの信頼という基礎の上に構築した。それは数世紀にわたって生き生きと持続し、良く目を凝らせば現代社会の一部にも存続している活動的な公共性の思想的伝統である。地域住民やNGO、NPOによる「新しい公共」の思想的な伝統は私たちの足もとに存在しているのであり、そこに社会変革の出発点を見出すべきであろう。本書は、その思想が人間にたいする鋭い洞察にもとづき、社会で躍動していた内容の豊かさを教えてくれる。

「日本の読者のみなさまへ」で記しているように、ナジタはハワイ島の「津波の町」ヒロで育った。彼が少年だったころに、ヒロは二度にわたって大きな津波に襲われ中心街が失われ、完全に復興することができなかった。それにくらべると、阪神淡路大震災や東日本大震災に際して地域の人々はじめ、多くのボランティアも駆けつけて復興に参加したというニュースに接したナジタは、「ただただ尊敬と称賛の念を抱いている」と述べている。たしかに、日本人には相互扶助のDNAがいまも受け継がれていることを思わせる事件であった。

ナジタが本書を書き終えたころ、私との会話で何度か話していたのは、相互扶助の思想が人間社会にとどまらず自然全体に及んでいるということであった。相互扶助の思想は気一元論、「気あるのみ」という宇宙観、世界観と表裏の関係にあり、人間が自然とともにあり、自然の一部であるというエコロジーの思想に通じるではないかということである。つまり、この思想が近代の限界を超える課題であるエコロジーの思想につながることに思い至ったということであった。ナジタは残念ながら昨年、２０２１年1月にこの世を去った。彼が研究生活を続けることができれば、次はこのテーマに、卓越した創造力をもって取り組んだかもしれない。

この翻訳を思い立ったのは、著者のフィールドワークに同行し、その研究に強い関心をもったこともあったが、より直接的には立教大学の独立大学院である21世紀社会デザイン研究科の大学院生とともにナジタの『懐徳堂』を読んだ経験にあった。近世儒教の思想史という、かれらにとってはけっして取っつきやすい本ではなかったが、NGOや企業での経験をもつゼミナールのメンバーは懐徳堂の思想や運動に強い関心をもった。そこで次に、本書をテキストにしようと考えた。幸いに、立教大学法学部の私のゼミ卒業生で、アムネスティ・インターナショナルの運動が縁で再会した福井昌子さんが翻訳を引き受けてくれ、それをテキストにすることができた。

近世思想史の見取り図を説明するところから始まって、福井さんの下訳をテキストにおこなったゼミナールは、メンバーの多くに興味を抱かせた。なかでも稲見陽子さんと加藤眞太郎さんは本書の内容に強い関心をもって、翻訳の語句選択から表現にいたるまで、くり返し翻訳作業につき合ってくださった。ここに厚くお礼を申し上げたい。福井さんは、困難な引用文献の探索にとり組み、最後まで粘り強く、正確でわかりやすい翻訳に仕上げられた。最後になるが、遅れがちな翻訳作業に粘り強くつき合ってくださり、編集者の目から読みやすい本に仕上げるように努力してくださったみすず書房の栗山雅子さんに深く感謝申し上げます。

二〇一五年二月三日（二〇二二年五月一六日加筆修正）

五十嵐　暁郎

索　引

ア 行

愛日小学校（大阪）　12, 14
商い　→「懐徳堂」「貨幣経済」「資本主義」「商人」「『通俗経済』」
浅草弾座衛門　120
麻田剛立　128-129
安部磯雄　150
綾部絅斎　128
安藤昌益　125, 157-159, 162, 173, 300, 309-311, 323

『家の光』　296
井口丑二　154
池田竜蔵　99
石川啄木　241
石田梅岩　32, 45
医術と道徳的目的　12-14；→「仁術」
「一円」　173, 310-311, 323；→「「共生共存」」
「一元の気」　124-127, 157-159；→「自然第一義」
一揆　248-249；→「市民運動」「抵抗」
「一県一社」政策　285-287
一心講　259-260
伊藤仁斎　124-27, 141, 158, 173, 221, 323
井上馨　256
井上友一　143
「芋こじ」　147, 191, 313
入会地の没収　248-249
医療相互扶助組織　模合講と　292-293；宗像定礼と　86-91；→「栄生講」
色川大吉　21
岩手無尽株式会社（盛岡）　→「北日本銀行」
岩橋遵成　154
因果／因縁　173-175
隠士　→「武陽隠士」

上田養伯　131
ウェブ，シドニー　Sidney Webb　281
ウォルサル，アン　Anne Walthall　20
宇佐美灊水　68
牛首別報徳会　314-318
内なる性（徳）／内なる本質　44-48, 63-64, 69-70
内村鑑三　150, 297

「栄生講」（社会保険制度としての講）　86-91, 257
営利会社　246-247；→「無尽会社」
営利／利幅：　海保青陵の捉え方　108-109；山片蟠桃と　5；無尽会社と　246-247, 257-259, 261-262, 279-280；→「貨幣経済」「資本主義」
江渡狄嶺　309
エンブリー，ジョン・F　John F. Embree　92-94

欧州の協同組合：　資本主義と　198-202；日本の政策のモデルとしての　98-99, 200-215, 224-225, 228-229；→「シュルツェ＝デーリチュ型」「ライファイゼン型」
大蔵省：　無尽会社と　266-267, 269-

276, 279-281
大蔵永常　32
大坂（大阪）　40, 128-129；→「懐徳堂」
「大坂式」（無尽契約型）　113, 263-267, 272
大坂屋五郎兵衛　16
大塩平八郎　32, 151
大友亀太郎　312
大原幽学　191-192, 321
近江商人　8-9, 30, 116, 255
近江屋源右衛門　→「手島堵庵」
近江屋治左衛門　255
岡崎雪聲　151
緒方洪庵　13-15
岡田良一郎　215-227, 304-305, 315-318；近代経済と　323-326；静岡の報徳グループと　315；尊徳に関する解説　149-150；柳田國男との論争　227-240
沖縄の模合（舫）　291-295
沖縄無尽（沖縄相互銀行）　294-295
荻生徂徠　32；内なる性と　44-46, 154-155, 158-160, 162-163；青陵と　68-70；梅園と　130-131；注 xxxiii（42）
小野組（小野善助家）　256-257
小布施町　34
思いやり　→「慈悲無尽講」「相互扶助」「無尽会社」「無尽講」「倫理的な理想／理念」
「親／親方」（講の）　101-103, 262, 267

カ 行

「会社」（用語としての）　258-259
『改造』（雑誌）　300-301
懐徳堂（大坂）　1-4, 6-7, 9, 12-14, 16, 32, 42, 51-52, 82, 127-129, 168
『懐徳堂』（テツオ・ナジタ）　1, 7
貝原益軒　32-33, 124-127, 129-130, 156-159, 172-173, 309
海保青陵　5, 38, 67-78, 80, 108-112, 120-121, 225；の実践理論　71-72
科学的農法　32, 126, 157-158
賀川豊彦　282, 297-298, 301；『日本再建』　297
賭け　→「講」「くじ」
貸付基金：　現代東京の無尽と　320-322；模合講と　291-294；→「信用貸付基金」
課税　22-23；報徳運動と　180-189；明治国家と　216-218, 248-250；→「年貢米」
葛飾北斎　34-35；注 xxvi（5）
加藤弘之　226
金井利太郎　238
貨幣経済：　飢饉と　118-123；倹約と　60-64；社会全体の福利と　80-81；心学運動と　57-64；誠実さと　42-43, 47；地位の差と　46-49；貯蓄スケジュールと　58-59；についての議論　48-53, 130-133；についての社会的な懸念　118-121；の登場と講　103-110；梅園の見解　128-129, 138-139；リスクを負うことと　62, 64-67, 77-81；→「近代化」「資本主義」「商人」
上士幌の農業協同組合　313-314
河上肇　270
環境（エコロジー）運動　307-308, 310-311, 334

ギアーツ，クリフォード　Clifford Geertz　17
「気一元説」　124
飢饉：　欧州の協同組合と　200-203；対抗戦略としての講　121-123, 133-145；報徳運動と　146, 157-158, 177-180, 195-196；宝暦飢饉　134；明治時代のデフレ政策と　251-254
北日本銀行（岩手無尽株式会社／岩手無尽合資会社／盛岡無尽合資会社／興産

相互銀行)　21, 243-246, 254, 257, 260, 288
喜多村節信　105-109, 111-112, 120, 144
規定書(報徳契約)　191
義堂　→「脇坂義堂」
『嬉遊笑覧』(喜多村節信)　104-105
教育　→「懐徳堂(大坂)」「子供」「識字能力」
「共済」(岡田良一郎の理解)　222-223
共済・推譲:　自由競争資本主義と 225-227;知行合一と 322-324;分度の手法と 179-181;歴史的テーマとしての 325-327
「共生共存」　123, 304-305, 322-323
競争:　資本主義的な理想と 206-209, 226-227;についての儒教の捉え方 2-4
協同組合　→「講」
協同民主主義　295-302, 319
享保飢饉　144-145;→「慈悲無尽講」
キリスト教人道主義　→「ライファイゼン型」
記録:　講と 120-123, 144;報徳と 104-105, 163-165, 175-177, 190-191, 238-239
近畿相互銀行(近畿大阪銀行)　243, 288
緊急時貯蓄法　→「「備荒儲蓄法」」
銀行　→「相互銀行」「無尽会社」
近代化:　世俗としての道徳と 154-155;先見性のある人物としての尊徳と 153-154;無尽会社の重要性と 243-245, 257-259;歴史の共有と 14-18, 25-26;→「貨幣経済」「資本主義」「明治国家」

草間直方　51-53, 82, 119, 132
くじ/宝くじ　契約と 111-115;に対する幕府の懸念 93-94, 106-108;無尽会社と 261-266
組(多地域にまたがる組合)　255-257;→「地域の取り組み」
黒澤酉蔵　301, 306-308, 311
君主/天皇(神道における)　166-168

『玄語』(三浦梅園)　→「三浦梅園」
「経済」(複合語としての)　323-325;→「経済」「経済と道徳」
経済:　近代的な概念としての資本主義の 324;の用語にこめられた倫理的な規範 324;報徳仕法と 237-239;無尽会社と 245-247, 257;→「貨幣経済」「経済と道徳」「『通俗経済』」
経済と道徳(不可分なものとしての) 2;懐徳堂と 3-4;近代的な経済と 146-147, 304-305;尊徳と 154-157;報徳の理念と 146-147, 232-240, 246-247, 304-305, 318;用語としての経済と 324-325
「経世済民」　32, 69, 177
恵忠会融通講(岡山)　261
恵民頼母子講　87
「契約」(用語としての)　82-84, 102-103
契約講　→「講」
契約団/団　262-268, 279
契約の倫理　16, 142-143;→「倫理的な理想/理念」
「元恕金」　231;→「謝金/礼」
「権利金」　264

五井蘭洲　4
「講」(「講義」, 用語としての)　99-100
講(組織形態としての)　92-94;→「講(事業志向型の)」「頼母子講」「報徳運動」「もやい」「無尽講」
講(伝統的な相互扶助組織)　91-123;過去の痕跡と 26;貨幣文化と 104-

108；飢饉対抗戦略としての　121-123；記録と　122, 143-144；資金使用の条件と　115-116；信用と　81-83, 93, 108, 116-118；第一原理としての自然と　127-145；宝くじ的な仕組みとしての　93-94, 107-112；における契約　81-84, 112-116；における利益の計算　113-116；に関する研究文献　21-26, 91-93, 100-103；の契約　81-84；の種類　143-144；の組織原理　85-86；の特徴　101-103；の広がり　91-99, 103-104, 256-257；梅園の慈悲無尽講と　129-130, 132-143, 247, 326；宗像定礼と　86-91；約束と　16；→「くじ」「講（事業志向型の）」「頼母子講」「報徳運動」「無尽講」「もやい」「リスクを負う」
講（事業志向型の）　254-269
洪庵　→「緒方洪庵」
耕作放棄地と報徳　182-185
鴻山　→「高井鴻山」
興産相互銀行　254-256
講子　102
孔子　74, 76, 171
幸田露伴　150-151
公的秩序：　窮乏の原因としての　125；仕法　180-182, 184-188, 193-195；報徳運動と　192-196, 227-240, 326；民衆経済の歴史と　18；→「徳川時代」「幕府」「藩」「明治国家」
光電　注 xliv（15）
鴻池家　11, 119-120
功利主義：　における信用 vs 利益　221-222；報徳運動と　218-223, 226-227
国学／国学者　119, 166-169, 注 xxxi（24）,（26）
「国民銀行」（ドイツ）　→「シュルツェ＝デーリチュ型」
国民健康保険制度　88-89
ゴジッヒ，ヴラッド　Wlad Godzich　17
五常講　190
個人の権利　218, 223
『國家學會雜誌』　101
言葉：　自然秩序と　127-128；正確性と　53-59, 162-165；尊徳にとっての　148-149, 158-165, 171-172, 175-177；→「識字能力」
子供：　教育上の模範としての尊徳と　153；のための貯蓄　59；民衆による文献（出版物）と　40-41, 54
ゴードン，アンドルー　Andrew Gordon　注 xxv（5）
米への課税　104, 120, 131-133；報徳運動と　180-189

サ行

斎藤高行　149, 180, 216
「済民」の理念　9
「作為」　158-160；→「人道」
佐久間象山　34
桜井徳太郎　21, 113-115
桜町：　尊徳による調査と　181-186；尊徳の仕法に対する反対　193-195；にある報徳の村　195-196
酒の交易　30
佐々井信太郎　306-307
刺し米　5
サトウ，アーネスト　Ernest Satow　注 xxiv（5）
佐藤信淵　309
産業組合法　198-210；欧州の先例と　198-210；岡田良一郎と柳田國男の論争と　227-240；報徳についての考え方　210-215；報徳の倫理と　215-227；の成立　209-211

死（生命の過程の一部としての）　173
幸せ：　選び取るものとしての　45, 50；貨幣の流通と　80-81；についての

「古典的」文献　33
GHQ（連合国最高司令官総司令部）　244
市街地信用組合　241-242
時間の概念：　貨幣との関係　52-53；契約期間と　81-83, 112-115, 293；実践倫理と　37-38；仕法と　234-235；正確性と　53-55, 66-67；「中」と　77-81；民衆にとっての　77-81；利益と　5；→「貨幣経済」
識字能力　36；記録と　117, 122-123, 144；尊徳の捉え方　148-150, 162-165；→「言葉」「『通俗経済』」
「式目」（基本規則）　102
四島一二三　286-287
「旨趣」（三浦梅園）　133-138；→「三浦梅園」
自助：　報徳運動と　192-196；明治政府と　322-323；歴史的テーマとしての　22-24；→「実践倫理」
静岡の報徳　146-147, 238
自然共同体　158-162, 169-171
「自然第一義」　5-6；岡田良一郎と　223-227；講と　127-143；儒教と　169-170；安藤昌益と　309-311；尊徳と　168-171；徳川時代の思想としての　123-127；三浦梅園と　127-143；山片蟠桃と　5-6；→「一元の気」「「天道」と「人道」」
「自然の秩序」：　徳川時代の言説　37-38, 156-163
思想史
実践倫理　4-5, 36-38；内なる性（徳）／内なる本質と　44-49；講と　121, 123-125, 144；→「労働」
品川弥二郎　150, 198-205, 207-209, 212, 231, 233, 269
慈悲無尽講　129, 133-143, 146, 247-248, 326
「仕法」（長期計画）：　経済原理として　236, 238-240；尊徳の考え方　175-192；報徳の取り組みと　192-193, 219-222, 234-235
資本基盤　→「信用貸付基金」
資本主義：　近代経済の方法としての　324-325；社会改革を進めるための手段として　206-210, 232-234；相互扶助組織としての　→「講」；における競争のイデオロギー　226-227；ヨーロッパの協同組合と　199-201；→「経済」「利幅／営利」
「始末」概念　54-55, 59
市民運動：　社会改革と　201-202；田中正造と　307-308；歴史上の理想と　302-204, 327-328；→「抵抗」
下馬生協（「ママさん生協」）　318-322
シャイナー，アーウィン　Irwin Scheiner　20
「社会」（用語として）　258-259
社会ダーウィン主義　226-227
社会的安定性：　欧州の協同組合と　198-205；下部組織としての講　256-257；時間の概念と　37-38；生得説と　17-18；報徳運動と　218-220；無尽会社と　269-270；明治国家による経済改革と　204-210
社会問題講究会　208-209
謝金／礼　87-88, 188, 231-232
釈雲解　60
宗教的伝統：　講と　99-101, 117-118, 123-125；尊徳の倫理における　165-175；武陽隠士による批判　119-120；注 xxxv（24）→「儒教」「神道」「仏教」
自由の概念：　生命という賜物　225；報徳と　217, 224-226
自由民権運動　206, 222
儒教　119-120, 169-172, 225；庶民の知識と　75-76；青陵と　72-76；石庵と　2-4；尊徳と　168-175；道徳と経済との

関係と　2-4
朱子／朱子学　154, 170
シュルツェ＝デーリチュ，フランツ・ヘルマン　Franz Hermann Schulze-Delitzsch　199
シュルツェ＝デーリチュ型　199-203, 206-212, 224, 228
春台　→「太宰春台」
昌益　→「安藤昌益」
城下町　103-104；→「藩」
商人：　隠士の見解と　119-120；貨幣の積極的な使用と　61-65；商人による文化の仕入れ　29-34；生命保険の概念と　8-11；多地域にわたる講と　256-257；半田市図書館と　31-33；→「懐徳堂」「貨幣経済」「盛田昭夫」
女性：　相互扶助における　292-293；「ママさん生協」と　318-322；→下馬生協
心学　31, 40, 45；心学運動　58, 60-64
神興共立病院　90
新儒教　45, 154, 170；批判　73-77；→「儒教」
仁術　10, 12-14；→「経済と道徳」
「仁政」　249
神道　42, 117, 166-169, 175, 238
人道：　仕法と　175-176；神道と　166-168；他者を助ける　178-179；天道と　152-165；→「労働」
信用貸付基金：　尊徳の改革計画と　184-191；報徳と　234-235；→「報徳運動」「無尽会社」
信用金庫　241
信用組合（民衆の）：　の設置法案　203-207; をめぐる議論　206-210
信用組合法　→「産業組合法」
『信用組合論』（高橋昌・横井時敬）　207
信用の概念：　記録と　147；講と　81-84, 93-94, 107-108, 117-118, 123-125；功利主義と　221-222；心学の倫理と　60；正確性と　40-41；「中」と　81-84

「推譲」（他譲）　178-179, 181, 214, 237, 313, 326
「水平」原則　→「「横の社会」の理想」
須恵村の信用協同組合　92, 94
ストック，ブライン　Brian Stock　35-36
スミス，アーサー・H　Arthur H. Smith　96
スミス，トーマス・C　Thomas C. Smith　20

正確性：　言葉と　54-55, 162-165；時間の管理と　53-55, 73-74；指南書としての講と　116-117，信用と　38-39, 144；貯蓄表と　55-59；道徳的な目的と　12-14；徳川時代の言説と　162-164；→「記録」
生得説／生得説論者　17-18
「生命という賜物／受けた生」　内なる性と　44-45, 68；気一元説と　125-126；対応としての仕事　130, 156-157, 172；分度の手法　178-180
生命の過程　158-159；→「「生命という賜物」」
青陵　→「海保青陵」
石庵　→「三宅石庵」
『世事見聞録』（武陽隠士）　119
節信　→「喜多村節信」
セーフティ・ネット　22-23, 253, 326
セルトー，ミシェル・ド　Michel de Certeau　38
善　72-76
「先王」　68, 74-76, 155-156, 163
千石興太朗　301
全国報徳大会　注 xliv（15）

相互銀行：　普通銀行と　287-289；無

尽会社と　243-244, 253-254, 274-276, 287-289, 294
相互扶助：　営利事業としての報徳と　222-223；沖縄の模合（舫）と　291-293；経済と　324；相互銀行と　244；知行合一と　9-11, 322-324；徳川時代の道徳的思考としての　8-11, 140-143；日本生命と　7-9, 292-293；梅園の慈悲無尽講と　132-144；無尽会社と　260-261；宗像定礼と　86-91；→「もやい」
相互扶助組織（緊急時の）　103, 121-123；→「講」「慈悲無尽講」「相互扶助」「頼母子講」「報徳運動」
相馬市（福島県）　314-315
「組織原理」（講の）　85-86；→「講」
徂徠　→「荻生徂徠」

タ行

第一相互銀行（那覇無尽）　294
太鼓屋又兵衛　120
太平洋戦争：　戦後の相互扶助活動と　290-295；無尽会社と　244, 285-286
大名　→「藩」
高井鴻山　34-35
多賀講（「相互保険」契約協同組合）　9-12, 14, 16, 292
多賀生命保険会社　10；→「多賀講」
高橋昌　207
高畠通敏　303
竹井二三子　318-323；→「下馬生協」
太宰春台　32, 69-70, 111, 170
「助け無尽」　262
田中王堂　154
田中正造　307-309
頼母子講：　アジア以外の　96-98；戦後の復興と　290-292；「頼母子講仕法帳」　122；福澤と　15-16；明治国家と　206-208；→「無尽会社」
地域経済 vs と国家経済　294-295；→「公的秩序」「地域の利益」「藩」
地域の取り組み：　報徳運動と　188-196；無尽会社と　234-257, 277-279, 281-289
地域の利益：　国家経済と　294-295；年貢米に関する政策と　131-133；民衆が守る　249-250；無尽会社の構想と　244-246, 288-289
「遅延法」（掛金分配の）　255
「知行合一」：　抗議運動と　307-308；尊徳による神道批判と　166-169；みずからを救う・他者を救う　323-324；→「講」「労働」
知識：　徳川幕府の議論　2-6, 67-81, 104-106, 161-165；に対する尊徳の捉え方　152-153；→「自然第一義」「実践倫理」「労働」
『地上』（雑誌）　296-297
地方の名望家　205-206
中国の相互扶助組織　95-96
「中」の概念　66-67；信用と　81-84；海保青陵と　71-81；尊徳の仕法と　186-187；分度と　180-181
長期計画　→「仕法」
朝鮮の相互扶助組織　95-96
調達講　255
『町人常の道』（「茂庵老人」）　43-44, 48-50, 63, 80-81, 83
貯蓄計画　54-61；→「信用貸付基金」

『通俗経済』（小冊子）：　冊子における思想の広がり　85-86；実践倫理と　37-38, 42-47, 51-52；重要性　27-31；貯蓄計画と　53-63；都会と地方をつなぐ共通の言説として　31-36, 38-40；の記述　38-42；半田市図書館の　31-35；民衆の知性と　75-80；読み手　35, 40-

41；→「講」

抵抗：　牛首別報徳会と　314-318；行動倫理としての　118, 311-312；信用貸付制度創設法の提案と　206-210；備荒儲蓄法への　250, 257-258；無尽会社と　246-248, 282-289
「適者生存」イデオロギー　→「社会ダーウィン主義」
適塾　9, 12-14
手島堵庵（近江屋源右衛門）　58-63
手数料と無尽会社　263-264, 280
寺子屋　41
天：　自然秩序としての　155-162；実践倫理と　48-52；神道と　166-169；積極的な知性としての命　77；尊徳の哲学と　154-161；天命と　47-48；分度の構成と　179-181
「天道」と「人道」：　貨幣経済と　48-53；時間概念と　37-38；尊徳と　152-165, 168-171, 175
天保飢饉　87, 118, 122, 146, 177, 195-196；→「飢饉」「報徳運動」
天命　158-159
『天路歴程』（バニヤン）　151

堵庵　→「手島堵庵」
道教　68, 70, 169
東京　261, 312, 318-319
「東京式」（無尽契約型）　263-268, 272
投資講　106-108, 111-116；→「くじ」「講（事業志向型の）」「無尽講」
統制経済　285-287
道徳性：　医術と　12-14；実践と　124-127；富と　57-63；→「経済と道徳」「自然第一義」「倫理的な理想／理念」
道徳的国家主義　238
東陽バス会社　292
「徳」：　の概念　1-2, 6-7, 15-16；170-172；報徳　152-153, 156-158, 160-161；→「生命という賜物／受けた生」「倫理的な理想 / 理念」
徳川時代：　課税　22-23；時間の概念　36-38；事業志向型の講　254-259；自然秩序　157-161；商業に関する蔵書　31-53；善行と　221；相互扶助の倫理　8-14；第一原理としての自然　123-127；知識に関する言説　67-81, 162-165；地方の名士　205-206；貯蓄表と　55-59；の「備荒」概念　250；民衆の小冊子　27-31, 38-42；→「講」「『通俗経済』」「年貢米」
徳川幕府　32, 110-111, 118；無尽くじと　108-12；注 xxxi（26）
『徳川時代の宗教』（ベラー）　40
富：　貨幣の流通と　46-51, 80-81；倹約と　61-62；心学運動と　58-64；を求めることに関する懸念　107-112, 120；→「貨幣経済」「貧困」
富田高慶　149, 216, 314
富永仲基　42-44, 81
富永村の慈悲無尽講　129, 134-137, 143, 247, 326；→「三浦梅園」
トムスン，E・P　E. P. Thompson　38
留岡幸助　143, 150
「取足」（積立金）　103

ナ 行

直方　→「草間直方」
中井竹山　14, 32, 129
中井履軒　14, 32, 129
ナカムラ，ジェームズ　James Nakamura　252-253
中村敬宇　222
中村政栄　113；『長崎無尽物語』　113
仲基　→「富永仲基」
「名古屋式」　注 xli（22）
夏目漱石　150-151

那覇無尽（第一相互銀行）　294
奈良本辰也　154, 193
縄無尽／縄講　122-123, 326
南部藩契約扶助組織　255

西日本相互銀行（西日本シティ銀行）　243, 288
『二宮翁夜話』（福住正兄編）　35, 149, 152, 215
二宮尊徳　148-165, 304-307, 309-310, 322-323；教養についての考え方　148-152, 162-165, 171-172；仕法と　175-192；知識人の関心を引く　150-165；「天道」と「人道」と　153-162；徳としての労働　152-153；の農業調査　181-184；梅園と　144-145；文献の知識と　148-153；分度と　178-179；報恩と　155-157, 172；報徳運動と　192-196；門弟と　149-150, 215；倫理における宗教の教え　165-175；→「報徳運動」
『二宮尊徳翁』（幸田露伴）　151
二宮尊親　149, 314, 316-317；『報徳分度論』　149
日本協同党　303-304
『日本経済大典』　40
日本生命保険相互会社：　思想史と　11-14, 16；石碑　7-8, 11-12；「相互扶助」の倫理と　6-7, 291-293；の起源　9-11
入札：　報徳運動と　231-232；無尽会社と　261-264；無尽講と　112

年貢米　103, 109, 120, 133, 179-184, 187-188, 190

『農家益』（大蔵永常）　32
農業　→「科学的農法」「耕作放棄地と報徳」「知行合一」「知識」「報徳運動」
農業生産調査（尊徳による）　181-186
「能力資質」　28-33
ノーマン，E・H　E. H. Norman　25, 299-300；『忘れられた思想家：安藤昌益のこと』　300

ハ行

梅園　→「三浦梅園」
萩の頼母子会社　261
幕末　166；→「徳川時代」
服部弁之助　154
濱口雄幸　273, 277
ハワイの相互扶助組織　96-97
藩：　尊徳の仕法と　180-188, 192-195；による無尽講の利用　94；村の自治と　104；報徳基金からの貸付　192-194；→「幕府」「年貢米」
阪神淡路大震災　327
半田商人：資料館　30-33
蟠桃　→「山片蟠桃」

「備荒儲蓄法」／「備荒」儲蓄政策　121, 250, 252-253, 257
平等倫理　→「「横の社会」の理想」
平田篤胤　注 xxxv（24）, xxxviii（26）
平田東助　198-200, 311；信用組合法と　201-211；報徳の構想と　211-215, 323-325
弘世助三郎　9-12, 14-15
貧困：　心学のテキストと　58-61；都市における　269-270；貧困の恐怖　77-78, 140；貧困を乗り越えて幸福を選び取る　45-47, 50-51；明治維新後の　240-242；→「飢饉」
「貧乏神」　46, 77

福岡無尽株式会社（西日本シティ銀行）　286
福澤講　16, 24
福澤諭吉　12, 15-16, 24, 47, 217-218,

222-223, 297
福住正兄 149, 216, 238
福田徳三 154
福山滝助 238-239
武士： 貨幣経済と 120-122；海保青陵による批判 70-72；明治維新と 205-207, 248-249；明治政府の官僚としての 253；→「武陽隠士」「藩」
仏教 119；講と 95, 99-101, 117-118；尊徳の考えと 156-157, 172-175；→「仏教信仰」
仏教信仰 126, 157, 172
武陽隠士 119-121, 144
ブラジルの相互扶助組織 96-97
文化 →「識字能力」「『通俗経済』」
文献 →「識字能力」
「分度」 178-180, 187, 190-193, 214, 236, 313, 315

ベラー，ロバート・N Robert N. Bellah 20, 40
ベンサム，ジェレミー Jeremy Bentham 218-219, 221-222

帆足万里 129
報酬金 231；→「謝金／礼」
報徳運動： 「一円」と 173, 310-311, 323；牛首別報徳会の定款と 315-318；お上／公的秩序と 192-196, 227-240, 326；小田原における 注xxxv (24)；飢饉と 146, 177-179, 195-196；共生共存 322-325； 記録と 163-165, 190-191, 238-239；経済的自立と 232；功利主義と 218-233；主要な理念 224-227；における合意 164-165, 190-191；道徳と経済の不可分と 146, 232-240, 246-247；営利的な事業展開 223, 232-233；入札方法と 231-232；の起源 17；の長所 229-230；の批判 230-233；報徳金と 188-190；北海道と 296-318；無尽会社との比較 245-247；無利息の貸付と 188-190, 231-232, 234-235；→「岡田良一郎」「二宮尊徳」「柳田國男」
『報徳分度論』（二宮尊親） 149
法律 →「産業組合法」「「備荒貯蓄法」」「無尽業法」
ポコック，J・G・A J. G. A. Pocock 57
北海道の農業協同組合（ジャガイモ） 313

マ行

誠／誠実 海保青陵と 70-72；貨幣経済と 42-53；契約と 81；講の歴史と 25；言葉と 162-165；仕法と 175-176；報徳と 161-162；民衆の小冊子と 41-44, 60-61
升屋小右衛門 →「山片蟠桃」
松方正義 251-252, 254, 259
丸山眞男 154, 295, 297

三浦梅園（三浦晋安貞） 23, 144, 162, 323；『価原』 130-133, 139；『玄語』 127, 129, 134；慈悲無尽講と 129-130, 134-137, 146, 247, 326；尊徳と 144-145；第一原理としての自然と 127-128, 309-310
三木武夫 301
皆川淇園 9
三宅石庵 2-4, 14
宮崎安貞 32, 157
宮西一積 154
ミル，ジョン・スチュアート John Stuart Mill 219, 221-222
民衆経済の歴史： 学術文献 21-24；共有する歴史と 14-18；公的秩序と 18-20；への記述アプローチ 19-20
民主制の理論： 協同民主主義と

295-301；市民運動と　301-304；道徳と経済の関係と　304-308；無尽会社と　244-246；「横の社会」という理想と民主主義との統合　295-308

武者小路実篤　150
無尽／限界のない（尽きることがない）慈悲（用語として）　95, 101, 244；→「慈悲無尽講」
無尽会社：　沖縄における　293-295；「親なし無尽」　262；起源　245-246, 260-261；契約掛金額の増加　282-287；契約の型　262-269；講から会社へ　259-269；合法化　244-245, 269-282；事業志向型の講と　254-259；相互銀行と　243-245, 254, 275-276, 287-289, 293-295；組織　261-269, 275；東京における　318-322；「統制経済」に対する反対　281-287；の重要性　243-246；の長所と短所　273-275；のれん分け／分家／支店と　256-257, 278；方針と実践　262-269, 275-276, 279, 281-282；無尽講の法的地位と　206-208, 267-269；目的としての営利　246-247, 258-262；→「無尽講」
無尽講：　講から会社へ　259-269；下馬生協と　320-321；の法的地位　206-207, 269-270；無尽会社の規制と　270-273, 275-278, 280-282；無尽会社の先例として　254-259；用語としての「無尽」と　95, 101, 107, 244；→「くじ」「講」「慈悲無尽講」「頼母子講」「無尽会社」
無尽合資会社（盛岡）　→「盛岡」
無尽業法（1915年）　244-245；大蔵省による調査　269-276；国会審議　276-282
『無盡通信』（業界誌）　283-285
「無尽ニ関スル調査」（1915）　270-271
『無尽の研究』（業界誌）　283
宗像定礼　86-88, 90-91, 128, 143, 326

明治維新　懐徳堂と　14；組織的な意識としての講と　11；尊徳と　196；武士と　205-206, 248；報徳運動と　196；民衆への影響　248-252；→「明治国家」
明治国家：　課税政策と　217-218, 248-250；信用貸付制度の法律と　199-215, 240-242, 244-245；全国銀行と　256-257；1880年代のデフレ政策と　251-254, 259-260；相互扶助組織に対する監視と　270-273；知識人の関心を集めた尊徳と　150-154；民衆の自立と　322-323；→「産業組合法」「抵抗」「「備荒儲蓄法」」「明治維新」
目之子算（女之子算）　54

本居宣長　119, 167-168
もやい／模合講／舫　121；共通する特徴　293；現代における　294-295；相互扶助のための　291-294；無尽会社と　294；用語としての　99-100, 291-292
森嘉兵衛　21-22, 116, 254-255, 257
森静朗　21-22
盛岡：　北日本銀行　243；講から会社へ　259-261；における投資講　255-257
盛田昭夫　28, 30；→「鈴渓資料館」

ヤ行

「約束」の条件（梅園）　133, 136-138；→「三浦梅園」「約束／合意／契約」
約束／合意／契約：　慈悲無尽講と　133, 136-137；伝統的な相互扶助組織における　112-118, 121-123；報徳運動と　164-165, 190-191
柳田國男　311, 317, 324；岡田良一郎との論争　227-240；講に関して　91-92, 272；『時代ト農政』　228
山片蟠桃（通称 升屋小右衛門）　5-6,

128-129；人の行為と　51-53；『夢之代』 5-6, 12；注 xxxii（37）
山川均　301-303
山本実彦　300-301
楊聯陞　95

結講　121
幽学　→「大原幽学」
雪印乳業株式会社　305-306
『夢之代』（山片蟠桃）　5, 12

「八日会」　31
横井時敬　207
「横の社会」の理想：　内なる性と　43-47；懐徳堂の平等主義と　6-7；戦後の相互扶助活動と　249-250, 290-291, 295；民主主義理論と　295-308
横山源之助　208, 269-270
予算編成（予算形成）：　心学のテキストと　59-60; 分度と　178-181, 236；→「分度」
吉田松陰　198
余剰：　「知識を仕入れる」商人と　31-38；徳川時代の貯蓄計画と　56-60；報徳と　178-179, 188-190；無尽会社と　262-265
依田勉三　314
「四大門人」　216, 238；→「岡田良一郎」「斎藤高行」「富田高慶」「福住正兄」

ラ 行

ライファイゼン，フリードリヒ・ヴィルヘルム　Friedrich Wilhelm Raiffeisen　199-200, 297
ライファイゼン型　200, 203, 206-211, 224, 228, 282, 298

利子：　無尽の契約法と　263-269；無利子の報徳基金と　186-190, 231-235
リスクを負う（取る）：　新たな経済と　120；くじに対する懸念と　107-112；契約と　112-117；倹約と　61-62；行動方法として　63-65；さまざまな講と　143-144；「中の」概念と　66-67, 77-81；→「くじ」
利幅／営利　蟠桃と　5；無尽会社と　246-247, 257-259, 261-262, 279-280；青陵の捉え方　108-109；→「貨幣経済」「資本主義」
琉球銀行
倫理的な理想／理念：　医療行為（術）と　12-13；慈悲無尽講と　186-192；市民運動と　237-238；心学と　59-62；の持続　304；報徳運動と　159-175；まちがった解釈と　72-76；無尽会社と　245-246；→「共生共存」「生命という賜物／受けた生」「相互扶助」「「中」の概念」「誠／誠実」

類似無尽会社　266-268

鈴渓資料館（小鈴谷）　27-30

老子　70, 169
労働：　授かった命に応えるための　130, 155-157, 160；「人道」としての　157-158；「善」としての　73-76；「徳」としての　152-153, 156-158；→「実践倫理」

ワ 行

若槻禮次郎　273, 276-277, 280
脇愚山　129
脇坂義堂　45-48, 57
和合講無尽　257
和田耕斎　41-43
「我」（天地の分身）　159, 161

参考文献

Behar, Ruth. *Santa Maria del Monte: The Presence of the Past in a Spanish Village*. Princeton, N.J.: Princeton University Press, 1986.

Bellah, Robert N. *Tokugawa Religion: The Cultural Roots of Modern Japan*. Glencoe, Ill.: Free Press, 1957〔R・N・ベラー『徳川時代の宗教』池田昭訳，岩波書店，1996〕.

deBary, Theodore W., et al., eds. *Sources of Japanese Tradition*. 2 vols. New York: Columbia University Press, 2001-5.

de Certeau, Michel. *The Practice of Everyday Life*. Berkeley: University of California Press, 1988.

——. *The Writing of History*. New York: Columbia University Press, 1988.

Dekle, Robert, and Koichi Hamada. "On the Development of Rotating Credit Associations in Japan." *Economic Development and Cultural Change* 49 (October 2000): 77-90.

Derby, John. "The Role of *Tanomoshi* in Hawaiian Banking." Master's thesis, Pacific Coast Banking School, University of Washington, 1971.

Dore, Ronald. *Education in Tokugawa Japan*. Berkeley: University of California Press, 1965〔ロナルド・ドーア『江戸時代の教育』松居弘道訳，岩波書店，1970〕.

Embree, John F. *Suye Mura, a Japanese Village*. Chicago: University of Chicago Press, 1964〔ジョン・F・エンブリー『日本の村 須恵村』日本経済評論社，2005〕.

Encyclopedia of the Social Sciences. vol. 13. New York: Macmillan, 1934.

Fairbairn, Brett. "History from the Ecological Perspective: Gaia Theory and the Problem of Cooperatives in Turn-of-the-Century Germany." *American Historical Review* 99 (1994): 1203-39.

Fei, Hsiao-tung. *Peasant Life in China*. Chicago: University of Chicago Press, 1939.

Freeman, Susan Tax. "Egalitarian Structures in Iberian Social Systems: The Contexts of Turn-Taking in Town and Country." *American Ethnologist*, August, 1987.

Fukuzawa, Yukichi. *The Autobiography of Fukuzawa Yukichi*, Translated by Eiichi Kiyooka. New York: Madison Books, 1992.

Geertz, Clifford. *The Interpretation of Cultures: Selected Essays*. New York: Basic Books, 1973〔クリフォード・ギアーツ『文化の解釈学（I，II）』岩波書店，1987〕.

Gibson, Clark C., Margaret A. McKean, and Elinor Ostrom, eds. *People and Forest: Communities, Institutions, and Governance*. Cambridge, Mass.: MIT Press, 2000.

Godzich, Wlad. Foreword to *Heterologies: Discourse on the Other*, by Michel de Certeau. Minneapolis: University of Minnesota Press, 1989.

Gordon, Andrew. *A Modern History of Japan: From Tokugawa to the Present*. New York: Oxford University Press, 2003〔アンドルー・ゴードン『日本の200年：徳川時代から現代まで 新版』森谷文昭訳，みすず書房，2013〕.

Irokawa Daikichi, *Culture of the Meiji Period*. Translated by Marius B. Jansen, Princeton, N. J.: Princeton University Press, 1985〔色川大吉『明治の文化』岩波書店，1970の英訳〕.

——. "The Survival Struggle of the Japanese Community." In Koschmann, *Authority and the Individual in Japan*, 250-82.

——.〔日本語文献も参照〕

Ishiguro Tadaatsu(石黒忠篤), ed. *Ninomiya Sontoku: His Life and "Evening Talks."* 研究社, 1955.

Kalland, Arne. "A Credit Institution in Tokugawa Japan: The Ura-Tamegin Fund of Chikuzen Province." In *Europe Interprets Japan*. Edited by Gordon Daniels, 3-251. Kent: Paul Norbury, 1984.

——. "Rural Credit Institutions in Tokugawa Japan." 1986年5月19-24日に軽井沢でおこなわれたシンポジウム "Preconditions of the Industrialization in Japan" のための論文.

Kersten, Rikki. *Democracy in Postwar Japan: Maruyama Masao and the Search for Autonomy*. London: Routledge, 1996.

Koschmann, J. Victor, ed. and trans. *Authority and the Individual in Japan: Citizen Protest in Historical Perspective*. Tokyo: University of Tokyo Press, 1978.

——. *Revolution and Subjectivity in Postwar Japan*. Chicago: University of Chicago Press, 1996〔ヴィクター・コシュマン『戦後日本の民主主義革命と主体性』葛西弘隆訳，平凡社，2011〕.

Lee, Russell. "The Perils of Success: Chinese in Jamaica." PhD diss., Harvard University, 1979.

Maruyama, Masao. *Studies in the Intellectual History of Tokugawa Japan*. Princeton, N.J.: Princeton University Press, 1974〔丸山眞男『日本政治思想史研究』東京大学出版，1952の Mikiso Hane による英訳〕.

Masuda, Ruth N. "The Japanese 'Tanomoshi.'" *Social Process in Hawaii* 3 (1937): 16-17.

McKean, Margaret A. *Environmental Protest and Citizen Politics in Japan*. Berkeley: University of California Press, 1981.

Mercer, Rosemary. *Deep Words: Miura Baien's System of Natural Philosophy*. New York: Brill, 1991.

Moore, Richard H. *Japanese Agriculture: Patterns of Rural Development*. Boulder, Colo.: Westview Press. 1990.

Najita, Tetsuo. "Ambiguous Encounters: Ogata Kōan and International Studies in Late Tokugawa Osaka." In *Osaka: The Merchants' Capital of Early Modern Japan*. Edited by James L. McClain and Osamu Wakita, 212-42. Ithaca, N. Y.: Corenell University Press, 1999.

——. "Ando Shoeki: 'The Forgotten Thinker' in Japanese History." In *Learning Places: The Afterlives of Area Studies.* Edited by Masao Miyoshi and H. D. Harootunian, 61-79. Durham, N. C.: Duke University Press, 2002.

——. "History and Nature in Eighteenth-Century Tokugawa Thought." In *The Origins of Early Modern Japan,* vol. 4 of *The Cambridge History of Japan.* Edited by John Whitney Hall, 596-659. Cambridge: Cambridge University Press, 1991.

——. "Intellectual Change in Early Eighteenth-Century Tokugawa Confucianism." *Journal of Asian Studies* 34 (August 1975): 931-44.

——. "Interpreting the Historicism of Ogyū Sorai." In *Tokugawa Political Writings.* Edited by Tetsuo Najita, xiii-liv. Cambridge: Cambridge University Press, 1998.

——. "Method and Analysis in the Conceptual Portrayal of Tokugawa Intellectual History." In *Japanese Thought in the Tokugawa Period, 1600-1868: Methods and Metaphors.* Edited by Tetsuo Najita and Irwin Scheiner, 3-39. Chicago: University of Chicago Press, 1978.

——. "On History and Politics in the Thought of Maruyama Masao." Maruyama Masao Lecture and Seminar, Occasional Papers no. 1. Berkeley: Center for Japanese Studies, University of California, 2000.

——. "Ōshio Heihachirō (1973-1837)." In *Personality in Japanese History.* Edited by Albert Craig, 155-79. Berkeley: University of California Press, 1970〔「大塩平八郎（1793-1837)」,『日本の歴史と個性：現代アメリカ日本学論集上』A・M・クレイグ，D・H・シャイヴリ編，本山幸彦他監訳，ミネルヴァ書房，1973〕.

——. "Political Economism in the Thought of Dazai Shundai (1680-1747)." *Journal of Asian Studies* 31 (1972): 821-39.

——. *Readings in Tokugawa Thought: Select Papers.* Chicago: Center for East Asian Studies, 1999.

——, ed. *Tokugawa Political Writings.* Cambridge: Cambridge University Press, 1998.

——. "Traditional Cooperatives in Modern Japan: Rethinking Alternatives to Cosmopolitanism and Nativism." In *Social Futures Global Visions.* Edited by Cynthia Hewitt de Alcantara, 141-50. Cambridge, Mass.: Blackwell, 1996.

——. *Visions of Virtue in Tokugawa Japan: The Kaitokudō Academy of Osaka.* Chicago: University of Chicago Press, 1987. Reprint, Honolulu: University of Hawai'i Press, 1997〔テツオ・ナジタ『懐徳堂 :18世紀日本の「徳」の諸相』，岩波書店，1992〕.

——.〔日本語文献も参照〕

Najita, Tetsuo, and Irwin Scheiner, eds. *Japanese Thought in the Tokugawa Period, 1600-1868: Methods and Metaphors.* Chicago: University of Chicago Press, 1978.

Nakamura, James L. *Agricultural Production and the Economic Development of Japan 1873-1922.* Princeton, N. J.:Princeton University Press, 1966.

The New Regional Banks of Japan, 1989-90. Tokyo: Second Association of Regional Banks, 1991.

Nimura, Kazuo. *The Ashio Riot of 1907: A Social History of Mining in Japan.* Edited and translated by Andrew Gordon. Durham, N. C.: Duke University Press, 1997〔二村一夫『足尾暴動の史的分析：鉱山労働者の社会史』東京大学出版会，1988の英訳〕.

Nishikawa, Shunsaku, and Osamu Saito. "The Economic History of the Restoration Period." In *Meiji Ishin: Restoration and Revolution.* Edited by Michio Nagai and Miguel Urreutia, 175–91. Tokyo: United Nations University Press, 1985.

Norman, E. H. *Andō Shōeki and the Anatomy of Japanese Feudalism.* 1949. Reprint, Bethesda, Md.: University Publications of America, 1979.

——.〔日本語文献も参照〕

Ogata, Kiyoshi. *The Co-operative Movement in Japan.* London: S. King and Sons, 1923.

Palais, James. *Confucian Statecraft and Korean Institutions.* Seattle: University of Washington Press, 1996.

Pocock, J.G.A. "Modes of Political and Historical Time in Early Eighteenth Century England." In vol. 5 of *Studies in Eighteenth Century Culture,* 87–102. Madison: University of Wisconsin, 1976.

Rodgers, Daniel T. *Atlantic Crossings: Social Politics in a Progressive Age.* Cambridge, Mass.: Harvard University Press, 1998.

Sakata, Keiichi. "Community and Autonomy." In Koschmann, *Authority and the Individual in Japan,* 220–49.

Sasaki-Uemura, Wesley. *Organizing the Spontaneous: Citizen Protest in Postwar Japan.* Honolulu: University of Hawai'i Press, 2001.

Sawada, Janine. *Practical Pursuits: Religion, Politics, and Personal Cultivation in Nineteenth-Century Japan.* Honolulu: University of Hawai'i Press, 2004.

Scheiner, Irwin. "Benevolent Lords and Honorable Peasants: Rebellion and Peasant Consciousness." In *Japanese Thought in the Tokugawa Period, 1600–1868: Methods and Metaphors.* Edited by Tetsuo Najita and Irwin Scheiner, 39–62. Chicago: University of Chicago Press, 1978.

Sesar, Carl. *Takuboku: Poems to Eat.* Tokyo: Kodansha International, 1966.

Smith, Arthur H. *Village Life in China; a Study in Sociology.* New York: Fleming H. Revell, 1899.

Smith, Robert J., and Ella Lury Wiswell. *The Women of Suye Mura.* Chicago: University of Chicago Press, 1982.

Smith, Thomas C. *Agrarian Origins of Modern Japan.* Stanford, Calf.: Stanford University Press, 1959〔トマス・C・スミス『近代日本の農村的起源』岩波書店，2007〕.

——. "Ōkura Nagatsune and the Technologists." In *Native Sources of Japanese Industrialization, 1750–1920,* 173–98. Berkeley: University of California Press, 1988.

Stock, Brian. *The Implications of Literacy: Written Languages and Models of Interpretation in the Eleventh and Twelfth Centuries.* Princeton, N.J.: Princeton University Press, 1983.

——. *Listening for the Text: On the Uses of the Past.* Baltimore: Johns Hopkins University Press,

1990.

Strong, Kenneth. *Ox against the Storm: A Biography of Tanaka Shōzō, Japan's Conservationist Pioneer.* Vancouver: University of British Columbia Press, 1977〔ケネス・ストロング『田中正造伝：嵐に立ち向かう雄牛』川端康雄・佐野正信訳，晶文社，1987〕.

Sugai, Masuro. *The Development Process of Mining Pollution at the Ashio Copper Mine.* New York: United Nations University Press, 1983.

Takabatake, Michitoshi. "Citizens' Movements: Organizing the Spontaneous."In Koschmann, *Authority and the Individual in Japan,* 189–99.

Thompson, E. P. "Time, Work-Discipline, and Industrial Capitalism." *Past and Present* 38 (1972): 55–87.

Tucker, John Allen. *Itō Jinsai's Gomō Jigi and the Philosophical Definition of Early Modern Japan.* Boston: Brill, 1988.

Tucker, Mary Evelyn. *Moral and Spiritual Cultivation in Japanese Neo-Confucianism in the Life and Thought of Kaibara Ekken.* Albany: State University of New York Press, 1989.

——. *The Philosophy of Qi: The Record of Great Doubts, Kaibara Ekken.* New York: Columbia University Press, 2007.

Uchimura Kanzō, "Ninomiya Sontoku, a Peasant Saint." Ishiguro Tadaatsu, ed. *Ninomiya Sontoku: His Life and "Evening Talks,"* 研究社，1955，所収.

Walthall, Anne. *Social Protest and Popular Culture in Eighteenth-Century Japan.* Tucson: University of Arizona Press, 1986.

Yamamoto, Eriko. "The Evolution of an Ethnic Hospital in Hawaii: Kuakini." PhD diss., University of Hawai'i, 1988.

Yamashita, Karen Tei. *Brazil-Maru.* Minneapolis: Coffee House Press, 1992.

Yanagida, Kunio. *Japanese Manners and Customs in the Meiji Era.* Tokyo: Obunsha, 1957〔『明治文化史 第13巻 風俗』第13巻編纂委員柳田國男，原書房，1979，所収〕.

Yang, Lien-sheng. *Money and Credit in China: A Short History.* Cambridge, Mass.: Harvard University Press, 1952.

——. *Studies in Chinese Institutional History.* Cambridge, Mass.; Harvard University Press, 1961.

Yasunaga, Toshinobu. *Andō Shōeki: Social and Ecological Thinker in Eighteenth-Century Japan.* New York: Weatherhill, 1992.

青木虹二『百姓一揆の年次的研究』新生社，1966.

青木得三「庶民金融論」，吉澤新作編『無尽実務講習録 上巻』，5-66頁，全国無尽集会所，1935.

青木永『黒澤酉蔵』黒澤酉蔵伝刊行会，1961.

安部磯雄『理想の人』金尾文淵堂，1906.

荒木見悟・井上忠校注，家永三郎・石母田正・井上光貞・相良亨・中村幸彦・尾藤正英・丸山眞男・吉川幸次郎編集『日本思想大系34 貝原益軒・室鳩巣』岩波書店，1970.

池田竜蔵「無尽経済論」，吉澤新作編『無尽実務講習録 上巻』全国無尽集会所，1935.
——.『稿本無尽の実際と学説』大鐙閣，1918.
——.『支那の無尽に関する研究』無盡之研究社，1930.
井上章一『ノスタルジック・アイドル二宮金次郎』大木茂写真，新宿書房，1989.
井上隆三郎『筑前宗像の定礼：健保の源流』西日本新聞社，1979.
色川大吉「日本の民衆運動の特徴について」，『世界』岩波書店，1986年2月号，195-207頁.
——.〔英語文献も参照〕
岩本由輝『論争する柳田國男：農政学から民俗学への視座』御茶の水書房，1985.
上原無休「世間銭神論」（執筆年不詳），日本経済叢書刊行会編『通俗経済文庫 巻6』，1-40頁，日本経済叢書刊行会，1916.
海野福寿「報徳仕法の展開」，中村雄二郎・木村礎編『村落・報徳・地主制：日本近代の基底』，83-150頁，東洋経済新報社，1976.
海野福寿・加藤隆編『殖産興業と報徳運動』東洋経済新報社，1978.
大江清一「報徳教説の宗教性について」，佐々井典比古他編『徳開顕：二宮尊徳生誕二百年記念論文集』有隣堂，1987.
大蔵省銀行局編『庶民銀行概観』東京国文社，1917.
大蔵省編纂『明治大正財政史』全20巻，経済往来社，1957.
岡田良一郎「再び柳田國男氏の報徳社と信用組合論を読む」，佐々井信太郎他編『二宮尊徳全集 第36巻』，1045-52頁，龍渓書舎，1977.
——.「報徳富国論」，佐々井信太郎他編『二宮尊徳全集 第36巻』龍渓書舎，1977.
——.「淡山論集：報徳講演」，佐々井信太郎他編『二宮尊徳全集 第36巻』，1122-99頁，龍渓書舎，1977.
——.「柳田國男氏の報徳社と信用組合論を読む」，佐々井信太郎他編『二宮尊徳全集 第36巻』，1040-45頁，龍渓書舎，1977.
沖縄県理財課『貸金業及模合関係書類』琉球政府，1954年度，非刊行，丁付けなし.
奥泉栄三郎監修『初期在北米日本人の記録：布哇編』1900年代はじめ刊行.
奥谷松治『品川弥二郎伝』高陽書院，1940.
小倉栄一郎『近江商人の系譜』日本経済新聞社，1980.
尾崎關太郎『朝鮮無盡沿革史』京城：朝鮮無盡協會，1934.
尾崎照夫『物語北海道報徳の歴史』北海道報徳社，1985.
小山内美江子編著『カンボジアから大震災神戸へ：抱きしめて若者』労働旬報社，1996.
小野武夫『維新農民一揆の相貌』学能協会，1949.
——.『維新農村社会史論』刀江書院，1932.
——.『近代村落の研究』時潮社，1934.
小野洋一郎『報徳の人大友亀太郎』北辰堂，1986.
海保青陵「富貴談」，滝本誠一編『日本経済大典 第27巻』，557-82頁，明治文献，1969.
——.「稽古談」，塚谷晃弘・蔵並省自校注『日本思想大系44 本多利明・海保青陵』岩波書店，1970.

――.「洪範談」,『日本経済大典 第27巻』, 389-556頁.
――.「升小談」,『日本経済大典 第27巻』, 355-88頁.
――.「天王談」,『日本経済大典 第27巻』, 34-65頁.
――.「万屋談」,『日本経済大典 第27巻』, 66-92頁.
――.「養心談」,『日本経済大典 第27巻』, 93-121頁.
――.「諭民談」,『日本経済大典 第27巻』, 150-82頁.
――.「善中談」,『日本経済大典 第27巻』, 3-33頁.
――.「前識談」,『日本経済大典 第27巻』, 150-82頁.
賀川豊彦「産業組合に視座を与えよ」,『昭和の農村』, 132-35頁, 家の光協会, 1988.
――.『協同組合実務知識』第12巻 1 号, 2 号, 協同組合実務研究会, 1946.
加瀬和俊「信用組合」, 加藤俊彦編『日本金融論の史的研究』東京大学出版会, 1983.
加藤俊彦編『日本金融論の史的研究』東京大学出版会, 1983.
加藤房蔵『伯爵平田東助伝』平田伯伝記編纂事務所, 1927.
金井利太郎編『福山先生一代記』報徳遠譲社, 1905.
――.『福山先生遺志』1908.
河井正『相互銀行解説』無尽界社, 1957.
河上肇「貧乏物語」, 大内兵衛編「河上肇」『現代日本思想大系 第19巻』, 165-267頁, 筑摩書房, 1964, 所収.
菅野和太郎『日本会社企業発生史の研究』岩波書店, 1931.
木島由四郎『営業無尽論』無尽学会, 1934.
――.「無尽総合組織論」, 吉澤新作編『無尽実務講習録 上巻』, 1-65頁.
喜多村節信「嬉遊笑覧」, 森銑三, 北村博邦編『日本随筆大成 第27巻』吉川弘文館, 1929.
楠本雅弘「協同組合と政治運動」, 斉藤仁監修『二一世紀に生きる協同組合』, 290-329頁, 家の光協会, 1987.
栗栖赳夫『無尽及無尽会社論』文雅堂, 1922.
栗原彬・小森陽一他編『越境する知』全 6 巻, 東京大学出版会, 2000-2001.
黒澤酉蔵『反芻自戒』酪農学園, 1972.
――.『酪農学園の歴史と使命』酪農学園, 1970.
見城悌治「近代報徳運動の成立」,『江戸の思想 第 7 号(思想史の19世紀)』ぺりかん社, 1997.
小石原勇編『九州金融変遷史』九州産業経済新聞社, 1951.
光電製作所編『コーデン 笹野正雄先生記念号』vol. 34, no. 3(光電製作所社内報通算422号), 1993.
小林丑三郎『庶民金融談』明治大学出版部, 1914.
子安宣邦『伊藤仁斎:人倫的世界の思想』東京大学出版会, 1982.
斎藤高行『報徳外記』大日本報徳社, 1966.
――.「二宮先生語録」,『二宮尊徳全集 第36巻』, 323-476頁, 1935.
桜井徳太郎『講集団成立過程の研究』吉川弘文館, 1962.
桜井徳太郎他編『山岳宗教と民間信仰の研究』名著出版, 1976.

佐々井信太郎『報徳生活の原理と方法』報徳文庫，1955.
——.『二宮尊徳伝』経済往来社，1977.
佐々井信太郎他編『二宮尊徳全集 第36巻』龍渓書舎，1977.
佐々井典比古他編『尊徳開顕：二宮尊徳生誕二百年記念論文集』有隣堂，1987.
「疾風の中に」，『西日本新聞』連載，1989年6月30日-7月3日.
篠崎篤三「慈悲無尽の創始者三浦梅園」，『社会事業研究所報告第二輯』中央社会事業協会社会事業研究所，1936.
渋谷隆一編著『明治期日本特殊金融立法史』早稲田大学出版部，1977.
島田虔次・田口正治校注，家永三郎・石母田正・井上光貞・相良亨・中村幸彦・尾藤正英・丸山眞男・吉川幸次郎編集『日本思想大系 41』岩波書店，1982.
下程勇吉「天地と共に行く道」，佐々井典比古他編『尊徳開題：二宮尊徳生誕二百年記念論文集』，7-40頁，有隣堂，1987.
釈雲解「生財弁」(1829)，日本経済叢書刊行会編『通俗経済文庫 巻2』，27-44頁，日本経済叢書刊行会，1916.
松柏軒「貴賤心躰直し」(執筆年不詳)，日本経済叢書刊行会編『通俗経済文庫 巻11』，251-94頁，日本経済叢書刊行会，1916.
全国信用金庫協会編『信用金庫史』全国信用金庫協会，1959.
全国相互銀行協会編『相互銀行史』全国相互銀行協会，1971.
全国相互銀行協会編『無尽業発展史』全国相互銀行協会，1951.
大玄子「商家秘録」(執筆年不詳)，日本経済双書刊行会編纂『通俗経済文庫 巻8』，213-80頁，秀英舎，1916.
「多賀信仰」編纂委員会編『多賀信仰』多賀大社社務所，1986.
高畠通敏編集解説『近代日本思想大系19 山川均集』筑摩書房，1976.
滝本誠一編『日本経済大典』全54巻，明治文献，1966-76.
田口正治『三浦梅園』吉川弘文館，1937，再版1989.
——.『三浦梅園』吉川弘文館，1967.
竹井二三子『生協運動はなぜ広がったか：東京・下馬生協の実践』家の光協会，1988.
「町人身体はしら立返答」，日本経済双書刊行会編『通俗経済文庫 巻1』，288-300頁，秀英舎，1916.
辻慶儀「養生女之子算」(1833)，『通俗経済文庫 巻4』，305-20頁，日本経済叢書刊行会，1916.
土屋喬雄・小野道雄編『明治初年農民騒擾録』勁草書房，1931，再版1953.
都築勉『戦後日本の知識人：丸山眞男とその時代』世織書房，1995.
手島堵庵「町人身体はしら立」(1770および1802)，日本経済叢書刊行会編『通俗経済文庫 巻1』，241-86頁，日本経済叢書刊行会，1916.
鉄砲庵滅法弥八「珍寶山金のなる木」，日本経済叢書刊行会編『通俗経済文庫 巻5』，301-14頁，日本経済叢書刊行会，1916.
伝田功『近代日本経済思想の研究：日本の近代化と地方経済』未來社，1962.
——.『近代日本農政思想の研究』未來社，1969.

――.『滋賀県の百年』山川出版社，1984.
東白「米穀売買出世車」(1748)，日本経済叢書刊行会編『通俗経済文庫 巻１』，179-240頁，日本経済叢書刊行会，1916.
常盤潭北「野総茗話」(1779)，日本経済叢書刊行会編『通俗経済文庫 巻９』，111-90頁，日本経済叢書刊行会，1916.
橡尾道「東京式無尽経営論」，吉澤新作編『無尽実務講習録 下巻』，37-114頁，全国無尽集会所，1935.
留岡幸助編『報徳之眞髄』警醒社，1910.
中井信彦『大原幽学』吉川弘文館，1971.
中尾弥三郎他編著『三浦梅園外伝：逝去二百年記念集』三浦梅園研究会，1988.
中川有恒「貧富裸記」，日本経済叢書刊行会編『通俗経済文庫 10』日本経済叢書刊行会，1917.
中川元「大阪式無尽経営論」，吉澤新作編『無尽実務講習録 下巻』，1-35頁，全国無尽集会所，1935.
中川靖造『工夫と時と情熱：物語コーデン エレクトロニクス技術の夢と軌跡』四十周年記念事業委員会，1989.
中田薫「頼母子の起源」，『國家學會雑誌』第17巻第202号，28-50頁，有斐閣，1903.
中村政栄著・池田竜蔵編『長崎無尽物語：利廻算法』全国無尽集会所，1935.
中村雄二郎・木村礎編「岡田良一郎の報徳思想」，『村落・報徳・地主制：日本近代の基底』東洋経済新報社，1976.
中村雄二郎・木村礎編『村落・報徳・地主制：日本近代の基底』東洋経済新報社，1976.
ナジタ，テツオ『Doing 思想史』平野克弥編訳，みすず書房，2008.
――.「商いの語り：日常から生まれたディスクール」，栗原彬・小森陽一他編『語り：つむぎだす（越境する知２）』，19-48頁，東京大学出版会，2000-2001.
――.「徳川時代後期の通俗経済と時間」，『文学』，41-48頁，岩波書店，1997春.
ナジタテツオ・前田愛・神島二郎編『戦後日本の精神史：その再検討』岩波書店，2001.
奈良本辰也『近世封建社会史論』高桐書院，1948.
――.『二宮尊徳』岩波書店，1959.
奈良本辰也・中井信彦校注，家永三郎・石母田正・井上光貞・相良亨・中村幸彦・尾藤正英・丸山眞男・吉川幸次郎編集『日本思想大系52 二宮尊徳・大原幽学』岩波書店，1973.
西日本銀行創立四十年史編纂委員会編『普銀転換への道：西日本銀行四十年史』1985.
西日本相互銀行企画課編『西日本相互銀行十年史』西日本相互銀行，1954.
『日本科学技術史大系 第24巻（医学Ｉ）』第一法規，1964.
日本経済新聞社編『北斎』日本経済新聞社，2005.
日本経済叢書刊行会編『通俗経済文庫』全12巻，1916.
『日本随筆大成』全41巻（旧版），吉川弘文館，1927-1931.
日本生命保険相互会社社史編纂室『日本生命九十年史』日本生命保険相互会社，1980.
日本生命保険相互会社社史編纂室『日本生命百年史』日本生命保険相互会社，1987.

ノーマン，E・H『忘れられた思想家：安藤昌益のこと』，大窪愿二訳，岩波書店，1950.
萩原延壽『遠い崖：サトウ日記抄』全14巻，東京朝日新聞社，1980-2001.
原口清『明治前期地方政治史研究』塙書房，1974.
原田種夫『二宮佐天荘主人四島一二三伝』福岡相互銀行，1966.
半田市史編纂委員会編『半田市史：文化財編』愛知県半田市，1977.
平田東助・杉山孝平「信用組合論」，『協同組合の名著 第1巻』家の光協会，1970.
「貧福弁」（執筆年不詳），日本経済叢書刊行会編『通俗経済文庫 巻3』，311-85頁，1916.
「貧富裸記」，日本経済叢書刊行会編『通俗経済文庫 巻7』，127-56頁，1916.
福澤諭吉『福翁自伝』慶應通信，1958.
福住正兄「富国捷径」，佐々井信太郎他編『二宮尊徳全集 第36巻』，13-189頁，龍渓書舎，1977.
——.「報徳学内記」，佐々井信太郎他編『二宮尊徳全集 第36巻』，858-922頁，龍渓書舎，1977.
福住正兄編『二宮翁夜話』報徳文庫，1987.
福山昭『近世農村金融の構造』雄山閣出版，1975.
武陽隠士『世事見聞録』本庄栄治郎校訂，青蛙房，1966.
平安堂菓林翁「子孫寶草」（執筆年不詳），『通俗経済文庫 巻10』.
法律新聞社編『無尽と貯蓄銀行』法律新聞社，1915.
北斎館編『葛飾北斎』北斎館，1987.
松本由隆『市民自治と市民防災：阪神・淡路大震災から見えてくるもの』柘植書房新社，2003.
三浦晋著，梅園会編『梅園全集』全2巻，弘道館，1912.
三浦梅園「多賀墨郷君にこたふる書」，『三浦梅園集』岩波書店，1953.
三浦周行『法制史の研究』岩波書店，1958.
南弘道『無尽金融の社会的基礎』先進社，1931.
宮川康子『富永仲基と懐徳堂：思想史の前哨』ぺりかん社，1998.
宮崎道三郎『宮崎先生法制史論集』中田薫編，宮崎道三郎研究会，1929.
宮西一積「報徳仕法史」，『現代版報徳全書』一円融合会，1956.
——.『二宮哲学の研究』理想社，1969.
武者小路実篤『伝記二宮尊徳』福村出版，1966.
室田保夫「ハワイ時代の小林参三郎：一九世紀末から二〇世紀初頭のハワイホノルルを中心に」，『関西学院大学社会学部紀要102』，49-68頁，2007年3月.
茂庵老人「町人常の道」（1734），日本経済叢書刊行会編『通俗経済文庫 巻1』，81-106頁，1916.
木南子「商売教訓鑑」（執筆年不詳），日本経済叢書刊行会編『通俗経済文庫 巻1』，159-78頁，1916.
木南堂「立身始末鑑」（1792），日本経済叢書刊行会編『通俗経済文庫 巻1』，201-320頁，1916.
『森嘉兵衛著作集』全10巻，法政大学出版局，1974-2003.

――.「無尽金融史論」,『森嘉兵衛著作集 第 2 巻』法政大学出版局, 1982. 最初の発表は1962年,『興産相互銀行二十年史』として.
森静朗『庶民金融思想史体系 3 』日本経済評論社, 1981.
盛田昭夫『盛田家文書目録』序文, 全 2 巻, 鈴渓学術財団編, 1987.
守田常直編集兼発行『如水弘世助太郎翁』大阪如水翁敬慕会, 1940.
八木繁樹『報徳運動一〇〇年のあゆみ』緑蔭書房, 1987.
――.『二宮先生語録:二宮尊徳生誕二百年記念』大日本報徳社, 1987.
――.「二宮尊徳思想の現代的意義」, 斉藤仁監修『今日に生かす協同思想:危機克服への提言』, 167-204頁, 家の光協会, 1984.
安沢みね「庶民金融史に寄せて:森嘉兵衛「無尽金融史論」」,『経済研究』vol. 34, no. 32, 77-80頁, 一橋大学経済研究所, 1983.
保田次郎「社会的制度上ヨリ観察シタル頼母子講」,『國家學會雑誌』第17巻第200号および202号, 1-16, 104-21頁, 有斐閣, 1903.
柳井市史編纂委員会編『柳井市史 通史編』柳井市史編纂委員会, 1984.
柳田國男「時代ト農政」,『定本柳田國男集 第16巻』筑摩書房, 1968-71.
矢部貞治「日本政治民主化の課題」, 社会思想研究会編『再建の原理と社会思想』実業之日本社, 1948.
矢部貞治「協同主義の政治理論」,『協同主義 別輯 1 』, 1-51頁, 協同主義協會, 1947.
山崎実『高井鴻山物語』高井鴻山記念館, 1995.
山崎益吉「近代群馬の民衆思想」, 高崎経済大学附属産業研究所編『近代群馬の民衆思想:経世済民の系譜』日本経済評論社, 2004.
由井健之助『頼母子講と其の法律関係』岩波書店, 1935.
湯川秀樹「生活の工夫」,『昭和の農村』, 323頁, 家の光協会, 1988(1920年代の随筆特別号).
横川四郎編「二宮尊徳集」,『近世社會經濟學說大系 第 4 』誠文堂新光社, 1935.
横山源之助『日本の下層社会』岩波書店, 1949, 再版1971.
吉澤新作編『無尽実務講習録』全 2 巻, 全国無尽集会所, 1935.
吉地昌一編著『二宮尊徳全集』全 7 巻, 福村書店, 1957-60.
脇坂義堂「開運出世伝受」(1790年代), 日本経済叢書刊行会編『通俗経済文庫 巻 6 』, 179-224頁, 1916.
――.「かねもうかるの伝受」(執筆年不詳), 日本経済叢書刊行会編『通俗経済文庫 巻 4 』, 1-48頁, 1916.
――.「教の小づち」, 日本経済叢書刊行会編『通俗経済文庫 巻 2 』, 45-90頁, 1916.
和田耕作『安藤昌益と三浦梅園』甲陽書房, 1992.
和田耕斎「教訓絵入 暗路の指南車」(1846), 日本経済叢書刊行会編『通俗経済文庫 巻 6 』, 225-68頁, 1916.
渡辺利春『二宮尊親の北海道開拓』, 龍渓書舎, 1979.
渡辺守順『近江商人』教育社, 1980.

原　注

第１章　徳の諸相

（１）三宅石庵の論文「論孟首章講義」（『懐徳堂遺書』所収，松村文海堂，1911）を私が翻訳したものは，Theodore W. deBary et al., eds., *Sources of Japanese Tradition* (New York: Columbia University Press, 2001–5), 2: 271–81, esp. 272, 274, 279；*Visions of Virtue in Tokugawa Japan: The Kaitokudō Academy of Osaka* (Chicago: University of Chicago Press, 1987; repr., Honolulu: University of Hawai'i Press, 1997), 86–94〔『懐徳堂：18世紀日本の「徳」の諸相』子安宣邦訳（岩波書店，1992），141–155頁〕も参照.

（２）海保青陵の「升小談」は『日本経済大典 第27巻』滝本誠一編集（明治文献，1969）；Najita, *Visions of Virtue*, 222–27, 248–84〔『懐徳堂』，361–371，404–457頁〕も参照.

（３）中井竹山の "Items of Understanding" は *Source of Japanese Tradition* (deBary et al), 2: 280; Najita, *Visions of Virtue*, 154–55〔『懐徳堂』，253–254頁〕も参照.

（４）小倉栄一郎『近江商人の系譜』（日本経済新聞社，1980）；渡辺守順『近江商人』（教育社，1980）．近江商人については，丸紅，伊藤忠商事，西武など近代的な企業もあり，別途研究が必要だが，まだ手をつけていない．

（５）ここでの叙述では，私は1868年の革命的なできごとを「復古」ではなく「維新」と表現した．「維新」は近代のはじまりを画し，日本の歴史研究では広く使われている表現だ．「復古」が正確にいつ明治「維新」の訳語として受け入れられるようになったのかは不明だが，アーネスト・サトウ（1843–1929. 1860年代はイギリスの外交官，1890年代半ば以降は駐日公使）は，これが，明治維新につながる内戦によって，権力の座についた男たちが好んだ表現だったという重要な洞察を示している．しかし，当時の事件を目の当たりにしたサトウらは，維新を復古などではなく，革命と見ていた．ロンドンにいたアジア専門家であった友人Ｆ・Ｖ・ディケンズに送った1895年４月15日付の書簡でサトウは，以下のように書いている．

　あなたが書簡で触れていた1868年の事件は復古なのか革命なのかという点ですが，私は，後者がこの時代を最もよく表しているものであり，前者はこの時代の指導者であった男性たちがスローガンとして好んで使いたがったものだというあなたの意見に同感です．ある階級からその下の階級へと権力と資産が移行したことを考えると，それが革命でないとするのは難しいでしょう．現在の指導者たちは誰だと思いますか？　彼らは，普通の侍で，地位も収入もなかった人たちです．あなたも私に

同意してくれるものと確信していますが，名称に大きな重要性が伴っているわけではありません．ただ，確実に言えることは，江戸が東京に，ミカドが皇帝（天皇）に取って代わった――というのも，日本人がそちらの方を好み，私たちヨーロッパ人は日本人に対する礼儀としてそれに従ってきたのですが――ような変化が起こるまでは，これまで起きてきたことを目撃した私たちの口に自然に出てくるのは革命であって，それ以外の言葉ではないのです（Satow Papers, 30/33/11/6, Public Record Office, London.『遠い崖：サトウ日記抄』（全14巻，東京朝日新聞社，1980-2001）の著者，萩原延壽氏のご好意による）．

アンドルー・ゴードンは，西洋の歴史家のなかで，明治維新を明治革命と見なしている研究者．*A Modern History of Japan: From Tokugawa to the Present* (New York: Oxford University Press, 2003〔『日本の200年：徳川時代から現代まで』新版（みすず書房，2013)〕．

（6） 日本生命保険相互会社社史編纂室『日本生命百年史』（日本生命保険相互会社，1987），32-34頁．

（7） 「多賀信仰」編纂委員会編『多賀信仰』（多賀大社社務所，1986），149頁．

（8） 『日本生命百年史』，32-34頁；守田常直他編『如水弘世助太郎翁』（大阪如水翁敬慕会，1940），18-24頁；日本生命保険相互会社社史編纂室『日本生命九十年史』（日本生命保険相互会社，1980），10-13頁．

（9） 私の論文 "Ambiguous Encounters: Ogata Kōan and International Studies in Late Tokugawa Osaka," in *Osaka: The Merchants' Capital of Early Modern Japan*, ed. James L. McClain and Osamu Wakita (Ithaca, N. Y.: Cornell University Press, 1999), 212-42, esp. 231, 240.

（10） Fukuzawa Yukichi, *The Autobiography of Fukuzawa Yukichi*, trans. Eiichi Kiyooka (New York: Madison Books, 1992), 261-63；福澤諭吉『福翁自伝』（慶應通信，1958），131-33頁；Najita, "Ambiguous Encounters," 213-42 も参照．

（11） Wlad Godzich, foreword to Michel de Certeau, *Heterologies: Discourse on the Other* (Minneapolis: University of Minnesota Press, 1989), xiii.

（12） Clifford Geertz, *The Interpretation of Cultures: Selected Essays* (New York: Basic Books, 1973), 3-30〔ギアーツ『文化の解釈学 I』吉田禎吾・中牧弘允・柳川啓一訳（岩波書店，1987），3-56頁〕．

（13） Robert N. Bellah, *Tokugawa Religion: The Cultural Roots of Modern Japan* (Glencoe, Ill.: Free Press, 1957)〔ベラー『徳川時代の宗教』池田昭訳（岩波書店，1996)〕; Irwin Scheiner, "Benevolent Lords and Honorable Peasants: Rebellion and Peasant Consciousness," in *Japanese Thought in the Tokugawa Period, 1600-1868: Methods and Metaphors*, ed. Tetsuo Najita and Irwin Scheiner (Chicago: University of Chicago Press, 1978), 39-62; Thomas C. Smith, *Agrarian Origins of Modern Japan* (Stanford, Calf.: Stanford University Press, 1959)〔スミス『近代日本の農村的起源』大塚久雄訳（岩波書店，2007)〕; Anne Walthall, *Social Protest and Popular Culture in Eighteenth-Century Japan* (Tuc-

son: University of Arizona Press, 1986).

(14) 桜井徳太郎『講集団成立過程の研究』(吉川弘文館, 1962) ; Irokawa Daikichi, "The Survival Struggle of the Japanese Community," *Japan Interpreter* (spring 1975): 465-94；色川大吉「日本の民衆運動の特徴について」『世界』(岩波書店, 1986年2月), 195-205頁.

(15) 森嘉兵衛「無尽金融史論」『森嘉兵衛著作集 第2巻』(法政大学出版局, 1982).

(16) 森静朗『庶民金融思想史体系3』(日本経済評論社, 1981).

(17) 新潟市郊外の医者宅にあった巻物から引用. 文言は教義あるいは禅宗からの引用を訳したものかもしれない.

第2章　常識としての知識

(1) 盛田昭夫（ソニー株式会社元会長）が, 鈴渓学術財団編『盛田家文書目録』全2巻（鈴渓学術財団, 1987）に寄せた序文.

(2) 半田市史編纂委員会編『半田市史 文化財編』(愛知県半田市, 1977).

(3) 『半田市史』, 258-398頁, とくに297-98頁；Thomas C. Smith, "Ōkura Nagatsune and the Technologists," in his *Native Sources of Japanese Industrialization, 1750-1920* (Berkeley: University of California Press, 1988), 173-98.

(4) 多摩地区への視察にもとづくこの観察は色川大吉教授のご好意による.

(5) 驚くべきことに, そして非常に印象的なことに, 北斎は, どこよりも長く住んだこの地で数多くの作品を制作した. かれは90年の生涯で90カ所に住んだ. 人生の終盤にさしかかったら絵やスケッチを描くことが, 特別の徳として自分にあたえられた使命であると, 50代になってはじめて理解した, と書いている. それは, 大小を問わず何かしらの精神と命をとらえることだった. かれはさらに70代になり, みずからの特別の使命を写実的な素描において達成し, 100歳になるまで, もし神のご加護があれば110歳になるまで, 一作品ずつ描きつづけると述べている. 北斎は小布施で比較的落ち着いた生活を送った. 北斎館編『葛飾北斎』(北斎館, 1987)；日本経済新聞社編『北斎』(日本経済新聞社, 2005).

(6) 山崎実『高井鴻山物語』(高井鴻山記念館, 1995).

(7) Brian Stock, *Listening for the Text: On the Uses of the Past* (Baltimore: Johns Hopkins University Press, 1990), 119-20, 144-59; Brian Stock, *The Implications of Literacy: Written Languages and Models of Interpretation in the Eleventh and Twelfth Centuries* (Princeton, N.J.: Princeton University Press, 1983). また, ロナルド・ドーア (Ronald Dore) の画期的な著作, *Education in Tokugawa Japan* (Berkeley: University of California Press, 1965)〔ドーア『江戸時代の教育』松居弘道訳（岩波書店, 1970)〕を参照.

(8) Michel de Certeau, *The Practice of Everyday Life* (Berkeley: University of California Press, 1988); Michel de Certeau, *The Writing of History* (New York: Columbia University Press, 1988), 1-113.

(9) E. P. Thompson, "Time, Work-Discipline, and Industrial Capitalism," *Past and Present*

38 (1972): 55-87.

(10) 日本経済叢書『通俗経済文庫』全12巻（日本経済叢書刊行会編，1916）．これらの巻はそのまま滝本誠一編『日本経済大典』全54巻（明治文献）の補遺第6巻に所収．私の引用は『通俗経済文庫』による．この問題について私は二つの小論，「徳川時代後期の通俗経済と時間」「商いの語り：日常から生まれたディスクール」を執筆した．

(11) Bellah, *Tokugawa Religion*〔ベラー『徳川時代の宗教』〕; Janine Sawada, *Practical Pursuits: Religion, Politics, and Personal Cultivation in Nineteenth-Century Japan* (Honolulu: University of Hawai'i Press, 2004).

(12) 和田耕斎「教訓絵入　暗路の指南車」（1846）『通俗経済文庫　巻6』，225-68頁；釈雲解「生財弁」（1829）『通俗経済文庫　巻2』，7-44頁；平安堂菓林翁「子孫寶草」（執筆年不詳）『通俗経済文庫　巻10』，1-76頁．

(13) 富永仲基については，宮川康子『富永仲基と懐徳堂：思想史の前哨』（ぺりかん社，1998）；Najita, *Visions of Virtue*, 101-22〔『懐徳堂』，168-199頁〕を参照．

(14) 和田「暗路の指南車」『通俗経済文庫　巻6』，227-28頁．

(15) 茂庵老人「町人常の道」（1734）『通俗経済文庫　巻1』，81-106頁；中川有恒「貧富裸記」（執筆年不詳）『通俗経済文庫　巻7』，127-56頁．

(16) Tetsuo Najita, "Interpreting the Historicism of Ogyū Sorai," in *Tokugawa Political Writings*, ed. Tetsuo Najita (Cambridge: Cambridge University Press, 1998), xiii-liv を参照．

(17) 茂庵「町人常の道」『通俗経済文庫　巻1』，81-89頁；東白「米穀売買出世車」（1748）『通俗経済文庫　巻1』179-240頁；上原無休「世間銭神論」（執筆年不詳）『通俗経済文庫　巻6』，1-40頁；中川「貧富裸記」『通俗経済文庫　巻7』，127-56頁；大玄子「商家秘録」（執筆年不詳）『通俗経済文庫　巻8』，213-80頁．

(18) 脇坂義堂「教の小づち」（執筆年不詳）『通俗経済文庫　巻2』，45-90頁，とくに50-59頁．この詩的な部分は商人に広く知られ，西川如見（1648-1724）の「町人嚢」のように，庶民の教員も引用した；脇坂「貧福弁」（執筆年不詳）『通俗経済文庫　巻3』，311-85頁も参照．

(19) 脇坂「貧福弁」『通俗経済文庫　巻3』，71-76頁．宇宙的自然と行動については，常盤潭北「野総茗話」（1779）『通俗経済文庫　巻9』，111-90頁でも詳細に論じられている．

(20) 脇坂「かねもうかるの伝受」（執筆年不詳）『通俗経済文庫　巻4』，1-48，とくに1-14，37-43頁．

(21) 脇坂「開運出世伝受」（1790年代）『通俗経済文庫　巻6』，179-224頁，とくに190-94頁；木南堂「立身始末鑑」（1792）『通俗経済文庫　巻1』，201-320頁；上原「世間銭神論」『通俗経済文庫　巻6』，1-40頁．

(22) 茂庵「町人常の道」『通俗経済文庫　巻1』，81-85頁；木南堂「立身始末鑑」『通俗経済文庫　巻1』，301-20頁；上原「世間銭神論」『通俗経済文庫　巻6』，1-40頁．

(23) 茂庵「町人常の道」『通俗経済文庫　巻1』；釈雲解「生財弁」『通俗経済文庫　巻2』，27-44頁；常磐潭北「野総茗話」（1779）『通俗経済文庫　巻9』，111-90頁．

(24)　Najita, *Visions of Virtue*, 248–84〔『懐徳堂』，404–457頁〕を参照.
(25)　同書.
(26)　同書，222–47頁．貨幣は個人的であると同時に社会的な所有であり，「万人」に帰属する，とする蟠桃と直方の考えは，松柏軒「貴賤心躰直し」（執筆年不詳）『通俗経済文庫 巻11』，251–94頁でも述べられている．読み書き能力と知識の重要性に関しては，平安堂菓林翁「子孫寶草」『通俗経済文庫 巻10』，1–76頁を参照.
(27)　辻慶儀「養生女之子算」（1833）『通俗経済文庫 巻4』，305–20頁.
(28)　脇坂「貧福弁」『通俗経済文庫 巻3』，311–18頁；木南堂「立身始末鑑」『通俗経済文庫 巻1』，308–9頁.
(29)　J. G. A. Pocock, "Modes of Political and Historical Time in Early Eighteenth Century England," *Studies in Eighteenth Century Culture* 5 (1976): 87–102.
(30)　手島堵庵「町人身体はしら立」（1770および1802）『通俗経済文庫 巻1』，241–86頁.
(31)　木南堂「立身始末鑑」『通俗経済文庫 巻1』，301–2頁.
(32)　同書.
(33)　「町人身体はしら立返答」（1773）『通俗経済文庫 巻1』，288–300頁；鉄砲庵滅法弥八「珍寶山金のなる木」『通俗経済文庫 巻5』，301–14頁.
(34)　「町人身体はしら立返答」『通俗経済文庫 巻1』，289–90頁.
(35)　同書，291–92頁.
(36)　同書，296–99頁.
(37)　上原「世間銭神論」『通俗経済文庫 巻6』，とくに38–39頁.
(38)　東白「米穀売買出世車」『通俗経済文庫 巻1』，179–240頁.
(39)　「町人身体はしら立返答」『通俗経済文庫 巻1』，288–300頁；東白「米穀売買出世車」『通俗経済文庫 巻1』；上原「世間銭神論」『通俗経済文庫 巻6』，17–30頁.
(40)　海保青陵「洪範談」『日本経済大典 第27巻』，389–556頁；「富貴談」『日本経済大典 第27巻』，557–82頁；「善中談」『日本経済大典 第27巻』，3–33，とくに32–33頁．私が青陵に関心をもったのは，*Japanese Thought in the Tokugawa Period, 1600–1868: Methods and Metaphors*, ed. Tetsuo Najita and Irwin Scheiner (Chicago: University of Chicago Press, 1978) 所収の "Method and Analysis in the Conceptual Portrayal of Tokugawa Intellectual History" で「稽古談」について論じたことにはじまる.
(41)　海保「天王談」『日本経済大典 第27巻』，34–65，とくに44頁；「洪範談」『日本経済大典 第27巻』，418頁.
(42)　Tetsuo Najita, "Political Economism in the Thought of Dazai Shundai (1680–1747)," *Journal of Asian Studies* 31 (1972): 821–39; Najita, "Interpreting the Historicism of Ogyū Sorai," xii–liv.
(43)　「他（他者）ばかり見えて，自分見え（ず）」．海保「養心談」『日本経済大典 第27巻』，93–121，とくに118頁.
(44)　海保「万屋談」『日本経済大典 第27巻』，66–92，とくに79頁；海保「養心談」『日本経済大典 第27巻』，95頁.

(45) 海保「善中談」『日本経済大典 第27巻』, 3-33頁.
(46) これは青陵の「善中談」を貫くテーマである.
(47) 海保「善中談」『日本経済大典 第27巻』, 31-32頁.
(48) 同上, 7-9頁.
(49) 海保「論民談」『日本経済大典 第27巻』, 150-82, とくに150頁.
(50) 同上, 150, 179-81頁;海保「前識談」『日本経済大典 第27巻』, 148-49頁;「善中談」『日本経済大典 第27巻』, 10-11頁.
(51) 海保「善中談」『日本経済大典 第27巻』, 10頁.
(52) 同書, 33頁.
(53) 海保「前識談」『日本経済大典 第27巻』, 122-49, 148-49頁.
(54) 東白「米穀売買出世車」『通俗経済文庫 巻1』, 179-240, 174-75頁;釈雲解「生財弁」『通俗経済文庫 巻2』, 27-44頁.
(55) 茂庵「町人常の道」『通俗経済文庫 巻1』, 81-106頁. 上原「世間銭神論」『通俗経済文庫 巻6』, 17-38頁.
(56) Najita, *Visions of Virtue*, 235-45〔『懐徳堂』, 383-398頁〕を参照.
(57) 茂庵「町人常の道」『通俗経済文庫 巻1』, 84頁. 合意における「誠」というテーマはさまざまな書物でとり上げられている.
(58) 同書, 86頁.
(59) 同書, 81-86頁. 木南子「商売教訓鑑」(執筆年不詳)『通俗経済文庫 巻1』159-78, とくに174頁.

第3章 組織原理としての講

(1) 柳井市史編纂委員会編『柳井市史 通史編』(柳井市史編纂委員会, 1984), 221, 380-83頁.
(2) 井上隆三郎『筑前宗像の定礼:健保の源流』(西日本新聞社, 1979), 32-34, 53-54, 159-60, 248頁.
(3) 同書, 146-47, 159-60頁. 1880年代, 27万人以上がコレラで死亡している.『日本科学技術史大系 第24巻』(医学I)(第一法規, 1964), 26-33頁.
(4)『日本科学技術史大系 第24巻』, 159-60頁.
(5) Yanagida Kunio, *Japanese Manners and Customs in the Meiji Era* (Tokyo: Ōbunsha, 1957), 301(『明治文化史 第13巻 風俗』(第13巻編纂委員柳田國男, 原書房, 1979);桜井徳太郎『講集団成立過程の研究』(吉川弘文館, 1962);桜井編『山岳宗教と民間信仰の研究』(名著出版, 1976).『山岳宗教と民間信仰の研究』には, 宮田登, 柳川啓一, 勝守すみなどの著名な学者による小論が豊富に収められている.
(6) John F. Embree, *Suye Mura, a Japanese Village* (Chicago: University of Chicago Press, 1964), 317, 138-57〔エンブリー『日本の村 須恵村』(日本経済評論社, 2005), 135頁〕; Robert J. Smith and Ella Lury Wiswell, *The Women of Suye Mura* (Chicago: University of Chicago Press, 1982), 38-42. 宮城県のある村における相互扶助としての

講については，以下を参照．Richard H. Moore, *Japanese Agriculture: Patterns of Rural Development* (Boulder, Colo.: Westview Press, 1990), 32–35.

（7） Embree, *Suye Mura*, 138〔エンブリー『日本の村 須恵村』，127頁〕．また，Arthur H. Smith, *Village Life in China: A Study in Sociology* (New York: Fleming H. Revell, 1899), 152–60も参照のこと．これは講とまったくおなじ「協同組合貸付結社」について記述したもの．

（8） Lien-sheng Yang, *Money and Credit in China: A Short History* (Cambridge, Mass.: Harvard University Press, 1952), 71–91; Lien-sheng Yang, *Studies in Chinese Institutional History* (Cambridge, Mass.: Harvard University Press, 1961), 198–215. 池田竜蔵は『支那の無尽に関する研究』（無盡之研究社，1930），1–15頁で，中国とインドの相互扶助組織のあいだに密接な類似性があることを述べている．池田はまた，『稿本無尽の実際と学説』（大鐙閣，1918），357–65頁で，中国，朝鮮，日本の相互扶助組織についても同様の類似性について述べている．かれはさらに，ヨーロッパ諸国における相互扶助組織でおこなったように，アジア以外でも比較をしている．

（9） 尾崎闢太郎『朝鮮無盡沿革史』（京城：朝鮮無盡協會，1934），4–7頁；Smith, *Village Life in China*, 152，その他各所，Hsiao-tung Fei, *Peasant Life in China* (Chicago: University of Chicago Press, 1939)；宮崎道三郎『宮崎先生法制史論集』中田薫編（宮崎道三郎研究会，1929)．ジェームズ・パレ（James Palais）は，*Confucian Statecraft and Korean Institutions* (Seattle: University of Washington Press, 1996), 567, 713–56 で，とくに李朝後期の統治とかかわっていたことから，契（「地域社会における協定」）について論じている．

（10） Russell Lee, "The Perils of Success: Chinese in Jamaica" (PhD diss., Harvard University, 1979).

（11） 奥泉栄三郎監修『初期在北米日本人の記録 布哇編』（1900年代はじめ，文成社．昭和10年刊の電子復刻版は文生書院，2003–2008）第3冊，291–95頁．また，第1冊，452–508, 560–64頁; John Derby, "The Role of *Tanomoshi* in Hawaiian Banking" (master's thesis, Pacific Coast Banking School, University of Washington, 1971); Ruth N. Masuda, "The Japanese 'Tanomoshi,'" *Social Process in Hawaii* 3 (1937): 16–17; 室田保夫「ハワイ時代の小林参三郎：一九世紀末から二〇世紀初頭のハワイ・ホノルルを中心に」『関西学院大学社会学部紀要』102（2007年3月），49–68頁；Eriko Yamamoto, "The Evolution of an Ethnic Hospital in Hawai'i: Kuakini" (PhD diss., University of Hawai'i, 1988).

（12） Karen Tei Yamashita, *Brazil-Maru* (Minneapolis: Coffee House Press, 1992), 20. 1998年に，ブラジルはサンパウロにある日系ブラジル人文化美術館に行き，この記述を確認した．

（13） Susan Tax Freeman, "Egalitarian Structures in Iberian Social Systems: The Contexts of Turn-Taking in Town and Country," *American Ethnologist* (August, 1987)，および Ruth Behar, *Santa Maria del Monte: The Presence of the Past in a Spanish Village* (Princeton, N.J.: Princeton University Press, 1986).

(14) 渋谷隆一編著『明治期日本特殊金融立法史』(早稲田大学出版部，1977)，381頁；池田竜蔵『稿本無尽の実際と学説』(大鐙閣，1918)，27-33頁．

(15) 中田薫「頼母子の起源」『国家学会雑誌』第17巻第202号 (1903)，28-50頁；保田次郎「社会的制度上ヨリ観察シタル頼母子講」『国家学会雑誌』第17巻第200号および202号 (1903)，1-16，104-21頁．こうした初期の論文は由井健之助『頼母子講と其の法律関係』(岩波書店，1935)，および三浦周行『法制史の研究』(1919) (岩波書店，1958)，936-46頁で要約，展開されている．

(16) 池田『稿本無尽の実際と学説』；沖縄県理財課『貸金業及模合関係書類 1954年度琉球政府』(1954年度貸金業及模合関係書類 第15号第1種，理財課)．

(17) 由井『頼母子講と其の法律関係』；栗栖赳夫『無尽及無尽会社論』(文雅堂，1922)，とくに24-25頁；三浦『法制史の研究』；中田「頼母子の起源」，28-50頁；保田「社会的制度上ヨリ観察シタル頼母子講」，1-16，104-20頁．

(18) 池田『稿本無尽の実際と学説』；中田「頼母子の起源」．

(19) 喜多村節信「嬉遊笑覧」『日本随筆大成 第27巻』(吉川弘文館，1929)．

(20) 同書，487-97頁．

(21) 同上．

(22) 同書，4，27，497-99頁．

(23) 同上．

(24) 海保青陵「善中談」『日本経済大典 第27巻』，26-27頁；および海保「稽古談」塚谷晃弘・蔵並省自校注，家永三郎・石母田正・井上光貞・相良亨・中村幸彦・尾藤正英・丸山眞男・吉川幸次郎編集『日本思想大系44 本多利明・海保青陵』(岩波書店，1970)，215-347，とくに243-68頁．私は「稽古談」における青陵の思想について，*Method and Analysis in the Conceptual Portrayal of Tokugawa Thought*, eds. Tetsuo Najita and Irwin Scheiner (University of Chicago Press, 1978), 23-27で論じている．

(25) 海保「善中談」，26-27頁；「稽古談」，215-347，とくに243-68頁．

(26) 青陵は幕府を批判的に評価していたが，地方での取引や商人の経営は中央を活性化させると考えていた．かれはつねに，地方の藩が全体を正す重要な制度的空間であると考えていた．青陵は徳川幕府を打倒しようとする運動に先立って，歴史的な考え方をしていたのではないだろうか．資金を集めるために講を利用した津山などの藩にかんする青陵の解説は以下．Arne Kalland, “A Credit Institution in Tokugawa Japan: The Ura-Tamegin Fund of Chikuzen Province,” *Europe Interprets Japan,* ed. Gordon Daniels (Kent: Paul Norbury, 1984), 3-251，および Arne Kalland, “Rural Credit Institutions in Tokugawa Japan” (1986年5月19-24日に軽井沢でおこなわれたシンポジウム “Preconditions of the Industrialization in Japan” のための論文) も参照．

(27) 中村政栄『長崎無尽物語 利廻算法』池田竜蔵編 (無尽学会，全国無尽集会所発行，1935)；河井正『相互銀行解説』(無尽界社，1957)，183-87頁；『日本人名大辞典』(平凡社，1979)，607頁も参照．

(28) 森嘉兵衛「無尽金融史論」『森嘉兵衛著作集 第2巻』(法政大学出版局，1982)，104-227頁．

(29) Najita, *Visions of Virtue*, 227-48〔『懐徳堂』, 371-404頁〕を参照. 百姓一揆で示されたような貧困をマクロ的に数値で表したものとしては, 青木虹二『百姓一揆の年次的研究』(新生社, 1966).

(30) 武陽隠士『世事見聞録』(青蛙房, 1966), 292-313頁.

(31) 同書, 283-85頁.

(32) 同書, 99-107, 189-239, 241-46, 287-89頁.

(33) 森「無尽金融史論」『森嘉兵衛著作集 第2巻』, 110-41頁.

(34) 子安宣邦『伊藤仁斎：人倫的世界の思想』(東京大学出版会, 1982)；John Allen Tucker, *Itō Jinsai's Gomō jigi and the Philosophical Definition of Early Modern Japan* (Boston: Brill, 1988); Najita, *Visions of Virtue*, 25-55〔『懐徳堂』, 42-91頁〕を参照.

(35) E. H. Norman, *Ando Shōeki and the Anatomy of Japanese Feudalism* (1949; repr., Bethesda, Md.: University Publications of America, 1979)〔ノーマン『忘れられた思想家：安藤昌益のこと』岩波書店, 1950〕; Toshinobu Yasunaga, *Ando Shōeki: Social and Ecological Thinker in Eighteenth-Century Japan* (New York: Weatherhill, 1992)； Najita, "Ando Shōeki: 'The Forgotten Thinker' in Japanese History," in *Learning Places: The Afterlives of Area Studies*, ed. Masao Miyoshi and H. D. Harootunian (Durham, N. C.: Duke University Press, 2002), 61-79.

(36) 荒木見悟・井上忠校注, 家永三郎・石母田正・井上光貞・相良亨・中村幸彦・尾藤正英・丸山眞男・吉川幸次郎編集『日本思想大系 34　貝原益軒・室鳩巣』(岩波書店, 1970)；Mary Evelyn Tucker, *Moral and Spiritual Cultivation in Japanese Neo-Confucianism in the Life and Thought of Kaibara Ekken* (Albany: State University of New York Press, 1989); Mary Evelyn Tucker, *The Philosophy of Qi: The Record of Great Doubts, Kaibara Ekken* (New York: Columbia University Press, 2007). 私も, "Intellectual Change in Early Eighteenth-Century Tokugawa Confucianism," *Journal of Asian Studies* 34 (August 1975): 931-44で, 貝原益軒について執筆した.

(37) このように, あらゆる知識は自然に関連する. この原則は,『夢之代』で山片蟠桃が天文学を刺激的にとらえた基盤であり, 地理と社会を相対的な条件で把握している. Tetsuo Najita, "History and Nature in Eighteenth-Century Tokugawa Thought," in *The Origins of Early Modern Japan*, vol. 4 of *The Cambridge History of Japan*, ed. John Whitney Hall (Cambridge: Cambridge University Press, 1992), 596-659; Najita, *Visions of Virtue*, 248-84〔『懐徳堂』, 404-457頁〕を参照.

(38) 三浦晋著, 梅園会編『梅園全集 第2巻』(弘道館, 1912)；中尾弥三郎他編著『三浦梅園外伝 逝去二百年記念集』(三浦梅園研究会, 1988)；島田虔次・田口正治校注, 家永三郎・石母田正・井上光貞・相良亨・中村幸彦・尾藤正英・丸山眞男・吉川幸次郎編集『日本思想大系 41』(岩波書店, 1982)；Rosemary Mercer, *Deep Words: Miura Baien's System of Natural Philosophy* (New York: Brill, 1991). 三浦梅園と同時代人であった安藤昌益が離れた土地に居住していたにもかかわらず, ふたりの思想に共通点があることは興味深い. 和田耕作『安藤昌益と三浦梅園』(甲陽書房, 1992) を参照.

(39) 梅園は幼いころ，中津藩でも学んでいる．中津藩は福澤諭吉が居住し，初級教育を受けた地である．中尾の『三浦梅園外伝　逝去二百年記念集』は，そのほとんどが梅園の学友と生徒についての議論から成っている．田口正治『三浦梅園』（吉川弘文館，1967），148-234頁を参照．

(40) 帆足万里は数学と外国語の習得を奨励した．かれは教育について執筆し，外国語や翻訳研究，物理，数学，仏教などもふくめた，大学または美術と科学の「大学校」（学芸大学校）が必要であるとした．この概要は，福澤諭吉が10年後に慶應義塾大学を創立した際のモデルとなった．Najita, *Visions of Virtue*, 180-182〔『懐徳堂』，293-297頁〕を参照．

(41) 梅園会編『梅園全集 第2巻』（名著刊行会，1970），165-78頁；森静朗『庶民金融思想史体系1』（日本経済評論社，1977），27-35頁；田口『三浦梅園』（人物叢書新装版，吉川弘文館，1989）．

(42) 社会的有用性にもとづく梅園の貨幣理論は徂徠の理論に近い．徂徠も，貨幣は一般大衆に「有用」であるべきで，単に金属的な希少性の原則だけで価値を判断されるべきではないと論じた．一方，梅園は徂徠の教えの追随者ではなく，第一原理としての自然は古典の原書よりも優先すべきものだった．徂徠は，自然は不可知であり，それゆえに規範として信頼できるものではないとした．これに対して梅園は，最近のものであれ，昔のものであれ，歴史文献に頼ることなく，自然をもっと容易に理解することができると考えた．したがって解釈上の問題では，梅園は貨幣にかかわる論点について徂徠とは異なっていた．梅園は山村に暮らした地方の医者であり，社会的有用性にもとづいたかれの貨幣理論は，食物を生産し，飢饉などの災害に見舞われる恐れにつねにさらされながら生きる村人の生活に根を下ろしたものだった．篠崎篤三「慈悲無尽の創始者三浦梅園」『社会事業研究所報告 第二輯』（中央社会事業協会社会事業研究所，昭和11年）参照．

(43) Najita, *Visions of Virtue*, 231-32, 244-45, 279-80〔『懐徳堂』，377-379, 397-398, 447-449頁〕を参照．

(44) 梅園会編『梅園全集 第2巻』，165-68頁（名著刊行会，1970）；篠崎「慈悲無尽の創始者三浦梅園」森静朗『庶民金融思想史体系1』，27-35頁．私が訳したものは *Readings in Tokugawa Thought: Select Papers* (Chicago: Center for East Asian Studies, 1999), 289-93.

(45) 仁斎の『語孟字義』の中心的なテーマである．

(46) 篠崎「慈悲無尽の創始者三浦梅園」『社会事業研究所報告 第二輯』（中央社会事業協会社会事業研究所，昭和11年）．

(47) 同書．

第4章　倫理の実践としての労働

(1) 報徳運動については，八木繁樹『報徳運動一〇〇年のあゆみ』（緑蔭書房，1987）が印象的に詳細を記録している．

（2）佐々井信太郎他編『二宮尊徳全集』全36巻（二宮尊徳偉業宣揚会，1927-32年．複製版は龍渓書舎，1977）．全集は，関連する詳細をふくむ記録．また，吉地昌一編著『二宮尊徳全集』全7巻（福村書店，1957-60），見城悌治「近代報徳運動の成立」『江戸の思想 第7号（思想史の19世紀）』（ぺりかん社，1997），54-71頁も参照のこと．

（3）井上章一『ノスタルジック・アイドル二宮金次郎』大木茂写真（新宿書房，1989），24-37頁．内村鑑三の "Ninomiya Sontoku, A Peasant Saint" は，石黒忠篤編，*Ninomiya Sontoku: His Life and Evening Talks*（研究社，1955），3-74頁．武者小路実篤『伝記二宮尊徳』（福村出版，1966），安部磯雄『理想の人』（金尾文淵堂，明治39年）も参照．

（4）『ノスタルジック・アイドル二宮金次郎』は写真が充実している．八木『報徳運動一〇〇年のあゆみ』，144-47頁も参照．

（5）奈良本辰也・中井信彦校注，家永三郎・石母田正・井上光貞・相良亨・中村幸彦・尾藤正英・丸山眞男・吉川幸次郎編集『日本思想大系52 二宮尊徳・大原幽学』（岩波書店，1973），121-236，とくに121-122，146頁；福住正兄編『二宮翁夜話』（報徳文庫，1987）；吉地昌一編『二宮尊徳全集』第1，2巻．抄訳は，石黒，*Ninomiya Sontoku: His Life and Evening Talks,* 75-246, esp. 77-80. 以降の『夜話』はすべて『日本思想大系 52』を参照した．

（6）宮西一積『二宮哲学の研究』（理想社，1969），とくに295-301頁；奈良本辰也『近世封建社会史論』（高桐書院，1948），同『二宮尊徳』（岩波書店，1959）．二宮尊徳の影響は，草分け的な西洋の研究であるベラーの *Tokugawa Religion*〔『徳川時代の宗教』〕と，スミスの *Agrarian Origins of Modern Japan*〔『近代日本の農村的起源』〕にも見てとれる．いずれも，太平洋戦争以前からの国粋主義的な色合いは排除され，近代化というより広い理論的枠組みのなかに位置づけられている．

（7）Masao Maruyama, *Studies in the Intellectual History of Tokugawa Japan* (Princeton, N.J.: Princeton University Press, 1974) は『日本政治思想史研究』（東京大学出版会，1952）を Mikiso Hane が英訳したもの．

（8）Najita, "Interpreting the Historicism of Ogyū Sorai."

（9）荒木見悟・井上忠校注，家永三郎・石母田正・井上光貞・相良亨・中村幸彦・尾藤正英・丸山眞男・吉川幸次郎編集「貝原益軒・室鳩巣」『日本思想大系 34』（岩波書店）所収；『夜話』，121-234，とくに188，191-95，210，220-22頁．

（10）吉地編『二宮尊徳全集 第3巻』，60-74，136-43頁；『第4巻』，60-80，176-83頁；宮西『二宮哲学の研究』，295-397頁．

（11）吉地編『二宮尊徳全集 第4巻』，177-91頁．

（12）下程勇吉「天地と共に行く道」，大江清一「報徳教説の宗教性について」，どちらも佐々井典比古他編『尊徳開顕：二宮尊徳生誕二百年記念論文集』（有隣堂，1987）所収，7-40，41-54頁．

（13）宮西『二宮哲学の研究』，295-301頁．

（14）三浦梅園の言葉と慣習に対する懐疑主義は，三浦梅園「多賀墨郷君にこたふる書」『三浦梅園集』（岩波書店，1953）にくわしい．かれの姿勢は，懐徳堂の五井蘭洲（1697-1763）に近い．Najita, *Visions of Virtue,* 121-45〔『懐徳堂』，199-238頁〕を参照．

徂徠の見解は『弁道』にある．Najita, *Tokugawa Political Writings,* 1-33.

(15) これは，二宮尊徳の計画立案および資源と資源流出についての決定に関する教えに一貫するテーマである．『夜話』，141-44, 164-66頁；宮西『二宮哲学の研究』，387-404頁．長期にわたる計画，「仕法」についての議論は佐々井他編『尊徳開顕』，89-142頁．

(16) 吉地昌一編『二宮尊徳全集 第1巻』，177-83頁．

(17) 尊徳の教えとおもな宗教を区別することは福住正兄編『二宮翁夜話』でくり返しとりあげられている．231-34，147，196-98，205-6頁；宮西『二宮哲学の研究』，98-107頁．

(18) 宮西『二宮哲学の研究』，167-74頁．『夜話』，146-47, 232頁も参照．

(19) 日本の起源に関する神話および儒教，仏教についての山片蟠桃の見解は，Najita, *Visions of Virtue,* 259-60, 273-79〔『懐徳堂』，420-26，440-49頁〕を参照．

(20) 宮西『二宮哲学の研究』，175-86頁；『夜話』，147，150-51頁．

(21) 宮西『二宮哲学の研究』，180頁．

(22) 同書，185頁．『夜話』，206頁．

(23) 宮西『二宮哲学の研究』，187-201，240-50頁．また，大江精一「報徳教説の宗教性について」佐々井他編『尊徳開顕』も参照のこと．

(24) 井上哲次郎などが強調したように，とくに日常倫理に関して，尊徳の折衷的あるいは融合的な基本的思想は，福住正兄の立場によって誇張されたと思われる．福住は小田原の報徳運動を率いた中心人物だが，平田篤胤に国学を学んでおり，尊徳の思想に平田の思想を加味したようだ．かれは尊徳の思想について，半分は神道，残りの半分を仏教と儒教を組み合わせたもの（神仏儒）としたが，尊徳の教えに見てとれる報徳の基本原則では，福住の解釈を確認することはできない．古代は，どの国の状況もおなじだった（「万国皆然り」）．自然秩序におけるあらゆるものはひとつの全体として相互に関係しているとした一円や，すべては因果の過程にしたがって展開するとした尊徳の考えは，神道にはそぐわない．実際，この言葉の起源を強いて挙げるとすれば，仏教であるといえよう．尊徳の自伝を執筆した佐々井信太郎が，尊徳を儒教の理想を実現した人物と評したことは指摘しておくべきである．福住正兄「報徳学内記」『二宮尊徳全集 第36巻』，858-922頁；佐々井信太郎『二宮尊徳伝 第1巻』（経済往来社，1977），594-96頁；『夜話』，146-47頁も参照．

(25) 『夜話』，144-45頁．

(26) 同書，182頁．

(27) 斎藤高行「二宮先生語録」『二宮尊徳全集 第36巻』，323-476頁，とくに第1巻．近代以降の写本は八木繁樹『二宮先生語録：二宮尊徳生誕二百年記念』（大日本報徳社，1987）．斎藤高行『報徳外記』（大日本報徳社，1966）は分度を主題としている；吉地昌一編『二宮尊徳全集 第4巻』，187-91頁；横川四郎編「二宮尊徳集」〔訳者は『近世社會經濟學說大系 第5』（誠文堂新光社，1935）で確認〕，33-58，189-91頁；宮西『二宮哲学の研究』，351頁．もっとも高度な道徳的徳としての推譲は，尊徳の門弟が執筆したものにおいて一貫して強調されている．分度，仕法，推譲について

の尊徳の論評は『夜話』，144–47，155–56，164–68，191–94，202，212頁．

(28) 佐々井信太郎『報徳生活の原理と方法』（報徳文庫，1955），161–83頁；斎藤「二宮先生語録」佐々井信太郎他編『二宮尊徳全集 第36巻』，323–476頁，とくに第1巻．また佐々井『二宮尊徳伝』，78–141頁；斎藤『報徳外記』，5–13頁；宮西『二宮哲学の研究』，351頁は，参考になる概要であり，さまざまな表現は別の多くの個所で見られる．

(29) 宮西一積「報徳仕法史」『現代版報徳全書』（一円融合会，1956），19–27，83–98，109–10，231–34頁；佐々井『二宮尊徳伝』，65–72，134–286頁．

(30) 宮西「報徳仕法史」，65–84，85–98頁．

(31) 横川四郎編『二宮尊徳集』，203頁．

(32) 詳細は吉地編『二宮尊徳全集 第5巻』；宮西「報徳仕法史」，65–105頁；『夜話』，213–15頁．

(33) 横川『二宮尊徳集』，369頁．1845年の報徳会の構成員は，親である竹本幸右衛門をふくむ24人だった．

(34) 奈良本辰也・中井信彦校注，家永三郎・石母田正・井上光貞・相良亨・中村幸彦・尾藤正英・丸山眞男・吉川幸次郎編集『日本思想大系52 二宮尊徳・大原幽学』，357–99，442–84頁；中井信彦『大原幽学』（吉川弘文館，1971）．

(35) 宮西「報徳仕法史」，65–83頁．

(36) 同書，83頁．

(37) 同書，19–27，144–45，231–34頁．

(38) 『夜話』，212–15，217–18，313–17頁．『二宮尊徳全集 第5巻』は天保飢饉をとりあげている．

第5章　報徳と国家の近代化

(1) 奥谷松治『品川弥二郎伝』（高陽書院，1940），97–132頁．森静朗『庶民金融思想史体系1』，291–333頁．欧州の協同組合と，それが米国史におよぼした影響については，Daniel T. Rodgers, *Atlantic Crossings: Social Politics in a Progressive Age* (Cambridge, Mass.: Harvard University Press, 1998); Brett Fairbairn, "History from the Ecological Perspective: Gaia Theory and the Problem of Cooperatives in Turn-of-the-Century Germany," *American Historical Review* 99 (1994): 1203–39, とくに1215頁を参照．

(2) 森静朗『庶民金融思想史体系1』，291–95頁；*Encyclopedia of the Social Sciences* (New York: Macmillan, 1934), 13: 586–87.

(3) 森『庶民金融思想史体系1』，291–95頁．

(4) 加藤房蔵『伯爵平田東助伝』（平田伯伝記編纂事務所，1927），19–33頁．平田は1871年から1876年までライプツィヒで学び，シュルツェ＝デーリチュ経済学の擁護者であったW・F・G・ロッシャー（ロツシエル）の講義を受けた．渋谷隆一はロッシャーのほかに，M・フォーセット，K・ラートゲン，H・ワイペルト，U・エッゲルトなどの経済学者もとりあげている．渋谷隆一『明治期日本特殊金融立法史』，

423, 429-31頁；森『庶民金融思想史体系 1 』, 314-20頁を参照.

（5） 森『庶民金融思想史体系 1 』, 316-17頁.

（6） 同書. 平田は杉山孝平と論文を共同執筆している.『協同組合の名著 第 1 巻』(家の光協会, 1970).

（7） 渋谷『明治期日本特殊金融立法史』, 423, とくに429-31頁；全国信用金庫協会編『信用金庫史』(全国信用金庫協会, 1959), 21-22頁.

（8） 森『庶民金融思想史体系 1 』, 298-301頁.

（9） 平田東助・杉山孝平「信用組合論」『協同組合の名著 第 1 巻』(家の光協会, 1970)；森『庶民金融思想史体系 1 』, 385-89頁. 杉山孝平も1887年から1890年まで欧州に留学している.

(10) 伝田功『近代日本経済思想の研究：日本の近代化と地方経済』(未來社, 1962), 88-90, 100-106頁.

(11) 加瀬和俊「信用組合」加藤俊彦編『日本金融論の史的研究』(東京大学出版会, 1983), 495-592, とくに502頁. 日本の経済学者がシュルツェ＝デーリチュ型とライファイゼン型の違いをどう理解していたかについては, 小林丑三郎『庶民金融談』(明治大学出版部, 1914), 4-80頁に記述がある.

(12) 全国信用金庫協会『信用金庫史』(全国信用金庫協会, 1959), 22-24頁；加瀬「信用組合」, 495-592頁；森『庶民金融思想史体系 1 』, 291-380頁；渋谷『明治期日本特殊金融立法史』, 417-71頁.

(13) 渋谷『明治期日本特殊金融立法史』, 450-56頁. 社会問題講究会の参加者には農商務省の和田維四郎, 酒勾常明, 渡辺朔らがいた. 同省の姿勢については, 高橋昌・横井時敬「信用組合論」『協同組合の名著 第 1 巻』(家の光協会, 1970) に述べられている；横山源之助『日本の下層社会』(1949, 復刻版は岩波書店, 1971) を参照.

(14) 森『庶民金融思想史体系 1 』, 301-5頁；渋谷『明治期日本特殊金融立法史』, 429-31頁.

(15) 渋谷『明治期日本特殊金融立法史』, 450-56頁；加瀬「信用組合」, 495-592頁.

(16) 大蔵省銀行局編『庶民銀行概観』(東京国文社, 1917年), 656-80頁.

(17) 渋谷『明治期日本特殊金融立法史』, 437-62, 467-71頁；森『庶民金融思想史体系 1 』, 301-4頁.

(18) 海野福寿・加藤隆編『殖産興業と報徳運動』(東洋経済新報社, 1978年)；中村雄二郎・木村礎編『村落・報徳・地主制：日本近代の基底』(東洋経済新報社, 1976).

(19) 報徳がイデオロギー的に新体制を支持したことについては, 岡田良一郎「報徳富国論」や福住正兄「富国捷径」を参照のこと. いずれも, 佐々井信太郎他編『二宮尊徳全集 第36巻』；伝田功『近代日本農政思想の研究』(未來社, 1969), 25-26頁；海野・加藤『殖産興業と報徳運動』, 45-78頁.

(20) 森静朗『庶民金融思想史体系 1 』, 381-84頁.

(21) 同書, 381-89頁.

(22) 同書.

(23) 同書.

（24）平田東助「産業組合と報徳主義」は留岡幸助編『報徳之眞髄』（警醒社，1910），102-6頁，所収．

（25）森『庶民金融思想史体系 1』，385-89頁．

（26）福住正兄「日本信用組合報徳結社問答」森『庶民金融思想史体系 1』，389-95頁．徳川時代後期，福住は平田篤胤の「国学」を研究した．報徳の回答には福住の署名はあるが，かれの「国学的」な姿勢は明確でない．かれの敬神愛国は「富国捷径」に概説がある．

（27）宮西一積『二宮哲学の研究』，76-82頁．

（28）伝田功『近代日本経済思想の研究：日本の近代化と地方経済』，88-106頁；中村雄二郎・木村礎編「岡田良一郎の報徳思想」『村落・報徳・地主制：日本近代の基底』，271-306頁〔訳者は23-24頁も参照〕．海野福寿・加藤隆編『殖産興業と報徳運動』，3-44，45-78頁．

（29）伝田『近代日本経済思想の研究』，104-6頁．

（30）同書，105-11頁．

（31）岡田良一郎「淡山論集：報徳講演」佐々井信太郎他編『二宮尊徳全集 第36巻』，1122-99，とくに1196-99頁．

（32）同書．

（33）同書，1124-30頁の「まことの道」．

（34）同書，1190-94頁．新たな「社会秩序」における「自治」のおもな指導者としての報徳については，伝田『近代日本経済思想の研究』，111-17頁．

（35）Fukuzawa Yukichi, *Autobiography of Fukuzawa Yukichi*, 261-63（Revised translation by Eiichi Kiyooka, With a Preface and Afterword by Albert Craig, Madison Books, 1992）〔『福翁自伝』福沢諭吉著，富田正文校注解説，新訂版，慶應通信，1957年，231-33頁〕．

（36）岡田「淡山論集：報徳講演」，1124-30頁．

（37）同書，1130-34，1157，1181-90頁．

（38）同書，1025-53，とくに1025-26；1140-54，1181-90，1196-99頁．

（39）岡田「岡田淡山選集 報徳結社論」佐々井他編『二宮尊徳全集 第36巻』，1025頁；森『庶民金融思想史体系 1』，395-406，333-44頁．

（40）柳田に共感を寄せる見解は，岩本由輝『論争する柳田國男：農政学から民俗学への視座』（御茶の水書房，1985）．また，伝田『近代日本経済思想の研究』，242-73頁；伝田『近代日本農政思想の研究』，179-218頁も参照のこと．

（41）柳田國男「時代ト農政」『定本柳田國男集 第16巻』（筑摩書房，1969），1-160，5-6頁．

（42）同書，137頁．

（43）同書，82，83-87頁．

（44）同書，82-89頁．

（45）同書，105-7頁〔訳者は『定本柳田國男集 第16巻』（筑摩書房，昭和37年10月25日），113頁で確認〕．

(46) 同書．とくに「開白」および190-202頁．
(47) 同書，119-23，とくに123頁．
(48) 同書，175頁〔『定本柳田國男集 第16巻』筑摩書房，昭和56年10月25日，愛蔵版第3刷，130頁で確認〕．
(49) 同書，174-78頁．
(50) 岡田良一郎「柳田國男氏の報徳社と信用組合論を読む」とその続編である「再び柳田國男氏の報徳社と信用組合論を読む」．どちらも佐々井信太郎他編『二宮尊徳全集 第36巻』，1040-45，1045-52頁．
(51) 岡田「柳田國男氏の報徳社と信用組合論を読む」，1141頁．
(52) 同上．
(53) 同書，1143-44頁．
(54) 岡田「再び柳田國男氏の報徳社と信用組合論を読む」，1145頁．
(55) 同書，1145-54頁．
(56) 同書，1154頁．
(57) 金井利太郎『福山先生遺志』(静岡県三川村，1908)，8-9頁；金井利太郎編『福山先生一代記』(報徳遠譲社，1905)，108頁．
(58) 柳田「時代ト農政」，466-67頁；岩本由輝『論争する柳田國男：農政学から民俗学への視座』(御茶の水書房，1985)，209-10頁．
(59) 渋谷隆一『明治期日本特殊金融立法史』，292-96頁．
(60) カール・セザール（Carl Sesar）による英訳は以下である．*Takuboku: Poems to Eat* (Tokyo: Kodansha International, 1966), 53. また，ノーベル物理学賞を受賞した湯川秀樹は，「生活の工夫」『昭和の農村』(家の光，1988)，323頁にこの詩を引用している．東北地方の飢饉の状況については，Irokawa Daikichi, *Culture of the Meiji Period*, trans. Marius B. Jansen (Princeton, N. J.: Princeton University Press, 1985), 219-23. 色川は，1869年，1884年，1897年，1905年および1910年の深刻な穀物の不作を記録している．
(61) 大蔵省編纂『明治大正財政史 第16巻』(経済往来社，1957)，868-902頁；大蔵省銀行局『庶民銀行概観』(1917)，76，128-42頁；全国信用金庫協会編『信用金庫史』，64-89頁；池田竜蔵『稿本無尽の実際と学説』(1927)，237-42頁．

第6章　無尽会社

(1) Robert Dekle and Koichi Hamada, "On the Development of Rotating Credit Associations in Japan," *Economic Development and Cultural Change* 49 (October 2000): 77-90, esp. 85.
(2) 1970年には，72の相互銀行で合計6兆円の資金をあつかっていた．なかでも最大規模の銀行としては，北洋（札幌），弘前，大生（前橋），常磐（東京），平和（東京），大光（長岡），岐阜，名古屋，中京（以上，名古屋），近畿（大阪），福徳（大阪），関西（大阪），阪神（神戸），広島，愛媛（松山），西日本（福岡），福岡，九州

（佐世保）がある．全国日本相互銀行協会編『相互銀行史』（全国日本相互銀行協会，1971），資料139-40頁；西日本相互銀行企画課編『西日本相互銀行十年史』（福岡：西日本相互銀行，1954）；西日本銀行創立四十年史編纂委員会編『普銀転換への道：西日本銀行四十年史』（福岡：西日本銀行，1985）．西日本相互銀行は西日本銀行に商号変更し，その後，福岡シティ銀行と合併した．現在は西日本シティ銀行となっており，九州の主要銀行である．無尽と盛岡の岩手無尽株式会社については，森嘉兵衛「無尽金融史論」『森嘉兵衛著作集 第2巻』（法政大学出版局，1982），447-61頁．

（3） さまざまな講の名称については，池田竜蔵『稿本無尽の実際と学説』，23-24，111-15頁；法律新聞社編『無尽と貯蓄銀行』（法律新聞社，1915），75-76，94頁参照．

（4） 土屋喬雄・小野道雄編『明治初年農民騒擾録』（勁草書房，1931）；小野武夫『維新農民一揆の相貌』（学能協会，1949）．

（5） 共有山林の保護については，小野武夫『近代村落の研究』（時潮社，1934），16-84頁と，小野武夫『維新農村社会史論』（刀江書院，1932），375-431頁参照．

（6） 原口清『明治前期地方政治史研究 下巻』（塙書房，1974），103-20頁．伝田功『滋賀県の百年』（山川出版社，1984），62-64頁．

（7） 原口『明治前期地方政治史研究 下巻』，244-372頁．本章後半の無尽産業によるコメントを参照のこと．松方改革以前の経済状況については，Shunsaku Nishikawa and Osamu Saito, "The Economic History of the Restoration Period," in *Meiji Ishin: Restoration and Revolution*, ed. Michio Nagai and Miguel Urreutia (Tokyo: United Nations University Press, 1985), 175-91.

（8） James L. Nakamura, *Agricultural Production and the Economic Development of Japan 1873-1922* (Princeton, N. J.: Princeton University Press, 1966), 22-52.

（9） 森嘉兵衛「無尽金融史論」は，1962年に『興産相互銀行二十年史』（全2巻）としてはじめて発表された；安澤みね「庶民金融史に寄せて：森嘉兵衛「無尽金融史論」，渋谷隆一・鈴木亀二・石山昭次郎「日本の質屋」について」『経済研究』Vol. 34, No. 3（一橋大学経済研究所，1983），277-80頁；菅野和太郎『日本会社企業発生史の研究』（岩波書店，1931），22-32頁；福山昭『近世農村金融の構造』（雄山閣出版，1975），とくに95-124頁で，徳川時代後期から明治における，大阪を中心とする近畿地方の頼母子講について論じている．

（10） 森「無尽金融史論」『森嘉兵衛著作集 第2巻』（法政大学出版局，1982），131-49頁．

（11） 同書，403-28頁．また，渡辺守順『近江商人』，小倉栄一郎『近江商人の系譜』も参照のこと．

（12） 森「無尽金融史論」，333-45，394-97頁．

（13） 同書，331-45，363-64，393-99頁．

（14） この二社は興産相互銀行の前身で，戦後，岩手銀行に商号変更した．森「無尽金融史論」，427-34，438-61，468-90頁参照．

（15） 南弘道『無尽金融の社会的基礎』（先進社，1931），61-64頁．

(16) 1900年前後の社名の例として，貯蓄奨励社，大和会，共栄合資会社，特別貯蓄激励社，新代貸金合資会社，明治貯蓄奨励株式会社、東京友信株式会社，東亜信託株式会社，家屋新築講会仲介合名会社，名古屋無尽株式会社，日本殖産振興株式会社，相互貯金株式会社がある．社団法人全国相互銀行協会『相互銀行史』，19-20頁を参照のこと．

(17) 南『無尽金融の社会的基礎』，62-63頁．河井正『相互銀行解説』，20頁．

(18) 河井『相互銀行解説』，9-28頁；社団法人全国相互銀行協会『相互銀行史』，1-5，14-22頁．

(19) 椽尾道「東京式無尽経営論」吉澤新作編『無尽実務講習録 下巻』（全国無尽集会所，1935），109-10頁．

(20) 南『無尽金融の社会的基礎』，105-9頁；椽尾「東京式無尽経営論」『無尽実務講習録 下巻』所収．

(21) 大阪式は複雑な式で計算されていた．社団法人全国相互銀行協会『相互銀行史』，61頁に掲載の無尽会社が使用していた表，第3章の表2も参照のこと．

(22) 中川元「大阪式無尽経営論」吉澤新作編『無尽実務講習録 下巻』，1-35頁；南『無尽金融の社会的基礎』，107-9頁．掛金と利益とのバランスをとる三つ目の方法は，東京式と大阪式の折衷で，「名古屋式」と呼ばれた．他の二つほどには利用されてはいなかったが，入札と抽選を併用したものが多かった．たとえば，最初の何回かまでの分配は抽選とし，その後は入札とした．

(23) 池田竜蔵「無尽経済論」，青木得三「庶民金融論」を参照のこと．どちらも『無尽実務講習録 上巻』（全国無尽集会所，1935），69-95，とくに92-94頁．

(24) 池田「無尽経済論」，1-70，とくに51-70頁．

(25) 椽尾「東京式無尽経営論」『無尽実務講習録 下巻』，109-10頁．

(26) 中川「大阪式無尽経営論」『無尽実務講習録 下巻』，10-11頁；椽尾「東京式無尽経営論」『無尽実務講習録 下巻』，52-57頁；木島由四郎『営業無尽論』（無尽学会，1934），1-18頁；木島由四郎「無尽総合組織論」『無尽実務講習録 上巻』，1-65頁．

(27) 横山源之助『日本の下層社会』．同書の初版は1898年．河上肇の「貧乏物語」は，大内兵衛編「河上肇」『現代日本思想大系 第19巻』（筑摩書房，1964），165-267頁．

(28) 池田竜蔵『稿本無尽の実際と学説』，164-168，182-85，378頁．また，大蔵省銀行局『庶民銀行概観』，71-76頁も参照；全国相互銀行協会『相互銀行史』（全国相互銀行協会，1971），23-26頁；河井『相互銀行解説』（無尽界社，1957）9-25頁．

(29) 加藤俊彦編『日本金融論の史的研究』（東京大学出版会，1983），515-18頁．

(30) 大蔵省銀行局編『庶民銀行概観』，71-76頁．

(31) 法律新聞社編『無尽と貯蓄銀行』（法律新聞社，1915），45-227頁；渋谷隆一『明治期日本特殊金融立法史』，109-10，395-99頁．

(32) 池田竜蔵『稿本無尽の実際と学説』，201-14，284-343頁；法律新聞社編『無尽と貯蓄銀行』，98-228頁．

(33) 池田『稿本無尽の実際と学説』，201-14頁；渋谷『明治期日本特殊金融立法史』，109-10頁〔訳者は『無盡ニ關スル調査』を参照〕．

（34）　法律新聞社編『無尽と貯蓄銀行』，45–51頁；池田『稿本無尽の実際と学説』，201–14頁．

（35）　法律新聞社編『無尽と貯蓄銀行』，124頁；栗栖赳夫『無尽及無尽会社論』（文雅堂，1922），73–92頁も参照のこと．

（36）　法律新聞社編『無尽と貯蓄銀行』，98–228，1–14頁；加藤『日本金融論の史的研究』，595–642頁；大蔵省銀行局編『庶民銀行概観』，69–128頁．

（37）　法律新聞社編『無尽と貯蓄銀行』，26，45–71頁；加藤『日本金融論の史的研究』，515–18頁．

（38）　法律新聞社編『無尽と貯蓄銀行』，45–52，97–98頁．

（39）　同書，124–27頁．

（40）　全国相互銀行協会『相互銀行史』，27頁；法律新聞社編『無尽と貯蓄銀行』，131–58頁．

（41）　全国相互銀行協会『相互銀行史』，28頁；法律新聞社編『無尽と貯蓄銀行』，75–76頁．

（42）　大蔵省編／財政経済学会『明治大正財政史 第16巻』，821–46，826頁；大蔵省銀行局編『庶民銀行概観』，80–82頁；法律新聞社編『無尽と貯蓄銀行』，98–100頁；全国相互銀行協会『相互銀行史』，22–45頁．

（43）　法律新聞社編『無尽と貯蓄銀行』，131–58頁．

（44）　全国相互銀行協会『相互銀行史』，30–31頁．

（45）　Kiyoshi Ogata, *The Co-operative Movement in Japan* (London: S. King and Sons, 1923), vi.

（46）　河井正『相互銀行解説』，9頁．

（47）　森静朗『庶民金融思想史体系 2』，117–70頁；賀川豊彦「産業組合に視座を与えよ」『昭和の農村』（家の光協会，1988），132–35頁．

（48）　河井『相互銀行解説』，24頁；全国相互銀行協会編『無尽業発展史』（全国相互銀行協会，1951），12–14頁；南弘道『無尽金融の社会的基礎』，75–90頁．商業，製造業，農業が拡大した貸付一覧の上位を占める．一方，三分の一というかなりの部分は「その他」としてのみ掲載されている．

（49）　池田竜蔵『無尽之研究』1（1929），1–2頁．

（50）　『無盡通信』第10巻第3号（1929），1頁の「宣言」．また，『無盡通信』第15号（1928），1頁；『第8号』（1927），1頁；『第10号』（1929），1頁も参照のこと．

（51）　『無盡通信』第10巻第4号（1929），1頁；木島由四郎『営業無尽論』，1–18頁．木島は無尽会社の取り組みと「プロレタリアート」への支援について論じている．

（52）　ここにとりあげた事例のいくつかは，『西日本新聞』の1989年6月30日–7月3日の連載，「疾風の中に」でとりあげられた．西日本相互銀行企画課『西日本相互銀行十年史』，129–32頁；小石原勇編『九州金融変遷史』（九州産業経済新聞社，1951）．

（53）　原田種夫『二宮佐天荘主人四島一二三伝』（福岡相互銀行，1966），120–44，210–25頁．

（54）　河井正『相互銀行解説』，31–37頁；全国日本相互銀行協会『相互銀行史』，86–91,

119-23頁.

(55) *The New Regional Banks of Japan, 1989-90* (Tokyo: Second Association of Regional Banks, 1991), 1.

(56) 同書.

終章 断片的な言説

(1) 時事通信社『時事年鑑』(1947), 288-99頁.

(2) 沖縄県理財課編『貸金業及模合関係書類』(琉球政府, 1954年, 非刊行, 丁付けなし).

(3) 『青い海』第11巻第5号 (1981), 38-49, とくに42-44頁.

(4) 同紙, 16-22頁.

(5) J. Victor Koschmann, *Revolution and Subjectivity in Postwar Japan* (Chicago: University of Chicago Press, 1996)〔コシュマン『戦後日本の民主主義革命と主体性』葛西弘隆訳 (平凡社, 2011)〕; 都築勉『戦後日本の知識人：丸山眞男とその時代』(世織書房, 1995); Rikki Kersten, *Democracy in Postwar Japan: Maruyama Masao and the Search for Autonomy* (London: Routledge, 1996); Tetsuo Najita, "On History and Politics in the Thought of Maruyama Masao," Maruyama Masao Lecture and Seminar, Occasional Papers no.1 (Berkeley: Center for Japanese Studies, University of California, 2000). 興味深いものとして, Sakata Keiichi, "Community and Autonomy," in *Authority and the Individual in Japan: Citizen Protest in Historical Perspective,* ed. and trans. J. Victor Koschmann (Tokyo: University of Tokyo Press, 1978), 220-49がある.

(6) 『地上』第6号 (1947), 59-63頁. ここにとりあげたテーマは, とくに1947年から48年にかけて掲載された.『協同民主主義』第1巻第15号 (1946) も参照のこと.

(7) 賀川豊彦『協同組合実務知識』第12巻第1号 (協同組合実務研究会, 1946), とくに8-18頁；森静朗『庶民金融思想史体系2』, 157-70頁；『庶民金融思想史体系3』, 97-187頁.

(8) 矢部貞治「協同主義の政治理論」『協同主義 別輯1』(1948), 1-51頁；矢部貞治「日本政治民主化の課題」社会思想研究会編『再建の原理と社会思想』(実業之日本社, 1948)；賀川『協同組合実務知識』第12巻第1号, 2号 (1946年).

(9) E. H. Norman, *Ando Shoeki and the Anatomy of Japanese Feudalism*〔ノーマン『忘れられた思想家：安藤昌益のこと』大窪愿二訳 (岩波書店, 1950, 岩波新書, 1991)〕参照. また, Najita, "Ando Shoeki: 'The Forgotten Thinker' in Japanese History" も参照のこと.

(10) 楠本雅弘「協同組合と政治運動」斉藤仁監修『二一世紀に生きる協同組合』(家の光協会, 1987), 290-329頁.

(11) 高畠通敏編集解説『近代日本思想大系19 山川均集』(筑摩書房, 1976). とくにここで関連するのは,「プロレタリア階級の新たな方向」についての山川の随筆「無産階級運動の方向転換」.

（12）『近代日本思想大系19 山川均集』の山川についての高畠の解説を参照のこと．また，高畠の随筆，"Citizens' Movements: Organizing the Spontaneous," in *Authority and the Individual in Japan: Citizen Protest in Historical Perspective,* ed. and trans. J. Victor Koschmann（Tokyo: University of Tokyo Press, 1978), 189–99. Wesley Sasaki-Uemura, *Organizing the Spontaneous: Citizen Protest in Postwar Japan*（Honolulu: University of Hawai'i Press, 2001）；テツオ・ナジタ，前田愛，神島二郎編『戦後日本の精神史：その再検討』（岩波書店，1988）を参照のこと．

（13）山崎益吉「近代群馬の民衆思想」高崎経済大学附属産業研究所編『近代群馬の民衆思想：経世済民の系譜』（日本経済評論社，2004)，1-25頁．

（14）八木繁樹「二宮尊徳思想の現代的意義」斉藤仁監修『今日に生かす協同思想：危機克服への提言』（家の光協会，1984)，167–204，とくに167頁．

（15）技術系で突出しているのは，測定用ジャイロスコープ装置のメーカー，光電である．光電は1930年代に留岡幸助の影響を受けた．留岡は，非行少年少女問題をとりあげた社会改革主義者であり，二宮尊徳に心酔していた．『コーデン　笹野正雄先生記念号』vol. 34，no. 3（光電製作所社内報　通算422号，1993）参照；中川靖造『物語コーデン；工夫と時と情熱：エレクトロニクス技術の夢と軌跡』（四十周年記念事業委員会，1989)．全国報徳大会は，全国報徳団体連絡協議会によって毎年開催されている．私が所有するパンフレットは，芝（東京都）と茂木（茨城県）で，それぞれ1988年，1989年におこなわれた会合のもの．おもなテーマは，尊徳の知的遺産と環境危機であった．

（16）2000年７月と2002年１月にすべての報道機関で報道されたように，雪印は品質が劣化した牛乳を出荷し，広範囲に食中毒を発生させた（1000件以上)．また，輸入牛肉を国産と偽ることによって，政府の補助金を不正に得た．たとえば，2000年７月５日，2002年１月26日の『ジャパン・タイムズ』を参照のこと．

（17）黒澤酉蔵『酪農学園の歴史と使命』（酪農学園，1970)，1–42頁；黒澤酉蔵『反芻自戒』（酪農学園，1972)；青木永『黒澤酉蔵』（黒澤酉蔵伝刊行会，1961)，341–43頁．また，Tetsuo Najita, *Traditional Cooperative in Modern Japan* も参照．

（18）Kenneth Strong, *Ox against the Storm: A Biography of Tanaka Shozo, Japan's Conservationist Pioneer*（Vancouver: University of British Columbia Press, 1977）〔ストロング『田中正造伝：嵐に立ち向かう雄牛』（晶文社, 1987)〕; Masuro Sugai, *The Developmental Process of Mining Pollution at the Ashio Copper Mine*（New York: United Nations University Press, 1983); Kazuo Nimura, *The Ashio Riot of 1907: A Social History of Mining in Japan,* ed. and trans. Andrew Gordon（Durham, N. C.: Duke University Press, 1977）〔二村一夫『足尾暴動の史的分析：鉱山労働者の社会史』（東京大学出版会，1988）の英訳〕.

（19）Najita, "Andō Shōeki," 61–79, esp. 75–76；Norman, *Andō Shoeki and the Anatomy of Japanese Feudalism.* 佐藤信淵は，強い国家を奨励した．その国家とは農業を育成し，商人の手から経済を取り戻すものだった．

（20）Irokawa Daikichi, "The Survival Struggle of the Japanese Community"; Margaret A. McKean, *Environmental Protest and Citizen Politics in Japan*（Berkeley: University of Cali-

fornia Press, 1981); Clark C. Gibson, Margaret A. McKean, and Elinor Ostrom, eds., *People and Forests: Communities, Institutions, and Governance* (Cambridge, Mass.: MIT Press, 2000).

(21) 小野洋一郎『報徳の人大友亀太郎』(北辰堂，1986)；尾崎照夫『物語北海道報徳の歴史』(北海道報徳社，1985).

(22) 渡辺利春『二宮尊親の北海道開拓』(龍渓書舎，1979)，160–61頁.

(23) 尾崎『物語北海道報徳の歴史』，106–46，461–69頁.

(24) 『社団法人牛首別報徳会定款』(1936年2月19日，内務省承認)〔『二宮尊親の北海道開拓』，112–20頁を参照〕.

(25) 竹井二三子『生協運動はなぜ広がったか：東京・下馬生協の実践』(家の光協会，1988)，51–52頁.

(26) 同書，54頁.

(27) 「下馬生協第四四回無尽会」1993年8月6日，10カ月期限の第1回会合で配布されたもの.

(28) 1993年8月17日の竹井と私との会話から．また，竹井『生協運動はなぜ広がったか』，161–71頁も参照.

(29) 形式ばらない興味深い研究が二つある．松本由隆『市民自治と市民防災：阪神・淡路大震災から見えてくるもの』(柘植書房新社，2003)と小山内美江子編著『カンボジアから大震災神戸へ：抱きしめて若者』(労働旬報社，1996).

著者略歴

（Tetsuo Najita 1936-2021）

ハワイ生まれ．1965年，ハーヴァード大学で博士号取得．カールトン・カレッジ，ウィスコンシン州立大学を経て，1969年以降シカゴ大学で教鞭をとる．シカゴ大学名誉教授，ロバート・S・インガソル記念殊勲教授（歴史学・東アジア言語文明研究）．専攻は近代日本政治史・政治思想史．1989年に大阪府より山片蟠桃賞を受賞．著書『原敬——政治技術の巨匠』（読売選書，1974）『明治維新の遺産——近代日本の政治抗争と知的緊張』（中公新書，1979，講談社学術文庫，2013）『懐徳堂——18世紀日本の「徳」の諸相』（岩波書店，1992），『Doing 思想史』（みすず書房，2008）．編著（共著）『戦後日本の精神史——その再検討』（岩波書店，1988，2001）ほか．

監訳者略歴

五十嵐暁郎〈いがらし・あきお〉1976年，東京教育大学大学院文学研究科博士課程修了．1987-2012年，立教大学法学部教授．現在，立教大学名誉教授．専攻は現代日本政治論．著書『民主化時代の韓国——政治と社会はどう変わったか 1987-1992』（世織書房），『新 アジアのドラマ——ポスト冷戦・高度経済成長の光と影』（潮出版社），『明治維新の思想』（世織書房），『日本政治論』（岩波書店），『女性が政治を変えるとき』（共著，岩波書店）ほか共著，編著多数．

訳者略歴

福井昌子〈ふくい・しょうこ〉翻訳家．立教大学法学部卒業．訳書として，『麻薬と人間』『値段と価値』『オルガスムの科学』（作品社），『子どもの権利ってなあに？』（エルくらぶ），『植民地朝鮮における日本の同化政策』（クオン），『ヘイトクライムと修復的司法』（明石書店），『ライス回顧録』（共訳，集英社），『彼女はなぜ「それ」を選ぶのか？』『完璧なイメージ』（早川書房）など．

テツオ・ナジタ
相互扶助の経済
無尽講・報徳の民衆思想史
五十嵐暁郎監訳
福井昌子訳

2015年 3 月 25 日　初　版第 1 刷発行
2022年 6 月 16 日　新装版第 1 刷発行

発行所 株式会社 みすず書房
〒113-0033 東京都文京区本郷 2 丁目 20-7
電話 03-3814-0131(営業) 03-3815-9181(編集)
www.msz.co.jp

本文組版 キャップス
本文印刷・製本所 中央精版印刷
扉・表紙・カバー印刷所 リヒトプランニング

ISBN 978-4-622-09534-7
[そうごふじょのけいざい]
落丁・乱丁本はお取替えいたします

日本の200年 新版 上・下 徳川時代から現代まで	A. ゴードン 森谷文昭訳	上 3600 下 3800
昭和 戦争と平和の日本	J. W. ダワー 明田川融監訳	3800
アメリカ〈帝国〉の現在 イデオロギーの守護者たち	H. ハルトゥーニアン 平野克弥訳	3400
アメリカの世紀と日本 黒船来航から安倍政権まで	K. B. パイル 山岡由美訳	4800
日本の長い戦後 敗戦の記憶・トラウマはどう語り継がれているか	橋本明子 山岡由美訳	3600
明治維新の敗者たち 小栗上野介をめぐる記憶と歴史	M. ワート 野口良平訳	3800
幕末的思考	野口良平	3600
日米地位協定 その歴史と現在《いま》	明田川融	3600

（価格は税別です）

みすず書房